数学クラシックス　第30巻

G.H.ハーディ [著]
髙瀬 幸一 [訳]

ラマヌジャン

その生涯と業績に想起された主題による十二の講義

丸善出版

写真提供:Science Photo Library / PPS 通信社

本書は 1940 年にケンブリッジ大学出版局から刊行され,1999 年に訂正と注釈を加えてアメリカ数学会から再刊行された "*Ramanujan: twelve lectures on subjects suggested by his life and work*" (G. H. Hardy) を翻訳したものです.

目 次

序　文　　　　　　　　　　　　　　　　　　　　　　　　v
第 4 版　序　文　　　　　　　　　　　　　　　　　　　vii
講義 I　　　インド人数学者 Ramanujan　　　　　　　　　1
講義 II　　 Ramanujan と素数の理論　　　　　　　　　　31
講義 III　　滑らかな数　　　　　　　　　　　　　　　　69
講義 IV　　解析的数論のさらなるいくつかの問題　　　　 85
講義 V　　 格子点問題　　　　　　　　　　　　　　　　99
講義 VI　　分割数に関する Ramanujan の業績　　　　　 123
講義 VII　 超幾何級数　　　　　　　　　　　　　　　　151
講義 VIII　分割数の漸近的理論　　　　　　　　　　　　169
講義 IX　　数を平方数の和として表すこと　　　　　　　197
講義 X　　 Ramanujan の関数 $\tau(n)$　　　　　　　　　　243
講義 XI　　定積分　　　　　　　　　　　　　　　　　　283
講義 XII　 楕円およびモジュラー関数　　　　　　　　　321
参考文献　　　　　　　　　　　　　　　　　　　　　　351
G. H. Hardy 著 "*Ramanujan*" についての注釈　　　　　359
訳者後書　　　　　　　　　　　　　　　　　　　　　　381
索　引　　　　　　　　　　　　　　　　　　　　　　　383

序　文

　　本書は 1936 年の秋，芸術と科学の Harvard 三百周年集会における二つの講演から発展したものである．その第一のものは *American Mathematical Monthly* の 44 巻に出版され，ここに講義 I として変更なしに再録されている．第二のものは次第に拡大して本書の残りの部分を満たすに至った．

　　1936 年以来，私は Ramanujan の業績について多数の講演をしてきた，米国と英国のいくつもの大学や学会での単発の講演や，Princeton と Cambridge での一連の講義などである．それらの講義内容の大部分は，出版する体裁を整えるに要する再整理と加筆を施して，講義 II から講義 XII に収録されている．この意味でそれらは正真正銘の講義であって，全体を通して講師が話すような様式で書かれている．

　　本書の内容はその表題に端的に表明されている．それは Ramanujan の業績に関する組織立った報告書ではなく（とはいえ彼のとりわけ重要な発見のほとんどがどこかで言及されているが），むしろそれによって想起された一連の評論である．それぞれの評論で彼の仕事の一部を原典として取り上げ，以前のおよび以後の書き手達との関係で思い浮かぶことを書いた．さりながら，例えば講義 VIII で Rademacher の仕事について書く際，あるいは講義 XI で Rankin の仕事について書く際に話が遠くまでそれたときにでも，"Ramanujan" が全体を一つに繋げる糸である．

　　R.A.Rankin 博士は本全体を原稿および校正の両方で読んでくださり，非

vi　序　文

常に多くの重要な示唆と訂正をしてくださった．W.N.Bailey 博士は私が講義 VII を改定するのを手助けしてくださった；F.M.Goodspeed 氏はいくつかの講義，特に講義 XI を読んで批評してくださった；そして G.N.Watson 教授の手助けがなければ私は講義 XII を容易に書くことはできなかったであろう，同様に感謝したい．Ramanujan の写真は，Trinity 学寮の前フェローである S.Chandrasekhar 博士によるものである：実際に写真を撮った人の名前が分からないのが残念である．V.Levin 博士は私のために文献の相当部分を整えてくださった．しかしながら私の第一の謝辞は Harvard 大学に贈られるべきであろう，本書の存在はこれをその招待に負うているのだから．

1940 年 7 月　G.H.H.

第4版 序文

　G.H.Hardy による *Ramanujan, Twelve Lectures on Subjects Suggested by His Life and Work* は最初に Cambridge University Press から 1940 年に出版された．1960 年に Chelsea により再刊され，1978 年に改訂されて再版された．数年間は絶版であった．

　Ramanujan についての Hardy の講義が 1940 年に出版されて以来，十二の講義それぞれの主題は相当の進歩をみた．今回の再刊に際して，各章について解説をつけて，読者に 1940 年以来生じた重要な活動のいくつかについて近況をお伝えする．一部の章については解説は簡単なものである，なぜならばその内容は大部分 Ramanujan の発表された論文に見ることができて，それについてはアメリカ数学会による Ramanujan の『全集』の新しい再刊 [86] に広範な解説が提供されているからである．例えば，第3章と第8章はそれぞれ確率論的数論と円周法のもととなった Hardy と Ramanujan の有名な論文から取られたものである．一方，他の章，特に第7章と第12章についての解説はずっと広範なものである，というのはそれらの章はその起源が Ramanujan の発表された論文にはないからである．

　1978 年版にある誤植で気がついたものはこの新版で訂正してある．

　幾人かの数学者には，解説，訂正，論評，および参考文献を寄せていただき，感謝申し上げたい．特に，Paul Batemen, Maurice Craig, Freeman Dyson, Michael Hirschhorn, Barry McCoy, Marvin Knopp, Pieter Moree,

Ken Ono とりわけ Adolf Hildebrand, Don Richards および Kenneth S. Williams の助力に感謝します.

Urbana, Illinois   *Bruce C. Berndt*
1999 年, 5 月

講義 I　インド人数学者 Ramanujan

　この講義で私は実に困難な課題を自らに課してしまった．もし失敗のあらゆる言い訳から始めようと決めていたらほとんど不可能なことと表現したであろう課題である．かつて本格的にしたことはなかったので私自身がせねばならず，さらに皆さんがそうするのを手助けせねばならないのだが，数学の近代史上最も小説的な人物について，何がしか筋の通った評価を行うのである．その経歴は逆説と矛盾に満ちているがごとくであり，我々が互いについて判断する際に慣れ親しんだ規範のほとんどがおよばない人間，しかも，彼がある意味では非常に偉大な数学者であったという評価，この一点においてのみは我々皆が恐らく同意するであろう人間である．

　Ramanujan を評価する際の困難は明らかであり手に負えないといって余りある．Ramanujan はインド人であり，私が思うに英国人とインド人が互いを適切に理解することはいつでも少々難しいことである．彼は，よくいえば教育半ばのインド人である；彼は，今日そうであるような，正統的なインドの教育の恩恵を受けたことがない；彼はインドの大学の "First Arts Examination" に合格できなかったし，"Failed B. A." に達することすらできなかった[1]．生涯のほとんどの間，彼は近代的なヨーロッパの数学を実質的に全く知ることなく仕事をして，彼が三十を少し超えて，彼の数学教育が何らかの意味でようやく始まったときに死んだ．彼は多数の論文を出した

---

[1]　[訳註] 当時のインドでは，理科系専攻であっても学位は B. A. (Bachelor of Arts, 文学士) であったようである．Failed B. A. は学位を取れずに卒業する学生を指すと思われ，First Arts Examination は大学初年級の試験と思われる．B. S. (Bachelor of Science, 理学士) の学位がなかったとすれば，Arts という言葉は学芸一般を指すものであったろう．

——彼の出版した論文は 400 ページ近い量になる——が，多量の未発表の仕事を残しており，過去数年に至るまでそれが適切に分析されることはなかった．その仕事には非常に多くの新しいことが含まれるのだが，それにも増して再発見，それも往々にして不完全な再発見が含まれている；そして彼が再発見したに違いないことと，彼がどのようにしてか学んだこととを区別するのはときとして未だになしがたいのである．私は，いまになっても彼がどの程度偉大な数学者であったのかを誰かが何らかの確信をもっていうところを想像できないし，ましてや彼がいかに偉大な数学者になっていただろうかはいわずもがなである．

それらは実に難儀なことではあるが，その幾分かは見たほどには手に負えないものではないだろうと思うし，私にとっての最大の困難は Ramanujan の経歴の明らかな逆説とは関係ないのである．私にとっての本当の困難は，Ramanujan はある意味で私が発見したものであるということにある．私が彼を作り出したのではない——他の偉大な人間同様，彼が自分自身を作り出した——しかし私は彼の仕事のいくらかを見る機会のあった本当に適任な最初の人間であり，大変な宝物を発見したことを直ちに見抜けたのを，いまでも満足をもって思い出すことができる．そして私が思うに，私は依然として Ramanujan のことを他の誰よりも知っているし，この特定の主題については依然として第一の権威である．英国には他の人もいて，Watson 教授は特にそうだし Mordell 教授もそうだが，彼の仕事の一部については私よりもはるかによく知っている．しかし Watson にしろ Mordell にしろ私が知っていたように Ramanujan 自身を知ってはいなかった．数年の間ほぼ毎日私は彼と会い彼と話し合っていたし，何よりも私は実際に彼と共同研究をしていた．私は一人を除いて世界中の他の誰よりも彼に多くを負うており，彼とのつながりは私の人生で一つの小説的な出来事なのである．だから私にとっての困難とは私が彼のことを十分よく知らないということではなくて，私が知りすぎており感じすぎるということであって，単に私が公平になれないということにある．

Ramanujan の生涯の諸事実については，Seshu Aiyar と Ramachaundra Rao に依拠しており，彼らの覚え書きは私自身のものと共に彼の『全集』に収められている．彼は 1887 年に，Madras 総督の行政区 Tanjore にある

そこそこの大きさの町 Kumbakonam 近郊の Erode のバラモンの家庭に生まれた．彼の父親は Kumbakonam にある布商人の事務所の事務員で，彼の身内は高いカーストではあったが非常に貧しかった．

彼は七歳で Kumbakonam の高校にやられ，そこに九年間いた．彼の例外的な能力は十歳にならないうちに現れ始め，十二，三歳の頃には彼はひどく尋常でない少年であると認められていた．彼の伝記作家は彼の若いころの興味深い話を述べている．例えば，三角法の勉強を始めてすぐに，彼は「正弦と余弦についての Euler の定理」（円関数と指数関数の関係のことと私は理解するが）を自分で発見して，後に，Loney の *Trigonometry* の第二巻からのようだが，それらが既に知られていることを見いだして非常にがっかりしたそうである．十六歳になるまで何かそれ以上に高度な数学書を目にすることはなかった．Whittaker の *Modern analysis* は未だそれほどには普及していなかったし，Bromwich の *Infinite series* は存在していなかった．それらの本のいずれにしても，もし彼と遭遇することができたら，はなはだしく大きな違いを彼にもたらしたであろうことは疑うべくもない．Ramanujan の全能力を目覚めさせたのは非常に異なった類の本，Carr の *Synopsis* であった．

Carr の本（Cambridge の Gonville and Caius 学寮の元学生である George Shoobridge Carr による *A synopsis of elemntary results in pure and applied mathematics*，二巻本として 1880 年および 1886 年に出版された）はいまではほとんど入手できないものである．Cambridge 大学図書館に一冊あるが，たまたま Kumbakonam の Government 学寮の図書館に一冊あって，友達が Ramanujan のために借り出した．この本はいかなる意味でも偉大なものではないが Ramanujan がそれを有名にした．さらに，彼に深い影響を与えて，彼がそれを知ったことが彼の経歴の本当の出発点であることに疑いはない．そのような本にはそれなりの質があったに違いなく，Carr のものは高い名声を博した本ではなくとも単なる三流の教科書などではなく，何らかの真の学識と情熱，さらには独自の様式と個性をもって書かれた本なのである．Carr 自身はロンドンで家庭教師をしていたが，四十近くなって Cambridge に学部学生としてやってきて，1880 年の数学優等卒業試験二級合格者の 12 番であった（同年，彼の本の第一巻を出版した）．Ramanujan が彼の名の命脈を保ったことを除けばいまでは彼のいた学寮ですら完全に忘れられている；しかし，彼は何がしか注目すべき人間だったに違いない．

　この本は実質的には Carr の指導ノートの要約であると思う．もしあなたが Carr の生徒なら，*Synopsis* のしかるべき項目をおさらいしたことだろう．それは大まかには現在の優等卒業試験課程の Schedule A の主題（1880年当時 Cambridge でそれと理解されていたような）を扱っており，事実，いうとおりの「概要」である．6165 個の定理が表明されていて，組織的かつ非常に科学的に配列されている．つけられた証明は往々にして相互参照に毛の生えたもので，明らかにこの本の最もつまらない部分である．これらすべてのことは Ramanujan の有名なノートで際立っていて（事実上，証明は全く書かれていない），Ramanujan の提示の理想が Carr やり方の引き写しであることは，そのノートを研究した者ならだれでも見て取ることができる．

　Carr は当然の項目である代数学，三角法，微積分学および解析幾何学を設けているが，一部の項目は不相応に詳しく書かれていて，特に積分学の形式的な側面についてそうである．これは Carr のお気に入りの主題だったようで，その取り扱いは非常に充実していて，それなりに間違いなくよいものである．関数論はない；そして私は，Ramanujan が彼の生涯の最後まで解析関数がどのようなものであるか明確に理解していたのか，大いに疑問に思うのである．Carr 自身の好みと Ramanujan の後の仕事から見てさらに驚くべきことは，楕円関数については何もないということである．Ramanujan がいかにしてこの理論に関する彼の非常に風変わりな知識を得たにせよ，それは Carr からではなかったのである．

　総じていうと，かくも尋常ならざる才能を持った少年を感化することを考えれば Carr の本はそれほど悪いものではないし，Ramanujan はそれに驚くほど見事に答えたのである．

　　かくして彼に開かれた新世界を（と彼のインド人の伝記作家は言う）[2]
Ramanujan は歓喜をもって探索してまわった．彼の天才を目覚めさせたのはこ

---

[2]　［原註］引用は（私自身の Ramanujan についての覚え書きを除いて）Seshu Aiyar と Ramachaundra Rao からのものである．

の本であった．彼はそこに与えられた公式を確かめることに取り掛かった．他の本の手助けもないなかで，彼に関する限り問題解決の一つ一つが一個の研究であった……．Ramanujan がよく言っていたことには，夢の中で Namakkal の女神が公式の霊感を与えてくれた．注目すべきことは，しばしば，寝床から起き上がるなり結果を書き下して，それらを速やかに実証していた．もっとも，常に厳密な証明を提供することができたわけではないが……．

私はこの一連の文を意識的に引用したのだが，それは私がそれらに何らかの重要性を付加するからではなくて——私は皆さん以上に Namakkal の女神に興味があるわけではない——我々が Ramanujan の経歴で困難で悲劇的な部分に近づいているからであり，若い時期の彼の心理と彼を取り巻く雰囲気で可能な部分を理解せねばならないからである．

私は確信するのだが，Ramanujan は神秘主義者ではなく，厳密に世俗的な意味を除けば，宗教は彼の人生で何も重要な役割を果たしてはいなかった．彼は正統的な高いカーストのヒンドゥー教徒であり，（英国在住のインド人にははなはだ稀なことだが）彼のカーストのあらゆる戒律を常に固守していた．彼は彼の両親にそうすることを約束して，自分の約束を文字通りに守っていた．彼は最も厳しい意味で菜食主義者であり——このことは後に彼が病気になった際に恐ろしい障害となった——Cambridge にいる間ずっと自分の食事は自分で料理したし，まずパジャマに着替えてからでなくては料理しようとしなかった．

さて『全集』に収められている Ramanujan についての二つの覚え書きは（どちらもおのおの異なった仕方で，彼を非常によく知っていた人間により書かれたものだが）彼の宗教については互いに真っ向から矛盾している．Seshu Aiyar と Ramachaundra Rao がいうには

> Ramanujan は明確な宗教的視野を持っていた．彼は Namakkal の女神に特別な畏敬の念を持っていた……．彼は至高の存在や人間が神の高みに到達することを信じていた……．彼は生と死後の問題についての確信を抱いていた……．

一方，私は

> ……彼の宗教心は戒律の問題であって知的な確信といったものではなくて，

彼が私に話したことをよく覚えているが（大いに驚いたことに）すべての宗教は彼には多かれ少なかれ等しく正しいと思われた……．

我々のどちらが正しいのだろうか．私としては全く何の疑いも持たない；私が正しい事は確実である．

私の信ずるところ，古典研究者の本文批評における一般的原則は *difficilior lectio potior*——より難しい読みがより好ましい——である．もし Canterbury の大司教がある男に私[3]は神を信ずると言い，別の男に私は信じないと言えば，恐らく真実は第二の主張である，というのは，さもなくばそれが真実であろうとなかろうと，第一の主張をするだけの数多くのまっとうな理由があるにもかかわらずそう言ったのはなぜかを理解することが非常に難しいからである．同様に，もし Ramanujan のような厳格なバラモンが，彼が確かにしたように明確な信仰心はないと私に述べたとすれば，100 対 1 で彼は自分で言ったことを意味していたのである．

だからといって Ramanujan が彼の両親や彼のインド人の友人の感情を害したわけではなかった．彼は熟慮した上での無神論者ではなくて，厳密な意味での「不可知論者」であって，ヒンドゥー教であろうと他のいかなる宗教であろうと，そこに特段の善も特段の悪も見ることはなかったのである．ヒンドゥー教は，例えばキリスト教と比べてはるかに戒律の宗教であって，信仰が考慮されることはいかなる場合でも極端に少ないのである．そして Ramanujan の友人達が彼がそのような宗教の因習的な教義を受け入れていると思い，かつ彼が彼らの思い込みを正すことをしなかったとすれば，彼は全く無害の（恐らくは必要な）韜晦をしていたのである．

Ramanujan の宗教についてのこの疑問は，それ自体は重要ではないが全く見当違いでもない，なぜならば一点だけ私がいやが上にも強調したいと心から思うことがあるからである．Ramanujan について理解し難いことは全く十分にあって，ことさら神秘性を醸す必要はない．私自身，大いに彼が好きで敬服していたから，彼については合理主義者でありたいと思うのである；そして皆さんに明確にしておきたいのだが，Ramanujan は良好な健康

---

[3] ［原註］大司教．

と快適な環境の下にCambridgeに住んでいた頃には,その奇癖にもかかわらず,ここの誰とも同じく道理をわきまえた良識的な,そして彼なりに如才のない人物であった.私が皆さんに最もしてほしくないことは,もうお手上げだとばかりに「何かわけの分からないものだ,東方の古の英知による何か神秘的な御告げだ」とわめきたてることである.私は東方の古の英知なぞ信じないし,私が皆さんに示したい描像とは,他の際立った人物と同様の奇抜さはあるものの,同席していて楽しく,一緒にお茶を飲んだり政治や数学を論じることができる人間のそれである;要するに,東方の不思議,あるいは霊感を受けた白痴*,あるいは心理学的奇形の描像ではなくて,たまたま偉大な数学者であった一人の理性的な人間のそれである.

十七歳になるまでRamanujanは順調であった.

1903年の12月に彼はMadras大学の入学許可試験に合格して,次の年の1月にKumbakonamのGovernment学寮のJunior First in Artsのクラスに所属し,さらにSubrahmanyam奨学金を得た.それは一般的にいって英語と数学に秀でている者に与えられ……,

しかしこの後,一連の悲劇的な齟齬が訪れる.

そのころまでに,彼は数学の研究にあまりにものめりこんでしまって,あらゆる講義時間に——それが英語であろうが歴史であろうが生理学であろうが——何がしかの数学の研究に没頭して,教室で何が起きているか気にもしないのが常であった.この数学への過度の傾倒と,結果として他の教科を怠ったことから,上級のクラスへきちんと進級できず,さらに結果として奨学金も打ち切りということになった.一部は失望により,また一部は友人の影響もあって北方のTelugu地方に遁走したが,放浪のあげくKumbakonamに戻りもとの学寮に戻った.不在のために1905年の学期証明書を得るに十分な出席をすることができず,1906年にMadrasのPachaiyappa学寮に入ったものの,病に倒れてKumbakonamに戻った.彼は1907年12月のF. A.試験を私費学生として受けたが失敗し…….

Ramanujanは1912年に至るまで,数学を除けば,これといってする事はなかったようである.1909年に結婚して正式の就職が必要となったのだが,大学での残念な経歴のゆえに職を見つけることははなはだ困難であっ

---

* [訳註] いわゆるサヴァン症候群を意味すると思われる.

た. 1910年頃，より影響力のあるインド人の友人達，Ramaswami Aiyar と彼の二人の伝記作家との出会いがあったが，彼のためのそこそこの身分を見つけようという彼らの努力はすべて失敗に終わり，1912年に彼は，年間30ポンドの給料でMadrasの港湾事務所の事務員となった．彼はそのとき二十五歳近くであった．数学者の経歴で十八歳から二十五歳の期間は決定的な期間であって，害悪は既になされてしまった．Ramanujanの天才が十分に発達する機会は二度となかったのである．

残りのRamanujanの生涯についていうことは多くはない．彼の最初の重要な論文は1911年に出版され，1912年には彼の例外的な能力が理解され始めた．インド人が彼を手助けすることはできたであろうが，何か効果的なことをなし得たのは英国人のみであったことは重要な点である．Francis Spring卿とGilbert Walker卿が彼のために特別奨学金を獲得した．年間60ポンドで，既婚のインド人がそこそこ快適な生活をするのには十分なものであった．1913年の初めに彼は私宛てに手紙を書き，Neville教授と私は，いくつもの困難があったが1914年に彼を英国につれてきた．ここで彼は三年間，途切れることなく研究し，その成果を皆さんは『全集』に読むことができる．1917年の夏に彼は病を得て，完全に回復することはなかったものの仕事を続けた．それは断続的ではあったが，1920年の彼の死に至るまで少しも衰える気配がなかった．1918年初期に王立協会のフェローとなり，同年のその後，CambridgeのTrinity学寮のフェローになった（両方の学会に選出された最初のインド人であった）．「擬テータ関数」に関する彼の最後の通信は昨年のWatson教授のロンドン数学会における会長講演の題目であったが，彼が死ぬ二か月前に書かれたものである．

Ramanujanの真の悲劇は彼が若くして死んだことではなかった．誰か偉大な人間が若くして死ぬのは無論のこと災難であるが，数学者は三十では比較的年寄りであることが往々であって，彼の死は見たほどには破滅的ではなかろう．Abelは二十六で死んだが，彼がさらに多くのものを数学にもたらしたであろうことに疑いはないものの，彼がさらに偉大な人間になることはまずなかったであろう．Ramanujanの悲劇は彼が若くして死んだことではなくて，五年間の不遇の期間，彼の天才は誤った方向づけをされ，逸脱させられ，さらにある程度歪められたことなのである．

十六年前に Ramanujan について書いたものを再び読み通してみたのだが，いまでは当時より彼の仕事をずっとよく知っていて，彼のことをより冷静に考えることができるとはいえ，特別に変更したいと思うような大きな点は見つからない．しかしいまでは私には弁護の余地がないと思われる文章が一つだけある．私は

> Ramanujan の仕事の重要性，それが判断されるべき基準の種類，さらに将来の数学にそれが与えるであろう影響について意見は様々あるだろう．その仕事は非常に偉大な業績が持つ単純性と不可避性を持ち合わせない；それがもっと奇妙でなかったならば，もっと偉大であったろう．彼の仕事が表している何人も否定し得ない一つの天賦の才能，それは深遠にして無敵の独創性，これである．もし彼が若いときにきちんと指導されていたら，彼は恐らくより偉大な数学者になっていたことだろう；彼は新しいことを，そして疑いなくより重要なことをもっと発見していたことだろう．反面，彼はより Ramanujan ではなくなって，よりヨーロッパの教授になっていたことであろう．そして失われるものは得られるものより大きかったであろう……．

と書いたが，これをよしとする．ただし最後の一文を除くのであって，それははなはだ馬鹿げた感傷主義である．かつて手にしていた一人の偉大な人間を Kumbakonam 大学が拒絶したことには何ら得るところがないし，損失は取り返しのつかないものであった；それは効率が悪くかつ融通の利かない教育制度が及ぼし得る弊害で私が知る最悪の実例である．年 60 ポンドを五年間，それこそ誰でもいいから真の知識と少しばかりの想像力のある人間と時々接触すること，世界が偉大な数学者に加えていま一人を得るために求められていたことはかくもわずかなことなのであった．

『全集』にすべて再録されているが，私宛ての Ramanujan の手紙にはおおよそ 120 個の定理の素っ気ない記述があって，そのほとんどは彼のノートから抜き書きした形式的な恒等式である．とりわけ代表的な十五個を引用する．その中には二つの定理，(1.14) と (1.15) が含まれ，それらは他に劣らず興味深いものだがその内の一つは間違っており，もう一つはそのままでは紛らわしいものである．以来，残りのものはすべて正しいことが誰かにより確かめられている；特に Rogers と Watson は極端に難しい定理である (1.10)–(1.12) の証明を見いだした．

(1.1) $\quad 1 - \dfrac{3!}{(1!2!)^3}x^2 + \dfrac{6!}{(2!4!)^3}x^4 - \cdots$

$$= \left(1 + \dfrac{x}{(1!)^3} + \dfrac{x^2}{(2!)^3} + \cdots\right)\left(1 - \dfrac{x}{(1!)^3} + \dfrac{x^2}{(2!)^3} - \cdots\right).$$

(1.2) $\quad 1 - 5\left(\dfrac{1}{2}\right)^3 + 9\left(\dfrac{1\cdot 3}{2\cdot 4}\right)^3 - 13\left(\dfrac{1\cdot 3\cdot 5}{2\cdot 4\cdot 6}\right)^3 + \cdots = \dfrac{2}{\pi}.$

(1.3)
$$1 + 9\left(\dfrac{1}{4}\right)^4 + 17\left(\dfrac{1\cdot 5}{4\cdot 8}\right)^4 + 25\left(\dfrac{1\cdot 5\cdot 9}{4\cdot 8\cdot 12}\right)^4 + \cdots = \dfrac{2^{\frac{3}{2}}}{\pi^{\frac{1}{2}}\{\Gamma(\frac{3}{4})\}^2}.$$

(1.4) $\quad 1 - 5\left(\dfrac{1}{2}\right)^5 + 9\left(\dfrac{1\cdot 3}{2\cdot 4}\right)^5 - 13\left(\dfrac{1\cdot 3\cdot 5}{2\cdot 4\cdot 6}\right)^5 + \cdots = \dfrac{2}{\{\Gamma(\frac{3}{4})\}^4}.$

(1.5) $\quad \displaystyle\int_0^\infty \dfrac{1+\left(\frac{x}{b+1}\right)^2}{1+\left(\frac{x}{a}\right)^2}\cdot\dfrac{1+\left(\frac{x}{b+2}\right)^2}{1+\left(\frac{x}{a+1}\right)^2}\cdots dx$

$$= \dfrac{1}{2}\pi^{\frac{1}{2}}\dfrac{\Gamma(a+\frac{1}{2})\Gamma(b+1)\Gamma(b-a+\frac{1}{2})}{\Gamma(a)\Gamma(b+\frac{1}{2})\Gamma(b-a+1)}.$$

(1.6) $\quad \displaystyle\int_0^\infty \dfrac{dx}{(1+x^2)(1+r^2x^2)(1+r^4x^2)\cdots}$

$$= \dfrac{\pi}{2(1+r+r^3+r^6+r^{10}+\cdots)}.$$

(1.7) $\quad \alpha\beta = \pi^2$ ならば

$$\alpha^{-\frac{1}{4}}\left(1+4\alpha\int_0^\infty \dfrac{xe^{-\alpha x^2}}{e^{2\pi x}-1}dx\right) = \beta^{-\frac{1}{4}}\left(1+4\beta\int_0^\infty \dfrac{xe^{-\beta x^2}}{e^{2\pi x}-1}dx\right).$$

(1.8) $\quad \displaystyle\int_0^a e^{-x^2}dx = \dfrac{1}{2}\pi^{\frac{1}{2}} - \dfrac{e^{-a^2}}{2a+}\dfrac{1}{a+}\dfrac{2}{2a+}\dfrac{3}{a+}\dfrac{4}{2a+\cdots}.$

(1.9) $\quad 4\displaystyle\int_0^\infty \dfrac{xe^{-x\sqrt{5}}}{\cosh x}dx = \dfrac{1}{1+}\dfrac{1^2}{1+}\dfrac{1^2}{1+}\dfrac{2^2}{1+}\dfrac{2^2}{1+}\dfrac{3^2}{1+}\dfrac{3^2}{1+\cdots}.$

(1.10)　　$u = \dfrac{x}{1+}\dfrac{x^5}{1+}\dfrac{x^{10}}{1+}\dfrac{x^{15}}{1+\cdots}, v = \dfrac{x^{\frac{1}{5}}}{1+}\dfrac{x}{1+}\dfrac{x^2}{1+}\dfrac{x^3}{1+\cdots}$ ならば
$$v^5 = u\dfrac{1-2u+4u^2-3u^3+u^4}{1+3u+4u^2+2u^3+u^4}.$$

(1.11)　　$\dfrac{1}{1+}\dfrac{e^{-2\pi}}{1+}\dfrac{e^{-4\pi}}{1+\cdots} = \left\{\sqrt{\left(\dfrac{5+\sqrt{5}}{2}\right)} - \dfrac{\sqrt{5}+1}{2}\right\}e^{\frac{2}{5}\pi}.$

(1.12)
$$\dfrac{1}{1+}\dfrac{e^{-2\pi\sqrt{5}}}{1+}\dfrac{e^{-4\pi\sqrt{5}}}{1+\cdots} = \left[\dfrac{\sqrt{5}}{1+\sqrt[5]{\left\{5^{\frac{3}{4}}\left(\dfrac{\sqrt{5}-1}{2}\right)^{\frac{5}{2}}-1\right\}}} - \dfrac{\sqrt{5}-1}{2}\right]e^{2\pi/\sqrt{5}}.$$

(1.13)　$F(k) = 1 + \left(\dfrac{1}{2}\right)^2 k + \left(\dfrac{1\cdot 3}{2\cdot 4}\right)^2 k^2 + \cdots$ および $F(1-k) = \sqrt{(210)}F(k)$ ならば

$$k = (\sqrt{2}-1)^4(2-\sqrt{3})^2(\sqrt{7}-\sqrt{6})^4(8-3\sqrt{7})^2(\sqrt{10}-3)^4$$
$$\times (4-\sqrt{15})^4(\sqrt{15}-\sqrt{14})^2(6-\sqrt{35})^2.$$

(1.14)　$(1-2x+2x^4-2x^9+\cdots)^{-1}$ における x^n の係数は

$$\dfrac{1}{4n}\left(\cosh\pi\sqrt{n} - \dfrac{\sinh\pi\sqrt{n}}{\pi\sqrt{n}}\right)$$

に最も近い整数である．

(1.15)　A と x の間の数で平方数であるか二つの平方数の和となるものの個数は

$$K\int_A^x \dfrac{dt}{\sqrt{(\log t)}} + \theta(x)$$

である．ここで $K = 0.764\cdots$ であり $\theta(x)$ は先行する積分と比較すれば非常に小さい．

皆さんには手始めとして，このような手紙を見も知らぬヒンドゥー教徒の事務員から受け取った普通の職業的数学者の最初の反応を再現することから試みていただきたいと思う．

最初の問題は何かそれと分かるものがあるかどうかであった．(1.7) のようなものは私自身で証明したことがあったし，(1.8) にはなんとなく馴染みがあるように思えた．実際，(1.8) は古典的である；それは Laplace の公式で Jacobi によって初めてきちんと証明された；また (1.9) は 1907 年に Rogers により発表された論文に現れている．私は，定積分を得意とする者として，恐らく (1.5) と (1.6) を証明できるだろうと思ったし，証明できたのだが，予想していたより相当手間がかかった．全体としてはそれら積分公式は最も印象の薄いものと思われた．

級数公式 (1.1)–(1.4) は遥かに興味深いと思ったし，すぐに明らかとなったことは Ramanujan は遥かに一般的な定理を持っているに違いなく，いつでも取り出せるように用意されているということであった．二番目のものは Bauer の公式で Legendre 級数の理論ではよく知られているものだが，その他のものは見た目より余程難しいものである．いまでは，それらを証明するに要する定理はすべて超幾何関数に関する Bailey の Cambridge 論説に見ることができる．

公式 (1.10)–(1.15) は別の段階のもので，明らかに困難かつ深いものである．楕円関数の専門家なら (1.13) は「虚数乗法」の理論から何とかして導かれることが直ちに見て取れるが，(1.10)–(1.12) は全く手におえないものであった；私はわずかでもこれと似通ったものを以前に目にしたことはなかった．それらを一瞥するだけで，それらが最高級の数学者によってのみ書き下され得るものであることを示すには十分である．それらは正しいに違いない，なぜならば，もしそれらが正しくないとすれば誰もそれらを捻り出すだけの空想力は持ち合わせないだろうから．最後に（私は Ramanujan については何一つ知るところはなく，あらゆる可能性を考慮せねばならなかったということを思い出すべきである）この手紙を書いた人は完全に正直に違いない，なぜならば，そのような信じられないような手腕を持った泥棒やいかさま師より偉大な数学者のほうがまだありふれているから．

最後の二つの公式は正しくなくて Ramanujan の限界を示していることか

ら別の立場にあるが，彼の尋常でない能力のさらなる証左となる妨げとはならない．(1.14) の関数は，Ramanujan が想像したほどに近いものでは全くなかったものの係数の本物の近似となっていて，Ramanujan の間違った記述は彼がなした中で最も実り多いものの一つであった，というのは結局それが我々の分割に関する共同研究のすべてに我々を導いたからである．最後に (1.15) は文字通り「正しい」のだが，明らかに人を惑わせるものである（そして Ramanujan は本当の思い違いをしていた）．その積分は，近似としては，Landau により 1908 年に発見されたより単純な関数

(1.16) $$\frac{Kx}{\sqrt{(\log x)}}$$

に勝るところはない．Ramanujan は素数の分布の問題とのまやかしの類似に欺かれたのであった．数論のこの側面に関する Ramanujan の仕事について話すべきことは後に先送りせねばならない．

　Ramanujan の仕事の大部分が調べてみると以前から知られていたということになるのは避け難いことであった．貧しく孤立したヒンドゥー教徒が彼の頭脳をもってヨーロッパの知恵の集積に立ち向かうという，あり得ないような不利な条件を負っていたのであった．彼は本当の指導を受けたことは全くなかった；インドには彼が何か学ぶことのできる人間は誰一人としていなかった．彼はせいぜい三，四冊の良質の本を見ることができるぐらいで，そのすべては英語である．彼の生涯で Madras の図書館を利用できる期間があったが，それはあまりよいものではなかった：そこには仏語や独語の本は非常にわずかしかなかった；いずれにしても Ramanujan はどちらの言葉も一言も知らなかったのだが．私が見るところ，Ramanujan のインドでの最良の仕事のうちおおよそ三分の二は再発見であって，彼のノートを組織的に調べ上げた Watson がその後さらに多くを発掘したものの，彼の生きているうちにはその比較的わずかしか出版されなかった．

　Ramanujan の出版された仕事の相当部分は英国でなされた．彼の精神はある程度固まってしまっており「正統的な」数学者になることは決してなかったが，彼は依然として新しいことを学ぶことができたし，それらを非常にうまくこなした．彼を組織的に指導することは不可能であったが，彼は徐々に新しい視点を身に着けた．特に証明が何を意味するかを学び，彼の後の論

文は以前と同じく何がしか奇妙で独特ではあったが，読むと学識豊かな数学者の書いたもののごとくである．しかしながら，彼の方法と彼の武器は本質的には同じままであった．Ramanujan のような公式家は Cauchy の定理に夢中になっただろうと思うかもしれないが，彼は事実上それを使わなかったし[4]，彼の公式家としての天分の最も驚くべき証拠は，彼がそれの必要性を少しでも感じることはなかったように思えるということである．

　Ramanujan が再発見した定理の壮大な目録を編むことはたやすいことである．自然なことながら，そのような目録は非常に明確なものとはなり得ない．というのは彼は一つの定理の一部のみを発見したときもあれば，定理の全体を発見したとしても，その定理がしかるべく理解されるのに本質的である証明を欠いていたからである．例えば，解析的数論において，彼はある意味で多くの発見をなしたがその主題の本当の難しさを理解するには遥かに及ばなかったのである．そして，主に楕円関数論におけるものだが，彼のいくつかの仕事にはいくらかの不思議が依然として残るのである；Watson と Mordell による仕事にもかかわらず，彼がどうにかして知ったことと，彼自身が発見したことの間に線を引くことができないのである．証拠が我慢できる程度にはっきりしていると思われる事例のみを取り上げることにする．

　ここで私は責められるべきであることを認めねばならない，というのは沢山のことをいまでは知りたいと思い，かつとても簡単に知ることができたはずだからである．私は Ramanujan とほとんど毎日会っていて，ちょっと問い詰めれば不明な点のほとんどは明らかにすることができたはずである．Ramanujan は質問には真っ直ぐな答えを与えることができたし進んで与えてもくれて，彼のなしたことを秘密扱いにしようとすることなど微塵もなかった．私は彼にこのような類の質問はただ一つもしなかった；私は彼に（彼はそうしたに違いないと思うので）Cayley の，あるいは Greenhill の *Elliptic functions* を見たことがあるか否かを尋ねたことすらなかった．

　いまではそれは残念なことだと思うが，本当にひどく重大なことではないし，全く自然なことだったのである．そもそも，私は Ramanujan が死ぬことになるとは分からなかったのである．彼は彼自身の経歴や心理に特別な関

---

[4]　［原註］多分，決して使わなかった．『全集』の 129 ページに「留数の定理」への言及があるが，私の信ずるところ，これは私自身が補筆したものである．

心はなかった；彼は自分の仕事に一生懸命な数学者だったのである．そして結局のところ私も数学者であったし，Ramanujan に会った数学者は歴史の研究よりも考えるに興味深いことがあったのである．ほとんど毎日，半ダースもの新しい定理を私に見せているときに，あれやこれやの知られている定理をどうやって発見したのかを問うて彼を煩わせることは馬鹿げて見えたのである．

　Ramanujan が古典的な数論で多くの発見をしたとは思わないし，そもそも彼が多くを知っていたとは思わない．いかなる時点においても，彼は数論的形式の一般論の知識は全く持ち合わせなかった．彼がここに来る以前に平方剰余の相互法則を知っていたのか疑わしいと思う．Diophantus 方程式は彼にぴったりだったろうが，それについては比較的少しのことしかしていないし，彼が実際にしたことは彼の最良のものではなかった．例えば彼は Euler の方程式

$$(1.17) \qquad x^3 + y^3 + z^3 = w^3$$

の解として

$$(1.18) \qquad \begin{cases} x = 3a^2 + 5ab - 5b^2, & y = 4a^2 - 4ab + 6b^2, \\ z = 5a^2 - 5ab - 3b^2, & w = 6a^2 - 4ab + 4b^2; \end{cases}$$

や

$$(1.19) \qquad \begin{cases} x = m^7 - 3m^4(1+p) + m(2 + 6p + 3p^2), \\ y = 2m^6 - 3m^3(1+2p) + 1 + 3p + 3p^2, \\ z = m^6 - 1 - 3p - 3p^2, \quad w = m^7 - 3m^4 p + m(3p^2 - 1); \end{cases}$$

などを与えたが，それらはどちらも一般解ではない．

　彼は Bernoulli 数に関する von Staudt の有名な定理を再発見した；

$$(1.20) \qquad (-1)^n B_n = G_n + \frac{1}{2} + \frac{1}{p} + \frac{1}{q} + \cdots + \frac{1}{r},$$

ここで $p, q, \ldots$ は $p-1, q-1, \ldots$ が $2n$ の約数となるような素数であり，G_n は整数である．どのような意味で彼はそれを証明したかをいうのは難しい，というのは彼がこれを発見したのは，彼の生涯ではっきりとした証明の

概念を満足に形成していなかった時期だからである．Littlewood がいうように，「証明が何を**意味する**かについての明確な考えは，今日ではあまりにも馴染み深いものなので当たり前のことと思われるが，彼は恐らく全く持ち合わせなかった；もしどこかに相当の理由づけがあり，証拠と直観の全体的な混合物が確信を与えるならば，彼はそれ以上調べはしなかった」．この証明の問題については後に述べるべきことがあるが，そのことがさらに重要となる別の文脈まで先送りする．この場合では証明の中で Ramanujan の力量が明らかに及ばないものはない．

特に整数を平方数の和で表示する理論がそうだが，数論についての重要な章は楕円関数論と密接に関係している．例えば n を二つの平方数の和で表示する個数は

$$(1.21) \qquad r(n) = 4\{d_1(n) - d_3(n)\}$$

であって，$d_1(n)$ は $4k+1$ の形の n の約数の個数であり $d_3(n)$ は $4k+3$ の形の約数の個数である．Jacobi は 4, 6 および 8 個の平方数について同様の公式を与えた．Ramanujan はそれらすべてとさらに多くの同様のものを発見した．

彼はまた

$$(1.22) \qquad 4^a(8k+7)$$

の形のときを除いて n は 3 個の平方数の和となるという Legendre の定理も発見したが，私はこれにはあまり大きな重要性を認めない．その定理はとても簡単に思いつくが，証明は難しいものである．知られている証明はすべて三項形式の一般論に依存しており，それについては Ramanujan は何も知るところはなく，彼が証明を有していたということは非常にありそうもないと考えることで Dickson 教授に同意する．いずれにしても彼は表示の個数について知るところは何もなかった．

それから，Ramanujan は英国に来る以前には，数論にはほとんど何もつけ加えることはなかった；しかし彼の数そのものへの情熱を理解しない誰が彼を理解することができるだろうか．以前に私が書いたことだが

彼はほとんど神秘的な具合に数の特異性を思い起こすことができた．すべての正の整数は Ramanunjan の個人的な友人であるといったのは Littlewood である．Putney で彼が病床にあるときに一度彼に会いに行ったことを思い出す．私は 1729 番のタクシーに乗ったのだが，その番号は私には少々つまらないものに思えるといって，それが何か良からぬ予兆でなければよいがといった．「いいえ」と彼は答えて曰く，「それは非常に面白い数です；それは二つの立方数の和として異なる二通りに表し得る最も小さい数です[5]．」当然，私は彼に四乗について対応する問題の解をいえるかどうかを尋ねた；すると彼はしばらく考えてから，明らかな実例は知らないがそのような最初の数は非常に大きいに違いないと思う，と答えた．

代数学においては，Ramanujan の仕事は主として超幾何級数と連分数に関するものである（当然ながら，私は代数学という言葉を古風な意味で使っている）．それらの主題は Ramanujan に好適のもので，ここでは彼は問題なく偉大な達人たちの一人であった．いまでは有名な三つの恒等式がある，「Dougall–Ramanujan の恒等式」

(1.23)
$$\sum_{n=0}^{\infty}(-1)^n(s+2n)\frac{s^{(n)}}{1^{(n)}}\frac{(x+y+z+u+2s+1)^{(n)}}{(x+y+z+u+s)_{(n)}}\prod_{x,y,z,u}\frac{x_{(n)}}{(x+s+1)^{(n)}}$$
$$=\frac{s}{\Gamma(s+1)\Gamma(x+y+z+u+s+1)}\prod_{x,y,z,u}\frac{\Gamma(x+s+1)\Gamma(y+z+u+s+1)}{\Gamma(z+u+s+1)},$$

ここで[6]

$$a^{(n)}=a(a+1)\cdots(a+n-1),\quad a_{(n)}=a(a-1)\cdots(a-n+1),$$

および「Rogers–Ramanujan の恒等式」

---

[5] ［原註］$1729=12^3+1^3=10^3+9^3$．
[6] ［訳注］ $\prod_{x,y,z,u}$ は一般項の変数を x,y,z,u から選び出して掛け合わせるという意味．例えば
$$\prod_{x,y,z,u}\Gamma(x+s+1)=\Gamma(x+s+1)\Gamma(y+s+1)\Gamma(z+s+1)\Gamma(u+s+1),$$
$$\prod_{x,y,z,u}\Gamma(z+u+s+1)=\Gamma(z+u+s+1)\Gamma(y+u+s+1)\Gamma(x+u+s+1)$$
$$\times\Gamma(y+z+s+1)\Gamma(x+z+s+1)\Gamma(x+y+s+1).$$

18　講義 I　インド人数学者 Ramanujan

$$(1.24) \begin{cases} 1 + \dfrac{q}{1-q} + \dfrac{q^4}{(1-q)(1-q^2)} + \dfrac{q^9}{(1-q)(1-q^2)(1-q^3)} + \cdots \\ \qquad = \dfrac{1}{(1-q)(1-q^6)\cdots(1-q^4)(1-q^9)\cdots}, \\ 1 + \dfrac{q^2}{1-q} + \dfrac{q^6}{(1-q)(1-q^2)} + \dfrac{q^{12}}{(1-q)(1-q^2)(1-q^3)} + \cdots \\ \qquad = \dfrac{1}{(1-q^2)(1-q^7)\cdots(1-q^3)(1-q^8)\cdots}, \end{cases}$$

で，そこでは彼は英国の数学者に先を越されていて，それについては他の講義で述べることにする[7]．超幾何級数に関しては，大まかには Bailey の本で展開されている 1920 年までに知られていたような形式的な理論を彼は再発見した，といってよいだろう．それについては何がしかのことが Carr にあるし，Chrystal の *Algebra* にはもっとあって，彼がそこから始めたことは疑いない．四つの公式 (1.1)–(1.4) はこの仕事の非常に特殊化された例である．

連分数に関する彼の代表作は

$$(1.25) \qquad \dfrac{1}{1+}\dfrac{x}{1+}\dfrac{x^2}{1+\cdots}$$

に関する仕事で，それは定理 (1.10)–(1.12) を含む．この分数の理論は Rogers–Ramanujan の恒等式に依存していて，そこでは彼は Rogers に先行されているが別の方向で Rogers を凌駕していて，私が引用した定理は彼独自のものである．彼はこの他にも非常に一般的で非常に美しい公式を多数持っていて，その中で Laguerre の公式

$$(1.26) \qquad \dfrac{(x+1)^n - (x-1)^n}{(x+1)^n + (x-1)^n} = \dfrac{n}{x+}\dfrac{n^2-1}{3x+}\dfrac{n^2-2^2}{5x+\cdots}$$

などはその非常に特殊な場合である．最近 Watson がその中で最も重要なものの証明を発表した．

彼の仕事の中で Ramanujan が彼の正に最良の部分を見せるのは恐らくこれらの分野である．私が書いたことだが

　　最も驚嘆すべきことは代数的な公式，無限級数の変形その他に関する彼の洞

---

[7] ［原註］講義 VI および講義 VII を見よ．

察力であった．この面に関しては私は彼に匹敵する人間に会ったことはないし，ただ Euler や Jacobi と比較し得るのみである．彼は，現代の数学者の大多数より遥かに，数値的な事例から帰納することにより仕事を進めた；例えば，分割の合同の性質のすべてはこのようにして発見された．しかし，彼の記憶力，彼の忍耐力，彼の計算能力を，彼はしばしば仰天するほどの一般化する能力，形式に関する感覚，さらに自分の仮説を速やかに調整する能力と結合させて，彼独自の分野においては彼の時代で誰も敵わない者となったのである．

私はいまでもこの極端に強い言葉が仰々しいものだとは思わない．公式達の偉大な日々は終わり，Ramanujan は百年前に生まれてくるべきだったということはあり得るだろう；しかし彼は彼の時代の紛れもなく最も偉大な公式家であった．過去五十年間に，Ramanujan より重要な，そしてより偉大なというべきと思われる数学者は相当数いたが，彼独自の領域で彼と互角に立てる者はいなかった．彼が規則を知っているゲームをするならば，彼は世界中のどの数学者より一枚上手であった．

純正の解析学としては Ramanujan の仕事が印象深さで劣ることは避け難い，というのは彼は関数論については何も知らず，それなくしては本当の解析学はできないわけだし，彼が Carr や他の本から学ぶことができたすべてであった積分計算における形式的な側面が繰り返しかつあまりにも集中的に調べられたからである．とはいえ，Ramanujan は驚くほどの数の最も美しい解析的な恒等式の数々を再発見したのである．例えば Reimann のゼータ関数

$$\zeta(s) = \sum_{n=1}^{\infty} \frac{1}{n^s}$$

の関数等式，すなわち

(1.27) $$\zeta(1-s) = 2(2\pi)^{-s} \cos \frac{1}{2} s\pi \, \Gamma(s) \zeta(s)$$

が（ほとんど見分けのつかない記号で）ノートの中に書かれている．Poisson の和公式

(1.28)
$$\alpha^{\frac{1}{2}}\left\{\frac{1}{2}\phi(0)+\phi(\alpha)+\phi(2\alpha)+\cdots\right\}=\beta^{\frac{1}{2}}\left\{\frac{1}{2}\psi(0)+\psi(\beta)+\psi(2\beta)+\cdots\right\}$$

もそうである，ここで

$$\psi(x)=\sqrt{\left(\frac{2}{\pi}\right)}\int_0^\infty \phi(t)\cos xt\,dt$$

および $\alpha\beta = 2\pi$ である；さらに

$$L(x)=\frac{x}{1^2}+\frac{x^2}{2^2}+\frac{x^3}{3^2}+\cdots$$

に対する Abel の関数等式

(1.29)
$$L(x)+L(y)+L(xy)+L\left\{\frac{x(1-y)}{1-xy}\right\}+L\left\{\frac{y(1-x)}{1-xy}\right\}=3L(1)$$

もまたそうである．彼は Watson や Tichmarsh と私自身の「Fourier 核」や「双対関数」に関する仕事の基礎となる形式的な着想のほとんどをものにしていた；さらに彼は求積可能な定積分は何であれ計算することができた．特に面白い公式がある，すなわち

(1.30)
$$\int_0^\infty x^{s-1}\{\phi(0)-x\phi(1)+x^2\phi(2)-\cdots\}\,dx=\frac{\pi\phi(-s)}{\sin s\pi},$$

彼はこれをことのほか気に入っていて，繰り返し使用した．これは実際には「補間公式」であって，これにより，例えば，しかるべき条件の下では，変数が正の整数のときはすべて零となる関数は恒等的に零とならねばならない，ということができる．この公式が他の者によって明示的に述べられているのを目にしたことはないが，これは Mellin その他の仕事と密接に結びついているのである．

Ramanujan の初期の仕事で最も興味をそそる二つを最後まで残しておいた，楕円関数に関する仕事と解析的数論におけるものである．第一のものは恐らく専門家を除けば理解するに特殊かつ込み入りすぎているから，それに

ついてはいまは何もいわないことにする[8]．第二の主題はなお一層難しいが（素数についての Landau の本や Ingham の小冊子を読んだことのある者なら誰でも分かるだろう），この主題の問題が何であるかは誰でもが大まかに理解できるし，それなりの数学者なら誰でもそれがなぜに Ramanujan を打ち負かしたかを大まかに理解できる．というのは，これは Ramanujan の一つの本当の失敗だったからである；彼は，いつものことながら驚くほどの想像力を示したが，彼はほとんど何も証明しなかったし，さらに彼が想像したことのかなりのものは誤りであった．

　ここで私は非常に難しい話題について若干の注意を差し挟まざるを得ない；証明というものと数学におけるその重要性についてである．すべての物理学者，さらにかなりの数のれっきとした数学者が，証明を軽蔑している．例えば Eddington 教授が，純粋の数学者がそれと理解しているような証明は実際ははなはだ面白くもないし重要でもなく，誰でも何かよいものを発見したと本当に確信するならば証明を求めて時間を無駄にすべきではないと断言するのを聞いたことがある．本当のところは Eddington は一貫性がなくて，ときには自ら証明するために降臨さえしたもうたのである．彼にはこの宇宙には陽子がちょうど

$$136 \cdot 2^{256}$$

個あるということを直覚的に知るだけでは十分でないのである；彼はそれを証明するという誘惑に抗うことはできないのである；そして，それにどのような価値があるにせよ，その証明が彼に一定の知的満足を与えるのだと考えざるを得ないのである．彼にとって「証明」は純粋な数学者に対してそれが意味するものとは全く違う何か別のものを意味するのだ，というのが彼の弁解であろうことは疑いないし，いずれにしても彼のことをあまり文字通りに受け取る必要はない．しかしながら私が彼に帰するとし，ほとんどすべての物理学者が心の底では同意すると私が確信する見解は，それに対して数学者は何がしかの回答を持つべきものである．

　私は特に厄介な概念の分析に巻き込まれようというつもりはないのだが，

---

[8]　［原註］講義 XII を見よ．

証明についてほとんどすべての数学者が同意するいくつかの点があると思う．第一に，たとえ我々が証明が何であるかを精確に理解していなくとも，とにかく通常の解析では，見ればそれが証明であると認識できる．第二に，証明のどのような提示であれ二つの異なった動機がある．第一の動機は単に確信を確かなものにすることである．第二は命題の伝統的な配列様式，正しいことが認められていて規則に則って配置された一連の命題の頂点として結論を提示することである．それらは二つの理想であって，経験が示すように，最も単純な数学を除けば第二の理想をも満たさずに第一の理想を満たすことは到底かなわないのである．我々は5が，あるいは17でさえ，素数であると直接認識することができるであろう，しかし

$$2^{127} - 1$$

が素数であることを証明を調べることなく確信できる者は誰もいない．未だかつてそれほどに鋭敏かつ包括的な想像力を持った者はいない．

通常，数学者は直観の働きで定理を発見する；いきなりその結論がもっともらしくなって，証明を捻り出すことに取り掛かる．ときとしてこれは型通りの作業であって，訓練の行き届いた玄人なら誰でも望みのものを提供できるが，それにもまして想像ははなはだ頼りにならない案内人であることがしばしばである．解析的数論においては特にそうであって，そこではRamanujanの想像力ですら彼をしてはなはだしく道を誤らせたのである．

誤りである予想の際立った例があって，私はしょっちゅう引用するのだが，それはGaussによってすら支持されていたようであり，間違いであることを証明するのにおおよそ百年を要したものである．解析的数論の中心的な問題は素数の分布についてである．大きな数 x 未満の素数の個数 $\pi(x)$ は近似的に

(1.31) $$\frac{x}{\log x}$$

であるというのが「素数定理」であって，それは非常に長い間予想されていたが，Hadamardとde la Vallée-Poussinが1896年にそれを証明するまでは適切に確立されることはなかったのである．その近似は欠陥による誤差があって，ずっとよいものは

(1.32)
$$\mathrm{li}\,x = \int_0^x \frac{dt}{\log t}$$

である[9]．ある意味でさらによいものは

(1.33)
$$\mathrm{li}\,x - \frac{1}{2}\mathrm{li}\,x^{\frac{1}{2}} - \frac{1}{3}\mathrm{li}\,x^{\frac{1}{3}} - \frac{1}{5}\mathrm{li}\,x^{\frac{1}{5}} + \frac{1}{6}\mathrm{li}\,x^{\frac{1}{6}} - \frac{1}{7}\mathrm{li}\,x^{\frac{1}{7}} + \cdots$$

である（級数が作られる規則についていまは煩わされる必要はない）．少なくとも大きな x に対しては

(1.34)
$$\pi(x) < \mathrm{li}\,x$$

であると推察することは極めて自然なことであり，Gauss や他の数学者たちはこの予想は非常にありそうなことだと批評していた．この予想は単にもっともらしいばかりでなく，実例のすべての証拠によって支持されているのである．10,000,000 までの素数，および 1,000,000,000 までの区間におけるその個数は知られていて，資料があるようなすべての x に対して (1.34) は正しいのである．

1912 年に Littlewood はその予想は誤りであり，(1.34) における不等号が逆転するような x の値が無数にあることを証明した．特に，X 未満のある x に対して (1.34) が誤りであるような数 X が存在する．Littlewood は X の存在を証明したが，彼の方法は特定の数を与えることはなく，その資格のある値

$$X = 10^{10^{10^{34}}}$$

が Skewes により発見されたのはごく最近のことである．私が思うに，これはかつて数学で何らかの明確な目的に用いられた最大の数である．

この宇宙にある陽子の個数はおおよそ

$$10^{80}$$

である．チェスの可能な手合せの数はずっと多くて，恐らく

---

[9] ［原註］積分は「主値」である．§2.2 を見よ．

$$10^{10^{50}}$$

である（いずれにしても二重の指数である）．もしこの宇宙がチェス盤で，陽子がチェスの駒で，二つの陽子の位置のあらゆる交換が駒の動きだとすると，可能な手合せの数は Skewes の数のようなものになるであろう．Skewes の議論を精密化することによりいかにこの数を小さくしたところで，Littlewood の定理が正しいという実例をただの一つでも知ることがあろうとははなはだ覚束ないのである．

　真実が，実例と常識のすべての証拠のみならず Gauss のごとき強力かつ深遠なる数学的想像力ですら打ち負かすことの例がこれである；しかしそれはもちろん，理論の最も難しい部分から取ったものである．素数の理論で本当にやさしい部分はないのだが，ある点までは単純な議論が，それが証明することははなはだわずかではあっても実際に我々を欺くことはないのである．例えば，よい数学者ならば誰でも

$$\pi(x) \sim \frac{x}{\log x} \tag{1.35}$$

という素数定理の結論[10]，あるいは同じことであるが，n 番目の素数を p_n として

$$p_n \sim n \log n \tag{1.36}$$

という結論に導くであろう単純な議論がある．

　まず，Euler の恒等式

$$\prod_p \frac{1}{1-p^{-s}} = \frac{1}{(1-2^{-s})(1-3^{-s})(1-5^{-s})\cdots} \tag{1.37}$$

$$= \frac{1}{1^s} + \frac{1}{2^s} + \frac{1}{3^s} + \cdots = \sum_n \frac{1}{n^s}$$

から始めよう．これは $s>1$ に対して正しいが，級数と積は共に $s=1$ に対して無限大となる．$s=1$ のときに，この級数と積は同じような具合に発散すると主張することは自然である．さらに

---

[10] ［原註］$f(x) \sim g(x)$ は比 f/g が 1 に行くという意味である．

(1.38)
$$\log \prod \frac{1}{1-p^{-s}} = \sum \log \frac{1}{1-p^{-s}} = \sum \frac{1}{p^s} + \sum \left(\frac{1}{2p^{2s}} + \frac{1}{3p^3 s} + \cdots \right)$$

で，最後の級数は $s=1$ に対して有限にとどまる．

$$\sum \frac{1}{p}$$

は

$$\log \left(\sum \frac{1}{n} \right)$$

のように発散する，あるいはより精確に，大きな x に対して

(1.39)
$$\sum_{p \leq x} \frac{1}{p} \sim \log \left(\sum_{n \leq x} \frac{1}{n} \right) \sim \log \log x$$

であると推察するのが自然である．

$$\sum_{n \leq x} \frac{1}{n \log n} \sim \log \log x$$

でもあるから，公式 (1.39) は p_n がおおよそ $n \log n$ であることを示唆している．

もう少し洒落た議論があって，それは本当はより単純なものである．$x!$ を割り切る素数 p の最高冪は

$$\left[\frac{x}{p} \right] + \left[\frac{x}{p^2} \right] + \left[\frac{x}{p^3} \right] + \cdots$$

であることは容易に分かる．ここで $[y]$ は y の整数部分である．よって[11]

$$x! = \prod_{p \leq x} p^{[x/p] + [x/p]^2 + \cdots},$$

(1.40)
$$\log x! = \sum_{p \leq x} \left(\left[\frac{x}{p} \right] + \left[\frac{x}{p^2} \right] + \cdots \right) \log p.$$

---

[11] ［訳注］$[x/p]^2$ は $[x/p^2]$ の誤り．

(1.40) の左辺は，Stirling の定理により実質的には $x\log x$ である．右辺に関しては，このように論じてよかろう；素数の平方，立方，……は比較的稀で，それらが関係する項は重要ではないだろう．さらに $[x/p]$ を x/p で置き換えても生ずる違いはやはり比較的小さいだろう．そこで我々は

$$x\sum_{p\leq x}\frac{\log p}{p}\sim x\log x,\quad \sum_{p\leq x}\frac{\log p}{p}\sim \log x$$

と推察するが，これは再び p_n が近似的に $n\log n$ であるという見方にちょうど当てはまる．

　当然ながらもっと素朴でないやり方でだが，大雑把にいってこれが Tchebychef が用いた議論であり，彼は素数の理論で実質的な進歩をもたらした最初の人であって，Ramanujan は同じような道筋で議論を始めたものと私は想像する，もっともノートにはそれと示すものは何もないのだが．明らかなことは Ramanujan が独力で素数定理の定式化を発見したということである．これは注目に値する成果であった；というのも彼以前に定理の定式化を発見したのは，Legendre, Gauss および Dirichlet のように，皆が非常に偉大な数学者だったからである；さらに Ramanujan は他の公式も発見したが，それは表面からさらにずっと深いところに横たわるものである．恐らく最良の例は (1.15) である．積分はより簡単な (1.16) で置き換えた方がよいが，Ramanujan が言ったことはそのままで正しくて，Landau によって 1909 年に証明された；そしてその正しさを示唆する明らかなものは何もないのである．

　この分野における Ramanujan の仕事が何ら永久的な価値を持つことはどうみてもないことである，というのが依然として事実である．解析的数論は数学の例外的な分野の一つであって，そこでは本当に証明がすべてであり絶対的な厳密性を欠くものは数の内に入らないのである．素数定理を発見した数学者の成果は，証明を発見した人々のそれと比較すれば，全く小さなものなのである．それは単にこの理論では（Littlewood の定理が示すように）証明なくしては事実について決して確信が持てないというだけではない．それも大いに大切なことではあるが，素数定理の歴史全体およびその主題に関する他の大きな定理が示していることは，その証明に精通してしま

までは，その理論の構造や意味の本当の理解に達すること，あるいはさらなる研究に際して導いてくれる確かな直観を得ることはできないということである．気の利いた思いつきをすることは比較的簡単なことである；実際，「Goldbach の定理」[12]のように，未だに証明はされてはいないが，どんな愚か者でも気がつけたであろう定理もあるのだ．

　素数の理論は，複素変数 s の解析関数として考えた Riemann の関数 $\zeta(s)$ の性質，特にその零点の分布に依存している；そして Ramanujan は解析関数の理論については全く何も知らなかったのである．私が以前に書いたのだが

> Ramanujan の素数の理論は彼が複素変数解析関数論を知らなかったことにより損なわれた．それは（いうなれば）そのゼータ関数が複素零点を持たなければ理論がなったであろうものである．彼の方法は発散級数の無差別な使用によっていた．彼の証明が根拠のないものであることは，そもそも予想されたことであった．しかしながら間違いはそれ以上に深刻で，実際の結果の多くが誤りであった．彼は，根拠のない方法によったとはいえ古典的な公式の主要項は得た；しかしそれらはどれも彼が考えたほどにはよい近似ではなかったのである．
>
> これは Ramanujan の一つの大きな失敗であったといってもよいであろう……

そしてもし私がそこで止めておいたならばつけ加えることは何もなかったのであろうが，私は再び感傷主義に浸ることを自らに許してしまったのである．私は続けて「彼の失敗は彼のいかなる成功にも増して素晴らしいものである」と主張したのだが，それは馬鹿げた誇張である．失敗が何か別のものであるふりをしてみても無駄なことである．もしかしたらこういってもよいだろう，彼の失敗は結局のところ，彼の才能に対する我々の感嘆の念を増進させこそすれ減退させるものではない，というのはそれは彼の想像力と万能性のさらなる，そして驚くべき証拠だからである，と．

　しかしながら数学者の評価は失敗や再発見によってなされるものではない；それは元来，そして当然のことながら実際の独創的な成果によってなされなくてはならない．私は Ramanujan をこの見地から正当化せねばならな

---

[12] ［原註］「2 より大きなどの偶数も二つの素数の和である．」

28 講義 I インド人数学者 Ramanujan

いのであって，それを私は以降の諸講義でなしたいと願うのである．

講義 I に関する注釈

p.1. この講義は 1936 年 8 月 31 日に芸術と科学の Harvard 三百周年集会の際に行い，*American Math. Monthly*, 44 (1937), 137–155 に発表されたものを再録したものである．

pp.10–11. (1.1) については Preece (**2**) を見よ；(1.2) と (1.3) については Hardy (**4, 8**)；(1.4) については Hardy (**4**)，Whipple (**1**) および Watson (**7**) を見よ．これらすべての公式は Bailey による Cambridge の小冊子 *Generalized hypergeometric series* (no. 32, 1935) で検討されたずっと一般的な公式の特殊な場合である．講義 VII も見よ．

(1.5) と (1.6) については『全集』の no. 11，および Hardy (**5, 6**) を見よ．

(1.7) と同じ形の公式が *Quarterly Journal of Math.* 35 (1904), 193–207 の Hardy による論文にある．公式 (1.7) 自身は Preece (**2**) により証明された．『全集』の no. 11 も見よ．

(1.8) については Watson (**2**) を見よ；(1.9) については Preece (**4**)；(1.10)–(1.12) については Watson (**4, 6**)；さらに (1.13) については Watson (**8**) を見よ．

(1.15) に関しては Landau, *Archiv der Math. und Physik* (3), 13 (1908), 305–315，および Stanley (**1**) を見よ．Stanley 嬢は Ramanujan の述べたことがいかに誤解を招きやすいものであるかを示している．講義 IV の (B) も見よ．

p.13. Madras 大学の図書館司書はとても親切なことに 1914 年出版の目録を送ってくれたが，それから明らかなことは図書館は私が思っている以上に整備されていたことである．例えば Cayley と Greenhill の本のみならず楕円関数についての標準的な仏語の専門書（Appell と Lacour，Tannery と Molk）も所蔵していた．他の証拠から Ramanujan はそれら英語の本のことは何がしか知っていたが，仏語の本のことは何も知らなかったことは明らかなように思われる．

p.15. Euler は (1.17) の一般の**有理**解を求め，彼の解は後に Binet その他により単純化された．例えば Hardy and Wright, 198–202 を見よ．(1.18) に類似した多数の特殊解が Dickson の *History*, ii, 500 以下にある．解 (1.19) は J. R. Young により発見されたものと実質的に同じものである (Dickson, *History*, ii, 554).

$$x^4 + y^4 = z^4 + t^4$$

の知られている最も単純な解は Euler の

$$158^4 + 59^4 = 134^4 + 133^4 = 635318657$$

である.Dickson, *Introduction*, 60–62, および *History*, ii, 644–647 を見よ.Euler は二つの助変数を持つ解を与えたが,「一般の」解は知られていない.

R. Rado による von Staudt の定理の証明が Hardy and Wright, 89–92 にある.

Littlewood からの引用は彼の『全集』の書評からのものである.

p.16. 数を偶数個の平方数の和として表すことの一般的な理論は講義 IX で論じられる.Legendre の「3 平方数」定理については Landau, *Vorlesungen*, i, 114–122.

p.18. Laguerre の公式 (1.26) は Ramanujan のノートの「第二版」の XII 章の公式 (18) である.Watson (**10**), 146 を見よ.

「最も重要な」公式については Watson (**14**) を見よ.

p.20. 等式 (1.29) は Rogers, *Proc. London Math. Soc.* (2), 4 (1907), 169–189 により再発見され,『全集』337 では彼に帰するとしている;しかしそれは Abel の死後出版された未完の論文に見いだされるであろう (Œuvres, ii, 193).

p.20. (1.30) については講義 XI を見よ.

p.23. Skewes, *Journal London Math. Soc.* 8 (1933), 277–283. Skewes は Riemann 仮説が成り立つと仮定しているが,その後その仮説によらない(ずっと大きな)X の値を見いだした.この仕事は依然として未発表である.

p.25. (1.40) については,例えば,Hardy and Wright, 342;Ingham, 20;Landau, *Handbuch*, 75–76 を見よ.

講義 II Ramanujan と
           素数の理論

2.1 Ramanujan の業績を検討するのに，「解析的」数論，特にその最も有名な問題である素数の分布の問題に関するものから始めるとしよう．彼のこの分野での仕事は不朽の価値を持つものではないと以前に話したが，それがために興味少ないものだと私がいわざるを得ないものを皆さんが目にするであろうとは思わない．その問題は数学全体の中で最も魅力的なものの一つであり，それに対する Ramanujan の攻略は非常に興味深い具合に考え出されたものである．さらに私は参考にできる未発表の原稿を持っていて，皆さんに初めて彼がどこでどのように失敗したかを説明することができるのである．

Rmanaujan はこの問題について彼の最初の二つの手紙の双方で書いている．彼の書いたものは長くはないので，彼の述べるところの全文を引用することができる．

1913 年 1 月 16 日

36 ページ[1]で「x 未満の素数の個数は

$$\int_2^x \frac{dt}{\log t} - \rho(x)$$

である[2]，ここで $\rho(x)$ の正確な増大度は未だ決定されていない．」とある．

I. 私は x 未満の素数の個数を正確に表す関数を発見した．ここで「正確

---

[1] ［原註］私の Cambridge Track *Order of infinity* (no. 12, ed. 2, 1924) のもの．
[2] ［原註］Ramanujan の後の主張と合うように第二項の符号を変えた．

な」とは，その関数と実際の素数の個数との差が，x が無限大になったとしても，一般に 0 であるか何か小さい有限値だという意味である．私はその関数を無限級数の形で求め，それを二通りに表示した．

(1) Bernouli 数によるもの．ここから 1 億までの素数の個数を，一般的には誤差なしに，いくつかの場合には 1 とか 2 の誤差で容易に計算することができる．
(2) 定積分として．そこからすべての値に対して計算することができる．

私が見たところでは $\rho(e^{2\pi x})$ は，x が 0 と 3 の間にあるときは値は非常に小さく（$x = 3$ のときには，その値は数百分の一未満である），x が 3 より大きいと急速に増大するという性質のものである．

II. 私は同じく $An + B$ という形の素数の実際の個数を与える表示式を得た．

$4n - 1$ の形で x 未満の素数の個数と $4n + 1$ の形で x 未満のそれらの個数との差は，x が無限大になるときに無限大となる……．

1913 年 2 月 29 日

1. x 未満の素数の個数は

$$(2.1.1) \qquad \int_0^\infty \frac{y^t}{t\zeta(t+1)\Gamma(t+1)}\, dt,$$

ここで

$$(2.1.2) \qquad \zeta(t+1) = \frac{1}{1^{t+1}} + \frac{1}{2^{t+1}} + \cdots$$

であり $y = \log x$．

2. x 未満の素数の個数は

$$(2.1.3)$$

$$\frac{2}{\pi}\left\{\frac{2}{B_2}\left(\frac{\log x}{2\pi}\right) + \frac{4}{3B_4}\left(\frac{\log x}{2\pi}\right)^3 + \frac{6}{5B_6}\left(\frac{\log x}{2\pi}\right)^5 + \cdots\right\},$$

ここで $B_2 = \frac{1}{6}$, $B_4 = \frac{1}{30}$, ... は Bernoulli 数である．

3. x 未満の素数の個数は

(2.1.4)
$$\int_c^x \frac{dt}{\log t} - \frac{1}{2}\int_c^{\sqrt{x}} \frac{dt}{\log t} - \frac{1}{3}\int_c^{\sqrt[3]{x}} \frac{dt}{\log t} - \frac{1}{5}\int_c^{\sqrt[5]{x}} \frac{dt}{\log t} + \frac{1}{6}\int_c^{\sqrt[6]{x}} \frac{dt}{\log t} - \cdots,$$

ここでおおよそ $c = 1.45136380$ である……[3].

私はまた与えられた形（例えば $24n + 17$ の形）で任意の与えられた数未満の素数の個数の表示式を発見した.

$$4n + 1 \text{ の形の素数} = 6n + 1 \text{ の形の素数},$$
$$4n - 1 \ldots\ldots\ldots = 6n - 1 \ldots\ldots\ldots,$$
$$8n + 1 \ldots\ldots\ldots = 12n + 1 \ldots\ldots\ldots,$$

$8n + 3, 8n + 5, 8n + 7, 12n + 5, 12n + 7$ および $12n + 11$ の形のそれらはすべて等しい.

しかし

$$(4n - 1 \text{ の形の素数}) - (4n + 1 \text{ の形のそれら}) \to \infty,$$
$$(6n - 1 \ldots\ldots\ldots) - (6n + 1 \ldots\ldots\ldots) \to \infty,$$
$$(8n + 3 \ldots\ldots\ldots) - (8n + 1 \ldots\ldots\ldots) \to \infty,$$
$$(12n + 5 \ldots\ldots\ldots) - (12n + 1 \ldots\ldots\ldots) \to \infty,$$

私は単にこの差が無限大になることを示しただけではなく，任意の与えられた数に対してこの差の（素数についてのそれらのような）表示式を見つけ出した……．

我々は第二の手紙を第一の手紙と照らし合わせて読まねばならない；公式

---

[3] ［原註］Ramanujan はこれに続いてこの級数を生成する規則を説明している．それはもちろん

(2.1.5) $$\sum \frac{\mu(m)}{m} \int_c^{x^{1/m}} \frac{dt}{\log t}$$

である．ここで $\mu(m)$ は Möbius 関数で，m が平方因子を持たない（ρ 個の異なる素数の積である）とき $(-1)^\rho$ となり，それ以外では 0 となる．
彼は続けて級数からの計算に関して解説している（『全集』351 を見よ）．

(2.1.1), (2.1.3) および (2.1.4) はもちろん正確でない[4]. Ramanujan は三つの関数を定義する. 積分 (2.1.1)（それを $J(x)$ と呼ぼう）および級数 (2.1.3) と (2.1.4) である（それぞれを $G(x)$ と $R(x)$ と呼ぼう）. そしてそれらは $\pi(x)$ との差が有界であると主張する：$F(x)$ をそれらの一つとすると

(2.1.6) $$\pi(x) = F(x) + O(1).$$

級数 $R(x)$ は Riemann の仕事に出現した有名な級数であり, $G(x)$ によく似た級数は Gram によって発見された. 積分 $J(x)$ は私の知る限り既出のものではない；いずれにしても私は（後に述べる理由によって）Ramanujan が独力でそれら三つの公式を発見したのは確かだと思う.

Ramanujan の級数と積分

2.2 Gram により用いられた級数は $G(x)$ ではなくて

(2.2.1) $$g(x) = 1 + \sum_{1}^{\infty} \frac{(\log x)^n}{n \zeta(n+1) \Gamma(n+1)}$$

であり, $G(x)$ はその奇数項の和の二倍である[5]. この級数は（疑いなく Ramanujan は知っていたように）$R(x)$ と同等であることを示すことができる.

$R(x)$ についての予備的な観察が必要であるが, それを (2.1.5) の形に書くことにしよう[6]. 知られていることは

(2.2.2) $$\sum \frac{\mu(m)}{m} = 0$$

および

(2.2.3) $$\sum \frac{\mu(m)}{m} \log m = -1$$

---

[4] ［原註］$\pi(x)$ は不連続だから.
[5] ［原註］$\zeta(2k) = \frac{2^{2k-1}\pi^{2k}}{2k!} B_{2k}$ だから（Ramanujan が用いた Bernoulli 数の記号に従って, B_k と書くのがふつう通常であるところを B_{2k} と書く）.
[6] ［原註］33 ページの脚注を見よ.

である（もっともそれらの等式のうち最初のものでさえ素数定理と同じくらい「深い」が）．(2.2.2) から (2.1.4) における c の値は（それが 1 でない限りは）たいして重要ではないことが従う．特に，$x > 1$ のときに対数積分を

$$\mathrm{li}\, x = \int_0^x \frac{dt}{\log t} = \lim_{\epsilon \to 0} \left(\int_0^{1-\epsilon} + \int_{1+\epsilon}^x \right) \frac{dt}{\log t}$$

により定義するならば（Cauchy の意味の「主値」），(2.1.5) をより通常の形式である

(2.2.4) $$R(x) = \sum \frac{\mu(m)}{m} \mathrm{li}\, x^{1/m}$$

と書いてよい．

(2.2.5) $$\mathrm{li}\, x = \gamma + \log \log x + \sum_1^\infty \frac{(\log x)^n}{n \cdot n!}$$

が知られている．ここで γ は Euler の定数である．よって $m \to \infty$ のとき

(2.2.6) $$\mathrm{li}\, x^{1/m} = \gamma + \log \log x - \log m + \sum_1^\infty \frac{(\log x)^n}{n \cdot n! m^n}$$

$$= -\log m + \gamma + \log \log x + O\left(\frac{1}{m} \right)$$

であり，(2.2.4) の収束は (2.2.2) と (2.2.3) のそれに依存する．

(2.2.6) を $R(x)$ に代入して，公式 (2.2.2) と (2.2.3) を思い出すならば

$$R(x) = (\gamma + \log \log x) \sum \frac{\mu(m)}{m} - \sum \frac{\mu(m)}{m} \log m + \sum_m \frac{\mu(m)}{m} \sum_n \frac{(\log x)^n}{n \cdot n! m^n}$$

$$= 1 + \sum_n \frac{(\log x)^n}{n \cdot n!} \sum_m \frac{\mu(m)}{m^{n+1}} = 1 + \sum \frac{(\log x)^n}{n \zeta(n+1) \Gamma(n+1)} = g(x)$$

を得るから[7]，Riemann のと Gram の級数の和は同じである．さらに $\log x = y$ として

---

[7] ［原註］すべての和は 1 から ∞ である．

と書くならば

$$g(x) = h(\log x) = h(y) = 1 + \sum_{1}^{\infty} \frac{y^n}{n \cdot n! \zeta(n+1)}$$

$$G(x) = h(y) - h(-y)$$

で，$y \to \infty$ のとき

(2.2.7) $$h(-y) \to 0$$

であることを示すことは難しくない[8]．よって

$$G(x) = R(x) + o(1)$$

であり，Ramanujan の級数は Gram のものと同等である．

我々はさらに

(2.2.8) $$J(x) = G(x) + o(1)$$

を証明することもできるが，その証明は公式

$$\int_0^\infty \frac{a^{x+1}}{\Gamma(x+1)} dx = e^a - \int_0^\infty \frac{e^{-ax} dx}{x\{\pi^2 + (\log x)^2\}}$$

に依存していて，少しばかりより難しい．このことを認めることにするならば，我々は **Ramanujan** の三つの近似は同等であると結論することができる．したがって以下では，最も馴染み深い関数 $R(x)$ に限定してよいだろう．

級数 $R(x)$

2.3 Ramanujan の主張は煎じ詰めれば

(2.3.1) $$\pi(x) - R(x) = O(1),$$

---

[8] ［原註］この講義の最後にある注釈を見よ．

すなわち $\pi(x) - R(x)$ は有界である，ということである．この場合，すべての正の δ に対して

(2.3.2) $$\pi(x) - R(x) = O(x^\delta)$$

であるから，その誤差は $R(x)$ のいずれの項よりも重要でない．すべての正の δ に対して

(2.3.3) $$\pi(x) = \operatorname{li} x + O(x^{\frac{1}{2}+\delta}),$$
(2.3.4) $$\pi(x) = \operatorname{li} x - \frac{1}{2}\operatorname{li} x^{\frac{1}{2}} + O(x^{\frac{1}{3}+\delta}),$$

等々を導くのは容易であろう．特に $x \to \infty$ のとき

(2.3.5) $$\pi(x) - \operatorname{li} x \to -\infty$$

であることが従うであろう．その上で私は直ちに，これらの主張 (2.3.1)，(2.3.2)，(2.3.4) および (2.3.5) は確かに間違いであり，一方，(2.3.3) の成否は Riemann 仮説と同時に成り立つといおう．

Ramanujan の主たる主張は間違いであるが，それが事実といかによく一致するかは驚くべきものである．素数は 10,000,000 まで表にされている：そして $\pi(x)$ の値はずっと大きな x の値に対して既に知られている．いくつかの $\pi(x)$ の値，および $\operatorname{li} x$ と $R(x)$ の誤差を超過または不足として表に示す．

x	$\pi(x)$	$\operatorname{li} x$	$R(x)$
100,000	9,592	+ 38	− 5
1,000,000	78,498	+ 130	+30
2,000,000	148,933	+ 122	− 9
3,000,000	216,816	+ 155	0
4,000,000	283,146	+ 206	+33
5,000,000	348,513	+ 125	−64
6,000,000	412,849	+ 228	+24
7,000,000	476,648	+ 179	−38
8,000,000	539,777	+ 223	− 6
9,000,000	602,489	+ 187	−53
10,000,000	664,579	+ 339	+88
100,000,000	5,761,455	+ 755	+97
1,000,000,000	50,847,478	+1758	−23

$R(x)$ で知られている最大の誤差は $x = 90{,}000{,}000$ における $+228$ である．この一致は非常に著しいもので（このような規模の欺くような事実を Ramanujan は持っていなかったとはいえ[9]）彼が欺かれたことは全く驚くことではない．

素数の理論の初期の歴史

2.4 当然のことながら Ramanujan は彼の定理を単に「思いついた」のではない；純粋な空想の飛躍でこれほど遠くまで人を運ぶものはない．彼は「証明」を持っていたのだ，明確で，かつ非常に天才的な理由づけの連鎖を．それを私は説明するつもりであるが，初めに「古典的な」理論の歴史と構造について手早く概観することが不可欠である．

素数定理

$$(2.4.1) \qquad \pi(x) \sim \frac{x}{\log x}$$

は Legendre と Gauss により独立に予想された．Gauss は近似として，いまではより正確であることが知られている $\operatorname{li} x$ を与えたのだが，両者ともに彼らの公式の正確さの度合いについて言明しているところは非常に明示的であるとはいえない．私の最初の講義でいったように，(2.4.1) は $p_n \sim n \log n$ と同値である．

最初の確定的な前進は Tchebychef によってなされた．Tchebychef が証明したのは[10]

$$(2.4.2) \qquad \frac{Cx}{\log x} < \pi(x) < \frac{Cx}{\log x},$$

あるいは（同じことであるが）

$$(2.4.3) \qquad Cn \log n < p_n < Cn \log n$$

である．彼はまた関数

---

[9] ［原註］彼は非常に小さな x に対する結果のみを引用している；$x = 50, 300, 1000$ に対する誤差 $-0.1, -0.1, +0.2$ である．

[10] ［原註］「絶対的定数」（7 とか π のような数）として一般的に C を用いる．様々な C は当然ながら等しくはない．

(2.4.4) $$\vartheta(x) = \sum_{p \leq x} \log p, \quad \psi(x) = \sum_{p^m \leq x} \log p$$

を導入した[11]．これらの関数は見方によっては $\pi(x)$ よりも**自然である**．つまり

$$\vartheta(x) = \log\left(\prod_{p \leq x} p\right)$$

(そして素数の集合に関して行うに最も自然な演算はそれらを**掛ける**ことである)；また $\psi(x)$ は x までの数の最小公倍数の対数である．我々がこれから見るように，より複雑な関数 $\psi(x)$ が解析的な理論では最も自然に現れるのである．素数の二乗，三乗，……で x までの個数は

$$x^{\frac{1}{2}} + x^{\frac{1}{3}} + x^{\frac{1}{4}} + \cdots = O(x^{\frac{1}{2}} \log x)$$

を超えず[12]，それは増大度がおおよそ x である関数と比べれば取るに足らない．よって素数の冪は理論のなかでは比較的重要ではなく，$\vartheta(x)$ と $\psi(x)$ は我々の現下の目的にとっては実質的に同じものと考えてよい．

自然に期待するのは

(2.4.5) $$\log x \cdot \pi(x) \sim \vartheta(x) \sim \psi(x)$$

である．というのは (i) $\vartheta(x)$ と $\psi(x)$ は「おおよそ同じ」であり，(ii) $\vartheta(x)$ は $\pi(x)$ 個の項を含み，そのほとんどで $\log p$ は $\log x$ に近いから．Tchebychef は (2.4.5) の精密な証明を与え，さらに

(2.4.6) $$\lim \frac{\log x \cdot \pi(x)}{x} = \lim \frac{\vartheta(x)}{x} = \lim \frac{\psi(x)}{x}$$

が三つの極限のどれか一つが**存在すれば**成り立ち，素数定理は

(2.4.7) $$\vartheta(x) \sim x, \quad \psi(x) \sim x$$

---

[11] [原註] x に至るまですべての $p, p^2, \ldots$ にわたって $\log p$ を足しあげる．したがって
$$\psi(10) = \log 2 + \log 3 + \log 2 + \log 5 + \log 7 + \log 2 + \log 3$$
$$= 3\log 2 + 2\log 3 + \log 5 + \log 7$$
(例えば $\log 2$ は $2, 2^2 = 4, 2^3 = 8$ からくる)．

[12] [原註] $m > \log x / \log 2$ ならば $p^m > x$ だから，級数の $O(\log x)$ 項をとるだけでよい．

のいずれとも同値である，との洞察を得た．最終的には彼はその極限の可能な値は 1 であることを証明したが，極限の存在の証明という根本的な困難を克服することはできなかった．

素数定理の証明

2.5 素数定理は最終的には Hadamard と de la Vallée-Poussin によって 1896 年に証明された．この問題に対する解析的な攻略は Euler の等式

$$(2.5.1) \qquad \zeta(s) = \sum_n n^{-s} = \prod_p \frac{1}{1-p^{-s}}$$

に依存する，ここで $\Re s > 1$. (2.5.1) から

$$\log \zeta(s) = \sum_p \log \frac{1}{1-p^{-s}} = \sum_{p,m} \frac{1}{mp^{ms}}$$

が従う，ここで和はすべての素数 p とすべての正の整数 m をわたる．よって

$$(2.5.2) \qquad -\frac{\zeta'(s)}{\zeta(s)} = \sum_{p,m} \frac{\log p}{p^{ms}} = \sum a_n n^{-s},$$

ここで

$$a_n = \log p \quad (n = p^m),$$
$$a_n = 0 \quad \text{(それ以外の場合)}$$

である．ここで a_n は通常 $\Lambda(n)$ と表される数論的関数であり，a_n の「和関数」

$$A(x) = \sum_{n \leq x} a_n$$

が $\psi(x)$ である．

我々にはいまや Dirichlet 級数の理論での一般的な定理が必要である．$s = \sigma + it$ とし

$$f(s) = \sum a_n n^{-s}$$

は $\sigma > 1$ に対して絶対収束すると仮定せよ．すると

$$\frac{1}{2\pi i} \int_{c-i\infty}^{c+i\infty} \frac{y^s}{s} ds$$

は三つの場合 $0 < y < 1, y = 1, y > 1$ に

$$0, \quad \frac{1}{2}, \quad 1$$

であり[13]；そして容易に証明できることは

$$\frac{1}{2\pi i} \int f(s) \frac{x^s}{s} ds = \sum a_n \int \left(\frac{x}{n}\right)^s \frac{ds}{s} = \sideset{}{'}\sum_{n \leq x} a_n = A^*(x)$$

である．ここで $A^*(x)$ と $A(x)$ との違いは，x が整数のときに $A(x)$ の最後の項 a_n に $\frac{1}{2}$ が掛けられるということのみである．特に

(2.5.3) $$\psi^*(x) = \frac{1}{2\pi i} \int_{c-i\infty}^{c+i\infty} f(s) \frac{x^s}{s} ds$$

である．ここで $c > 1$ かつ

$$f(s) = -\frac{\zeta'(s)}{\zeta(s)}$$

である．この公式は素数問題の「解析的仕掛け」を含んでいる．以下で私はこの解に対して二つの近似を与えるが，最初のものはあまりにも粗いので，現在の知識の段階では，最後までやり通すことはできない．

知られていることは，$\zeta(s)$ は s の解析的関数であって $s = 1$ に

$$\frac{1}{s-1} + \cdots$$

の型の一位の極を持つ以外は正則なることである．それは Riemann の等式

$$\zeta(1-s) = 2(2\pi)^{-s} \cos\frac{1}{2}s\pi\, \Gamma(s)\zeta(s)$$

を満たす．それは一位の零点（「自明な」零点）を

---

[13] ［原註］$x = 1$ のとき積分は無限大での主値（すなわち，$c - iT$ から $c + iT$ までの積分の極限）である．（訳註：「$x = 1$ のとき」は「$y = 1$ のとき」の誤り．）

$$s = -2,\ -4,\ -6,\ \ldots$$

に持ち，そしてすべてが $0 < \sigma < 1$ なる無数の複素零点 ρ を持つ．「Riemann 仮説」とはすべての ρ は実部 $\frac{1}{2}$ を持つという仮説である．

関数 (2.5.2) も $s = 1$ に

$$\frac{1}{s-1} + \cdots$$

なる型の極を持ち，$\zeta(s)$ の零点で

$$-\frac{1}{s-2n} + \cdots,\quad -\frac{1}{s-\rho} + \cdots$$

なる型の極を持つ．Riemann 仮説が正しいと仮定し，$\sigma > \frac{1}{2}$ かつ $|t| \to \infty$ のとき，$f(s)$ の振る舞いは「それほど悪くない」と仮定しよう．すると (2.5.3) の積分路を動かして極 $s = 1$ を通過させて

(2.5.4) $$\psi^*(x) = x + \frac{1}{2\pi i}\int_{\gamma-i\infty}^{\gamma+i\infty} f(s)\frac{x^s}{s}\,ds$$

を導くことができると考えることは自然である．ただし $\frac{1}{2} < \gamma < 1$ である．この x は極 $s = 1$ から生ずる留数である．さらに，被積分関数のすべての要素は x に関して x^γ のオーダーだから，積分もおおよそ同じオーダーであって，すべての $\beta > \frac{1}{2}$ に対して

(2.5.5) $$\psi^*(x) = x + O(x^\beta)$$

であると考えるのが自然である．$\psi^*(x)$ と $\psi(x)$ の差は高々 $\log x$ だから，これは素数定理（とさらに多くのことを）与える．この議論は私が大まかに示したかなり単純な方針にそって厳密に展開することはできないが，実際に (2.5.5) は Riemann 仮説からの正しい帰結なのである．

再びどのような $\beta > \frac{1}{2}$ に対しても

(2.5.6) $$\pi(x) = \mathrm{li}\,x + O(x^\beta)$$

であることを (2.5.5) から導くことは容易である．というのは (2.5.5) は

(2.5.7) $$\vartheta(x) = x + O(x^\beta)$$

と同等である．さらに

$$\pi(x) = 1 + \int_2^x \frac{d\vartheta(t)}{\log t}$$

だから[14]

$$\begin{aligned}
\pi(x) - \operatorname{li} x &= \int_2^x \frac{d\vartheta(t)}{\log t} - \int_2^x \frac{dt}{\log t} + O(1) \\
&= \int_2^x \frac{d\{\vartheta(t) - t\}}{\log t} + O(1) \\
&= \frac{\vartheta(x) - x}{\log x} - \frac{\log 2 - 2}{\log 2} + \int_2^x \frac{\vartheta(t) - t}{t(\log t)^2}\, dt + O(1) \\
&= O\left(\frac{x^\beta}{\log x}\right) + O\left\{\int_2^x \frac{t^{\beta-1}}{(\log t)^2}\right\} + O(1) \\
&= O(x^\beta)
\end{aligned}$$

となり[15], これは (2.5.6) である．

$\pi(x)$ が $\vartheta(x)$ と関係しているのと同じくらい，関数

(2.5.8) $$\Pi(x) = \pi(x) + \frac{1}{2}\pi(x^{\frac{1}{2}}) + \frac{1}{3}\pi(x^{\frac{1}{3}}) + \cdots$$

は $\psi(x)$ と関係している．

$$\frac{1}{2}\pi(x^{\frac{1}{2}}) + \frac{1}{3}\pi(x^{\frac{1}{3}}) + \cdots \leq x^{\frac{1}{2}} + x^{\frac{1}{3}} + \cdots = O(x^{\frac{1}{2}} \log x)$$

だから

(2.5.9) $$\Pi(x) = \operatorname{li} x + O(x^\beta)$$

も成り立つ．

---

[14] [原註] Stieltjes 積分の概念を用いるのが便利である：$\vartheta(x)$ は点 $x = p$ で $\log p$ 飛び上がる階段関数である．
[15] [訳註] 3 行目の $\frac{\log 2 - 2}{\log 2}$ は $\frac{\vartheta(2)-2}{\log 2}$ の間違い．

証明への第二近似

2.6 これが素数定理の証明に対する「第一近似」であるが，Ramanujan の試みを理解しようとするならば，真実に少しだけ近づいたのだ，ということが大切である．私の二つ目の近似では，証明されていない Riemann 仮説を放棄するが，それは最も重要な改良ではないであろう．

私の最初の「証明」の主たる困難は，Riemann 仮説にあるのではなくて，(2.5.4) の積分の「オーダー」についての素朴な議論にある．根本的な困難はその積分が絶対収束せず，そのオーダーがその要素のそれよりよほど大きくはないと定かにはいえないところにある．我々はこの困難を $\psi^*(x)$ 自身を考えるのではなくて，$\psi^*(x)$ あるいは $\psi(x)$ の平均を考え，この平均に対する漸近公式を見いだすことにより回避する．そして我々はその平均から逆に関数自身を推察せねばならず，それが証明に新たな要素，すなわち「Tauber 型」の要素，を持ち込む．

議論を一般の Dirichlet の級数について述べるのが最も便利なので，次の一般的な定理を証明しよう．仮定するに

(i) $\sigma > 1$ に対して

$$(2.6.1) \qquad f(s) = \sum a_n n^{-s}$$

は絶対収束する．

(ii) $f(s)$ は線 $\sigma = 1$ 上で，$s = 1$ に留数 1 の極を持つ以外は正則である．

(iii) $\sigma \geq 1$ と大きな $|t|$ に対して

$$(2.6.2) \qquad f(\sigma + it) = O(|t|^\alpha)$$

である，ここで $\alpha < 1$．

(iv) 定数 K があって

$$(2.6.3) \qquad a_n > -K$$

とせよ．このとき

(2.6.4) $$A(x) \sim x$$

である.

(2.6.5) $$A_1(x) = \int_0^x A(y)\, dy = \int_0^x A^*(y)\, dy$$

と書く[16].

$$A^*(x) = \frac{1}{2\pi i} \int_{c-i\infty}^{c+i\infty} f(s) \frac{x^s}{s}\, ds \quad (c>1)$$

から積分により

(2.6.6) $$A_1(x) = \frac{1}{2\pi i} \int_{c-i\infty}^{c+i\infty} f(s) \frac{x^{s+1}}{s(s+1)}\, ds$$

が従う. さらに[17]

$$\frac{1}{2\pi i} \int_{c-i\infty}^{c+i\infty} \zeta(s) \frac{x^s}{s}\, ds = x + O(1),$$

(2.6.7) $$\frac{1}{2\pi i} \int_{c-i\infty}^{c+i\infty} \zeta(s) \frac{x^{s+1}}{s(s+1)}\, ds = \frac{1}{2} x^2 + O(x)$$

が成り立つ. (2.6.7) を (2.6.6) から引いて, 我々は

(2.6.8) $$A_1(x) - \frac{1}{2} x^2 + O(x) = \frac{1}{2\pi i} \int_{c-i\infty}^{c+i\infty} g(s) \frac{x^{s+1}}{s(s+1)}\, ds$$

を得る. ここで

(2.6.9) $$g(s) = f(s) - \zeta(s);$$

そして簡単な連続性の議論により $c=1$ とすることが可能となる. このようにして[18]

(2.6.10) $$A_1(x) - \frac{1}{2} x^2 + O(x) = \frac{1}{2\pi i} \int_{1-i\infty}^{1+i\infty} g(s) \frac{x^{s+1}}{s(s+1)}\, ds.$$

さて容易に証明できることは[19],

---

[16] [原註] $A(y)$ と $A^*(y)$ は孤立点でのみ異なる.
[17] [原註] 正確には x が整数でなければ $[x]$, 整数ならば $x - \frac{1}{2}$.
[18] [原註] $f(s)$ と $g(s)$ はそれぞれ $s=1$ に極を持つので $c=1$ とする前に (2.6.7) を (2.6.6) から引かねばならない.
[19] [原註] 実際には $\zeta(s) = O(\log |t|)$ である：Ingham, 27 または Landau, *Handbuch*, 169 を見よ.

$$\zeta(s) = O(|t|^\alpha),$$

ただし $0 < \alpha < 1$, すなわち $\zeta(s)$ と, したがって $g(s)$ は定理の条件 (iii) を満たす. よって (2.6.10) の積分は

$$x^2 \int_{-\infty}^{\infty} O\left(\frac{|t|^\alpha}{1+t^2}\right) x^{it} \, dt$$

の形, つまり x^2 と

$$\int_{-\infty}^{\infty} H(t) e^{it \log x} \, dt = \int_{-\infty}^{\infty} H(t) e^{i\xi t} \, dt,$$

ただし $\int |H(t)| \, dt < \infty$ なる型の積分との積である. そのような積分は $\xi = \log x \to \infty$ のとき 0 に近づき[20], それゆえに

$$A_1(x) - \frac{1}{2}x^2 = o(x^2),$$

言い換えれば

(2.6.11) $$A_1(x) \sim \frac{1}{2}x^2.$$

2.7 さて我々は (2.6.11) から (2.6.4) に移行せねばならない. これには, ここでは非常に単純なものだが「Tauber 型」の議論を要する.

(2.7.1) $$b_n = a_n - 1$$

とおくならば

$$B(x) = \sum_{n \le x} (a_n - 1) = A(x) - x + O(1),$$
$$B_1(x) = \int_0^x B(y) \, dy = A_1(x) - \frac{1}{2}x^2 + O(x),$$

だから

(2.7.2) $$B_1(x) = o(x^2).$$

---

[20] [原註] 三角積分に関する「Riemann–Lebesugue の定理」による: 例えば Titchmarsh, *Fourier integrals*, 11 (Theorem 1) を見よ.

であり，(2.6.3) と (2.7.1) から

(2.7.3) $$b_n > -K - 1 = -L$$

である．我々は

(2.7.4) $$B(x) = o(x)$$

ということを証明せねばならない．

(2.7.4) が成り立たないと仮定せよ．すると正の δ があって

(2.7.5) $$B(x) > \delta x, \quad B(x) < -\delta x$$

のいずれかが任意に大きい x に対して成り立つ．

例えば最初の前提をとって $B(\xi) > \delta \xi$ であると仮定せよ．すると

$$\xi < x < \xi' = \left(1 + \frac{\delta}{2L}\right)\xi$$

に対して

$$B(x) - B(\xi) = \sum_{\xi < n \leq x} b_n > -L(x - \xi)$$

で

$$B(x) > \delta \xi - L(x - \xi) > \frac{1}{2}\delta \xi.$$

よって

$$B_1\left(\xi + \frac{\delta \xi}{2L}\right) - B_1(\xi) > \int_\xi^{\xi'} \frac{1}{2}\delta \xi \, dx = \frac{\delta^2}{4L}\xi^2.$$

しかしこれは (2.7.2) に矛盾する，というのは左辺の各項は $o(\xi^2)$ だから．

二つ目の前提 (2.7.5) からも同様に[21]矛盾を導くことができて，その二つの矛盾は (2.7.4) を証明する．

素数定理を導くためには関数 (2.5.2) が §2.6 の条件 (ii), (iii) および (iv) を満たすことを示さねばならない．その最後の条件は $\Lambda(n) \geq 0$ だから満た

---

[21] ［原註］しかし今度は ξ の左側の区間 (ξ', ξ) を用いることによって．

されている．条件 (ii) は

(2.7.6) $$\zeta(1+it) \neq 0$$

と同値であり，(iii) は幾分それ以上のことをいっている．これらの条件が満たされることを示すことこそが証明の主たる困難なのである．

その後の進展

2.8 素数定理のここでの証明（そして他のすべての証明）は二つの章からなる．証明の第一の部分は完全に関数論的である．我々は $\zeta(s)$ がある性質を持つことを示し，

$$\frac{\psi_1(x)}{x} = \frac{1}{x}\int_0^x \psi(t)\,dt$$

あるいは $\psi(x)$ の別の平均に対する漸近公式を導く．第二の部分は「Tauber 型」である．異なる証明では，困難はこの二つの章の間で異なる具合に分配される．私が概略を説明した「古典的な」証明では，第一章が難しく第二章がやさしくて，非常に単純な Tauber 型定理のみが必要とされる．その後の証明は第二章の犠牲の下に第一章を単純化するのである．

それらのより最近の進展のうち最も重要なものは，本質的には Wiener に帰する．Wiener と彼に追随した人々は，§2.6 の一般的な定理の条件 (iii) をすっぱりと削除してよいことを示した．我々には依然として (ii) は必要である；特に素数への応用においては，我々は依然として (2.7.6) を証明しなくてはならない；しかしながら我々は無限大での $\zeta(s)$ の振る舞いについては全く何も知ることを要しないのである．少々曖昧に，「素数定理は $\zeta(s)$ は $\sigma = 1$ 上に零点を持たないという主張と同値である」と長いこといわれてきたが，Wiener により我々はいまやこの命題を文字通りに解釈することが可能となり，これはもちろん，素数定理の論理に対する非常に重要な貢献である．

しかしながら，ここで重要なことは Wiener の一般化，定理の「本当の」一般化ではなくて，Littlewood と私自身が 1915 年に行った道半ばの一般化である．この道半ばの定理は，Wiener の定理に取って代わられて以来その

重要性を失ってしまったものであるが，それは Ramanujan の仕事を理解するためにちょうど求められているものである．

Littlewood と私は我々自身強力な Tauber 型定理を手にしていることに気がついた：もしも $y \to 0$ のとき

(2.8.1) $$\sum a_n e^{-ny} \sim \frac{1}{y}$$

であり，かつ

(2.8.2) $$a_n \geq 0$$

ならば

$$A(x) \sim x.$$

これは素数定理に直接的な応用を持つ，というのも，もし

(2.8.3) $$\sum_{2}^{\infty} \Lambda(n) e^{-ny} \sim \frac{1}{y}$$

ということを証明できれば $\psi(x) \sim x$ が従うであろう．

$$(1 - e^{-y}) \sum a_n e^{-ny} = (1 - e^{-y})^2 \sum (a_0 + a_1 + \cdots + a_n) e^{-ny}$$
$$= \frac{A(0) + A(1)e^{-y} + \cdots + A(n)e^{-ny} + \cdots}{1 + 2e^{-y} + \cdots + (n+1)e^{-ny} + \cdots}$$

で $1 - e^{-y} \sim y$ だから，

$$y \sum a_n e^{-ny}$$

を $A(n)/n$ の一種の平均であると見なすことができる．よって (2.8.3) の関数論的な証明は素数定理の証明へとつながり，私の一般的な描写と合致する．

そこで Littlewood と私は次のように議論を進めた．まず初めに我々は一般的な定理を拡張したものを証明した，つまり §2.6 の条件 (iii) を，いかなる正の定数 A に対しても

(2.8.4) $$f(\sigma + it) = O(e^{A|t|})$$

なることで取り替えられることを示した．もちろんこれはいまでは（実際にはこの種の条件は要求されないのだから）何ら重要性を持たない．次に我々は (2.8.3) を導き，そして最後に我々の Tauber 型定理を適用した．私が皆さんに注目していただきたいのは (2.8.3) である，というのも Ramanujan の最初の目標がこれだったからである．

Ramanujan の議論

2.9 いまや私は Ramanujan の実際の「証明」に進むことができる，それは彼が英国に到着した後しばらくして私に示したものである．彼の目標を少しだけ曲解することが許されるならば，論点をより明確にすることができるであろう．

Ramanujan は，単に素数定理だけではなく，さらにいえば Riemann 仮説の下では正しい (2.5.6) のような結果だけではなくて，それを我々は間違いであると知ってはいるがはるかに精密な結果を証明しようとしていたのである．彼は明白な，そしてとても奇妙な誤謬に陥っていた：彼の議論は「厳密でない」ばかりでなく，もっと極端な意味で「根拠のない」ものであり，私は彼の誤りを全く明らかなものにしたい．私はこれを，彼の狙いが素数定理の証明に限られていたかのように語ることによって，より容易に，かつ彼に対してわずかばかりも不公平になることなく行うことができる．

Ramanujan は

(2.9.1) $$\phi(y) = \sum_p \log p \sum_{m=1}^{\infty} e^{-p^m y} - \log 2 \sum_{m=1}^{\infty} 2^m e^{-2^m y}$$
$$= \phi_1(y) - \phi_2(y)$$

と書き，最初に

(2.9.2) $$\phi_1(y) \sim \frac{1}{y}$$

の証明を手がける．彼は記号 $\Lambda(n)$ を用いないが，実際には

$$(2.9.3) \qquad \phi_1(y) = \sum_2^\infty \Lambda(n) e^{-ny}$$

であるから，素数定理は現に (2.9.2) から従うであろう．

次に彼は

$$(2.9.4) \qquad \Phi(y) = \phi(y) - \phi(2y) + \phi(3y) - \cdots = \Phi_1(y) - \Phi_2(y)$$

と書く．ここで $\Phi_1(y)$ および $\Phi_2(y)$ は Φ が ϕ と関係するように ϕ_1 および ϕ_2 と関係する関数である．すると

$$(2.9.5) \qquad \Phi_1(y) = \sum_p \log p \sum_{m=1}^\infty \frac{e^{-p^m y}}{1+e^{-p^m y}} = \sum_2^\infty \Lambda(n) \frac{e^{-ny}}{1+e^{-ny}}$$

であり，初等的な等式 $\dfrac{2}{e^{2y}+1} + \dfrac{4}{e^{4y}+1} + \dfrac{8}{e^{8y}+1} + \cdots = \dfrac{2}{e^{2y}-1}$ により

$$(2.9.6) \qquad \Phi_2(y) = \log 2 \sum_{m=1}^\infty \frac{2^m e^{-2^m y}}{1+e^{-2^m y}} = 2\log 2 \frac{e^{-2y}}{1-e^{-2y}}$$

となる．

2.10 ここで Ramanujan は $\Phi_1(y)$ の変形を行う．

$$(2.10.1) \qquad \Phi_1(y) = \Psi_1(y) - 2\Psi_1(2y),$$

ただし

$$(2.10.2) \qquad \Psi_1(y) = \sum \Lambda(n) \frac{e^{-ny}}{1-e^{-ny}}.$$

である．ところが

$$(2.10.3) \qquad \Psi_1(y) = \sum_{n=2}^\infty \Lambda(n) \sum_{m=1}^\infty e^{-mny} = \sum_2^\infty c_k e^{-ky},$$

ただし

(2.10.4)
$$c_k = \sum_{n|k} \Lambda(n).$$

さらに，$k = \prod p^a$ とすると,
$$\sum_{n|k} \Lambda(n) = \sum_{p|k} a \log p = \sum_{p|k} \log p^a = \log k$$

である[22]．よって
$$\Psi_1(y) = \sum_2^\infty \log k\, e^{-ky}$$

となり

(2.10.5)
$$\begin{aligned}\Phi_1(y) &= \sum_2^\infty \log k\, e^{-ky} - 2 \sum_2^\infty \log k\, e^{-2ky} \\ &= \sum_2^\infty \log k\, e^{-ky} - 2 \sum_2^\infty \log 2k\, e^{-2ky} + 2 \log 2 \sum_2^\infty e^{-2ky} \\ &= e^{-y} \log 1 - e^{-2y} \log 2 + e^{-3y} \log 3 - \cdots + 2 \log 2 \frac{e^{-2y}}{1 - e^{-2y}}.\end{aligned}$$

(2.9.6) と (2.10.5) を組み合わせて

(2.10.6) $\Phi(y) = e^{-y} \log 1 - e^{-2y} \log 2 + e^{-3y} \log 3 - \cdots$

を得る．
　Ramanujan はここで，ある l に対して[23]

(2.10.7) $\Phi(y) \to l,$

あるいは

---
[22] ［原註］因子 $p, p^2, \ldots, p^a$ のそれぞれについて $\log p$ をとらねばならないから．
[23] ［原註］私は「ある極限」として l を用いる（違う文脈では同じであるとは限らない）．

$$(2.10.8) \qquad \phi(y) - \phi(2y) + \phi(3y) - \cdots \to l$$

であると推察する．彼は何も理由を示さないが，その結論は正しくて容易に証明される[24]．私が用いてきたものよりも不便な記号で表示されているとはいえ，この時点までは彼の議論は全く根拠のあるものである．

次に Ramanujan は (2.10.8) から

$$(2.10.9) \qquad \phi(y) \to l$$

であると推察する．もしも彼が素数定理のみを狙っていたのであれば，必要としたであろうことは，より穏やかな結論であるところの

$$(2.10.10) \qquad \phi(y) = o\left(\frac{1}{y}\right)$$

がそのすべてであったろうから，我々は彼がこれ以上のことは主張していないとして彼の議論を続けることにしよう．そこで彼は

$$(2.10.11) \qquad \phi_2(y) = \log 2 \sum_1^\infty 2^m e^{-2^m y} \sim \frac{1}{y}$$

と言明し，(2.10.10) と (2.10.11) から

$$(2.10.12) \qquad \phi_1(y) = \phi(y) + \phi_2(y) \sim \frac{1}{y}$$

を導くが，これは (2.8.3) である．(2.10.9) から導くと彼が実際に述べ言明していることは

$$(2.10.13) \qquad \phi_1(y) = \frac{1}{y} + O(1)$$

あるいはともかくもすべての正の δ に対して

$$(2.10.14) \qquad \phi_1(y) = \frac{1}{y} + O(y^{-\delta})$$

ということである．

---

[24] ［原註］例えば，級数
$$\log 1 - \log 2 + \log 3 - \cdots$$
は収束する $(C,1)$．和は $-\frac{1}{2}\log\frac{1}{2}\pi$ である．

さて (2.8.3) は正しい；それは，私が述べたように，"Hardy–Littlewood"の証明の途中の段階である；そして (2.8.3) から我々は素数定理を「初等的な」具合に，すなわち複素変数の解析関数の概念を用いない議論によって導くことができる．したがって，もし Ramanujan が本当に (2.10.12) を証明していたのであれば，彼は素数定理の初等的証明，関数論を全く必要としない証明を発見していたことになる．特に彼は (2.7.6) を決して必要としなかったであろう；そしてもちろんこのことは，この主題を承知している読者になら誰でも，この証明が正しいことが可能であろうことなどあり得ないと納得させるに十分である．そして実際に Ramanujan は二つの間違った命題から正しい結論を導いたのである，命題 (2.10.11) と，(2.10.8) から (2.10.10) がいえるという命題である．

2.11 それらの命題が誤りであることを簡単に示しておくのがよいだろう．まず初めに，(2.10.8) は (2.10.10) を意味しないし，ましてや (2.10.9) はなおさらである．例えば

$$\chi(y) = y^{-1-ai}$$

とせよ．すると

$$\chi(y) - \chi(2y) + \chi(3y) - \cdots = y^{-1-ai}(1 - 2^{-1-ai} + 3^{-1-ai} - \cdots)$$
$$= (1 - 2^{-ai})\zeta(1+ai)y^{-1-ai},$$

これは

$$a = \frac{2k\pi}{\log 2}$$

ならば 0 であるが，$y\chi(y)$ は Ramanujan の言説に反して振動する．確かに $\chi(y)$ は，Ramanujan の $\phi_2(y)$ のように e^{-y} の冪級数ではないけれども，そのような級数で $\chi(y)$ の振る舞いを我々が望むだけ近く真似るものを見つけることができるから，その言説はそのような留保によっては修復されない．

Ramanujan の議論がこのような欠陥を含んでいても，それは単に自然なことである，そこでは難しい一般的な定理の妥当性について彼の直観が彼を欺いたのだから．私がちょうど否定したのと表面的には類似した正しい

Tauber 型の定理があって，正しいものと間違ったものを峻別するには相当の経験と精妙さを要するのである．彼の二つ目の誤りは遥かに驚くべきものである，というのは $\phi_2(y)$ のような特殊な関数の振る舞いについては彼は間違えないと人は当てにしたであろうから．

彼は「積分との類似」に惑わされたようである．級数 (2.10.11) の積分の類似物は

$$(2.11.1) \qquad \log 2 \int_0^\infty 2^x e^{-2^x y} \, dx$$

で

$$\int_0^\infty 2^x e^{-2^x y} \, dx = \frac{1}{\log 2} \int_1^\infty e^{-yz} \, dz = \frac{e^{-y}}{y \log 2} \sim \frac{1}{y \log 2}$$

だから (2.11.1) は彼が (2.10.11) がするであろうと考えたような振る舞いをする．しかし (2.10.11) 自身は，オーダー $1/y$ の「揺らぎ」をして，異なった振る舞いをする．

我々は様々なやり方で Ramanujan の主張を論破することができる．まず最初に，(2.10.11) が正しかったとすると（Hardy–Littlewood の Tauber 型定理により）

$$\sum_{2^n \leq x} 2^n \sim \frac{x}{\log 2}$$

が従うであろう．これは明白に誤りである，というのは級数は x が 2^m を通過するときに実質的に 2 倍になるからである．

さらに直接的な議論は次のようなものである．関数 $\phi_2(y)$ は等式

$$\phi_2(y) - 2\phi_2(2y) = 2e^{-2y} \log 2$$

を満たす．直ちに確かめられることに

$$\psi_2(y) = -\log 2 \sum_0^\infty \frac{(-1)^r y^r}{r!} \frac{2^{r+1}}{2^{r+1}-1}$$

もまた

$$\psi_2(y) - 2\psi_2(2y) = 2e^{-2y} \log 2$$

を満たし，したがって

$$h(y) = \phi_2(y) - \psi_2(y)$$

は

$$h(y) - 2h(2y) = 0$$

を満たす．さらに $yh(y)$ は定数ではない[25]．

さて

$$yh(y) = H(\log y)$$

と書くならば

$$H(\log y) = H(\log y + \log 2)$$

だから H は周期的であって定数ではない．よって $yh(y)$ はある極限に至ることはなく，$y\phi_2(y)$ もまたない．

最後に，もし望むならば公式における「揺らぎ」を示すことができる．我々は

(2.11.2)
$$\phi_2(y) = \frac{1}{y} - \log 2 \sum_0^\infty \frac{(-1)^r y^r}{r!} \frac{2^{r+1}}{2^{r+1}-1} - \frac{1}{y} {\sum_{-\infty}^\infty}' \Gamma\left(1 + \frac{2k\pi i}{\log 2}\right) y^{-2k\pi i/\log 2}$$

を示すことができる，ここでダッシュは値 $k=0$ を除く；そして最後の級数が，オーダー $1/y$ の揺らぎを明示的に示している．それは急速に収束し，揺らぎは支配的な項と比べれば小さい．

Riemann の級数の起源

2.12 いまや Ramanujan の素数定理の証明が全く誤りであったことは明白であろう．彼の間違いは根本的なものである；彼が間違っていたのは，単

---

[25] ［原註］$\psi_2(y)$ は有理型関数であるが，$\phi_2(y)$ は虚軸にそって障壁を持つ．その点は計算で確かめることもできる．

に必要な「厳密性」を提供することができなかったがゆえではなくて，彼がたどった道筋が事実をたどったものではなかったがゆえである．「厳密性を除けば，彼は Hardy–Littlewood の証明を発見したのだ」といいたいところだが，それはできない．

Ramanujan は真の素数定理を証明することはできなかったし，当然ながら誤りの (2.3.1) あるいは (2.3.2) を証明することはできなかった．彼がそれらを (2.10.13) から導いたと言明する道筋について後で少し述べるけれども，最初に正統的な理論における級数 $R(x)$ の立ち位置について若干の注意をしておかねばならない．

正統的な理論には二つの目標がある．一つは素数定理，あるいはそれに対する何がしかの精密化を証明することである．いま一つは $\pi(x)$，あるいはそれに付随した関数の一つの**正確**な解析的な表示式を見いだすことである；たまたま $\pi(x)$ の近似を与えるような表示式であって，それ自体を一つの最終目標として探し求められているものを見いだすことである．Riemann（素数定理には言及すらしていない）はこの二つ目の問題を攻略した．

積分 (2.5.3) からそのような恒等式がどのようにして導かれるかを見るのはたやすい．その積分は積分の線の左側にあるすべての極における留数の和であると考えるのが自然である．それらは容易に計算できて，公式

$$(2.12.1) \qquad \psi^*(x) = x - \sum_\rho \frac{x^\rho}{\rho} - \frac{\zeta'(0)}{\zeta(0)} - \frac{1}{2}\log\left(1 - \frac{1}{x^2}\right)$$

を得る．ここで最初の項は (2.5.4) でのように $s=1$ から生じ，最後の項は「自明な」零点から生ずる．(2.5.8) で定義された関数 $\Pi(x)$ についての公式を導くことはかなり簡単である．$\psi^*(x)$ が $\psi(x)$ と関係しているように $\Pi^*(x)$ が $\Pi(x)$ と関係しているとすると

$$(2.12.2) \quad \Pi^*(x) = \operatorname{li} x - \sum_\rho \operatorname{li} x^\rho + \int_x^\infty \frac{du}{(u^2-1)u\log u} - \log 2.$$

$\operatorname{li} z$ の定義は複素数の z を扱えるように適宜，拡張されねばならない．

$\Pi(x)$ から $\pi(x)$ への移行は Möbius 関数に付随した「反転公式」の一つにより行われる．

$$g(\xi) = \sum_{n=1}^{\infty} f\left(\frac{\xi}{n}\right)$$

とすれば（何らかの収束性に関する保留条件の下で）

$$f(\xi) = \sum_{n=1}^{\infty} \mu(n) g\left(\frac{\xi}{n}\right)$$

となる．これと (2.5.8) から[26]

(2.12.3) $$\pi(x) = \sum_{1}^{\infty} \frac{\mu(n)}{n} \Pi(x^{1/n})$$

が従い，Π と Π^* の違いを無視し (2.12.3) のすべての項で $\Pi(x^{1/n})$ を $\operatorname{li} x^{1/n}$ で置き換えるならば，我々は $R(x)$ を得る．これは (2.12.2) で主要項以外のすべての項を無視すること，すなわち有り体にいえば，$\zeta(s)$ の複素零点をすべて無視することを意味する．

　(2.12.1) と (2.12.2) の厳密な証明は数々の教科書に与えられている．Riemann（その証明は厳密でない）は少々違った具合に議論した．初めに彼は $\sigma > 1$ に対して

(2.12.4)
$$\int_0^{\infty} \Pi(x) x^{-s-1}\, dx = \frac{1}{s} \int_0^{\infty} x^{-s}\, d\Pi(x) = \frac{1}{s} \sum_{p,m} \frac{1}{m p^{ms}} = \frac{\log \zeta(s)}{s}$$

ということを見る．ここから「Mellin 逆変換」により，$c > 1$ ならば

(2.12.5) $$\Pi(x) = \frac{1}{2\pi i} \int_{c-i\infty}^{c+i\infty} \frac{\log \zeta(s)}{s} x^s\, ds$$

が従う[27]．

---

[26] ［原註］$f(\xi) = \xi \pi(e^{\xi})$, $g(\xi) = \xi \Pi(e^{\xi})$ とおけ．
[27] ［原註］Riemann は $s = c + it$ とおき，(2.12.4) を因子
$$e^{-it \log x}$$
を持つ Fourier 積分として表しておいて Fourier の公式を適用する．この二つの議論は形式的に同値である．

(2.12.6) $$s = \frac{1}{2} + iz$$

とするならば

(2.12.7) $$\xi(z) = \frac{1}{2}s(s-1)\pi^{-\frac{1}{2}s}\Gamma\left(\frac{1}{2}s\right)\zeta(s)$$

は z の整関数である．その零点は

(2.12.8) $$s = \rho, \quad z = -i\left(\rho - \frac{1}{2}\right) = \tau$$

で与えられる．それらは原点の周りに対称的に分布し，もし Riemann 仮説が正しいならば実数である；そして

(2.12.9) $$\xi(z) = \xi(0)\prod_{\tau}\left(1 - \frac{z^2}{\tau^2}\right)$$

である．(2.12.7) と (2.12.9) から

(2.12.10) $$\log\zeta(s) = -\log(s-1) - \log\Gamma\left(\frac{1}{2}s+1\right) + \frac{1}{2}s\log\pi \\ + \log\xi(0) + \sum\log\left\{1 + \frac{(s-\frac{1}{2})^2}{\tau^2}\right\}$$

を得るが，Riemann は (2.12.10) を (2.12.5) に代入して，生ずる級数の項を個別に求める．(2.12.2) の支配的な項は $-\log(s-1)$ の項から生ずる．

　議論にはいくつかの欠陥があり，そのうちの最も重要なものは (2.12.9) のいかなるものであれ十分な証明を欠いていることである．これはずっと後になって Hadamard の整関数に関する仕事によってようやく可能となった．しかしながら私が皆さんに特に注意してもらいたいことは，Cauchy の定理がどこにも何ら明示的に使用されていないということである．級数の項別積分，(2.12.5) の証明における Fourier の定理の使用，さらに特定の定積分の計算といった Riemann の形式的な仕掛けはすべて，Ramanujan にとって分かりやすいものであり，大いに共感できるものであったろう．

2.13 Ramanujan の議論に戻る．(2.8.3) あるいは (2.9.2) を

(2.13.1) $$\int_0^\infty e^{-yz}\,d\psi(z) \sim \frac{1}{y}$$

と書くことができて（Ramanujan はこの記号を用いないが），それらの命題から素数定理を導くことができるのである．Ramanujan は遥かにそれ以上のことを証明できると考えた，すなわち (2.10.13) あるいは (2.10.14) であって，それらは

(2.13.2) $$\int_0^\infty e^{-yz}\,d\psi(z) = \frac{1}{y} + O(1),$$

あるいは

(2.13.3) $$\int_0^\infty e^{-yz}\,d\psi(z) = \frac{1}{y} + O(y^{-\delta})$$

と書かれるであろう．これらから彼は

(2.13.4) $$\psi(x) - x = O(1) \quad (\text{あるいは } O(x^\delta))$$

を導き，さらに

(2.13.5) $$\pi(x) - R(x) = O(1)$$

への移行はたやすい．しかしながら彼のここの議論は，いかなる修復の可能性も及ばない，根拠を欠いたものである．(2.13.2)–(2.13.5) のすべてが明確に誤りであるというのみならず，(2.13.2) あるいは (2.13.3) から (2.13.4) への移行もまた誤った推論に基づくものである．このような推論を可能とする Tauber 型の定理はない．そして私は Ramanujan の理由づけの詳細をさらに詳しく探索することに価値があるとは思わない．何はともあれ抗することのできない一つの非難がここにある．かくも根拠を欠いたものであるにしても，それは「間抜けな」ものではない；Ramanujan は決して間抜けではなかった．それは非常に興味深い着想を含んでいて，適切に剪定すれば理論にしかるべきところを得るものである．

Ramanujan の独創性の問題

2.14 Ramanujan の議論をどのように考えるにせよ，彼の形式的な着想が

素晴らしいことには同意するであろう，そして間違いなくそれらすべてが彼自身のものであるかどうか思い惑うことだろう．特に彼は本当に Riemann 級数を独力で発見したのだろうか．

私自身の意見はその通りだというものである．しかしながら，彼がその級数をひょっとすると見ていたかもしれない本が一冊だけある．Madras の図書館に Mathew の *Theory of numbers* があって，この本には Riemann の解析が（やや無批判に）再録されている．彼にとって重要で Madras で手にし得るどの本を Ramanujan が参照したかを少し考えてみる価値があるように思う．

Ramanujan にとって特に重要であった五冊の本があった；Whittaker の *Modern analysis*（1902 年出版），Bromwich の *Infinite series* (1908), Mathew (1892), そして Cayley と Greenhill による楕円関数に関する専門書である．彼は最後の二冊の本のうち少なくとも一つ，恐らく両方を見たことがあるが，その他の三冊はどれも見ていないというのが私自身の見解である．どうしてそうであったかは分からないし，私の見解は主観的な証拠にのみ基づいているのだが，他のいかなる仮説もうまく当てはまるとは思えない．

まず第一に Ramanujan が Whittaker を見たことは**あり得ない**，というのも彼は Cauchy の定理を知らなかったから．同じ理由で，当然のことながら，彼は Forsyth の *Theory of functions* を目にしたこともあり得ない．このことは重要である，なぜならば，Madras で確かに手にすることができたのに Ramanujan が決して目にしなかった「明らかな」本があった，ということをそれは示しているのだから．

Bromwich についての証拠はそれほど決定的ではないが，Ramanujan がこの本を目にしていたとは信じ難いのである．彼は発散級数に強烈な興味を持ち，それについての彼独自の「理論」を持っていた．Bromwich にはこの主題についての長くかつ非常に興味深い章があり，Ramanujan を魅了したことであろう；ところが Ramanujan は Cesàro または Borel の総和可能性，あるいは何がしかの標準的な結果についての何らの知識も示すことはなかったのである．彼が発散級数についての何らかの科学的理論が存在するとは思いもしなかったことは彼の手紙の文面から全く明白である．

したがって私は Ramanujan が Whittaker あるいは Bromwich を目にしたとは考えないが，彼が楕円関数に関する本を何か読んだことは明白であるように思える．そして，それは恐らく Greenhill のものであったろうと考えるについては私は Littlewood と同意見である．彼は決して本に言及することはないが，その主題の標準的ないかなる定理であれ，それを彼が自分で考え出したかのように言及することも決してしない．彼はその理論を，彼がやったように違った方向に展開したと言明しているが，楕円積分やテータ関数あるいはモジュラー関数を発明したといっているわけではない．これらすべてを彼は常識的な知識の一部として扱うのである．彼自身の知識は，その広さと同時にその限られていることの両面で著しいものであって，その広がりと限界とは，それが Greenhill の刺激的であるが一風変わった本[28]に基づいているのだという仮説に見事に当てはまるのである．

一方で，これらの素数についての定理を Ramanujan は非常にはっきりと彼独自のものである（もちろん後に彼は自身の誤りを認識して，確立された理論の概略を学んだにしても）と主張していた．これは，Ramanujan をよく知る誰にとっても間違いのないところである；しかし Ramanujan の完全な独立性という仮説もまた事実に当てはまる唯一のものであると私には思えるのである．

まず第一に，もしも Ramanujan が Mathews を一度でも目にしたことがあるのならば，彼はどうして二次形式の古典的な理論についてかくも無知であり得ただろうか，それを Mathews は入念に論じて彼の本の半分近くをそれが埋めているのに．特に類数を与える級数は Ramanujan を魅了したであろうし，彼がそれを集中的に研究したであろうことは確かである．

しかしながら最も決定的な証拠は Mathews の本の素数自身についての章である．その欠点が何であれ，そこには Riemann の論文について十分な量の記述がある．そこでは素数の理論は $\zeta(s)$ の「複素的な」性質，特にその零点の位置に依存しているという Riemann の偉大な発見について適切に強調している．Riemann の仕事のいかなる記述においてもそうあらねばならぬように，$\zeta(s)$ の複素零点はその解析を支配している．Ramanujan は解析

---

[28] [原註] そこでは 258 ページで初めて楕円関数は二重周期的であることを学ぶのである．

的関数については何も正確な知識がなかったが，方程式は無数の複素根を持ちうることはよく知っていたので，彼はその議論を苦もなく追うことができたであろう．この章を目にした後で，そこでは「すべての $\zeta(s)$ の零点は実である」という理論を構築すべく進むであろうなど信じ難いことである．

したがって私の結論は，このすべての Ramanujan の仕事は，その着想のひらめきと粗雑な誤りと共に，個人の，他の助けによらない成果であったというものである．批判に耐え得る，あるいは何らかの数学的または心理学的に意味をなすと思われる仮説は他にはない．

終わりにあたって，私はこのようにいってもよいだろう．私の知る限り，Riemann 以前には誰一人 $R(x)$ を書き下したものはいなかった．もし Ramanujan がこの級数を独自に見つけたのであれば，それは実に目覚ましい功績であろう．Gauss でさえ li x で止まったのだ．

しかしながら，誇張にすぎる若干の危険性がある．$\vartheta(x)$ よりも $\psi(x)$ の方が一層自然な役割を果たすように，もし $\pi(x)$ 自身よりも

$$\Pi(x) = \pi(x) + \frac{1}{2}\pi(x^{\frac{1}{2}}) + \frac{1}{3}\pi(x^{\frac{1}{3}}) + \cdots$$

の方が理論で一層「自然な」役割を果たすことが分かれば；li x に「自然に対応する」のは $\Pi(x)$ であることを理解するならば；そしてもし我々が Möbius の反転公式に親しんでいるとするならば；この公式により $\Pi(x)$ から $\pi(x)$ に戻って来てみると，級数 $R(x)$ が自ずと立ち現れるのである．これらの着想はすべて Tchebychef には馴染みのものであったし，彼がそのようにしたとは到底思えないとはいえ，彼が $R(x)$ を書き下さなかった合理的な理由は全くなかったのである．私が皆さんに提示した議論が明らかに示しているように，Ramanujan もまたこれらの事柄をすべて承知しており，彼がなしたことはすべて，それを我々がいかように判定するにしても，余すところなく腑に落ちるのである．

講義 II に関する注釈

この講義は，1937 年 2 月 18 日に London Mathematical Society で行った講義の改訂増補版である．

§2.1. この手紙は『全集』の xxiii–xxix および 349–352 に全文が印刷されているものである．手紙が書かれた日時については，Narayana Aiyer (**1**) が Ramanujan の主要な主張を *Jouranl Indian Math. Soc.* に発表した．

参照する便利のために，私は Ramnujan の記号を変更した：彼は (2.1.1) で x を e^a とし y を a としている．(2.1.3) と (2.1.4) では x を n としているし，(2.1.4) では c を μ としている．さらに $\zeta(t+1)$ を S_{t+1} としている．

Ramanujan は $x \to \infty$ のとき $\rho(x) \to \infty$ であると暗に述べているが，Littlewood が 1914 年に示したように，これは誤りである．Littlewood の証明は難しいものであるが，Ingham, ch.5 あるいは Landaw, *Vorlesungen*, ii, Kap.11 に見ることができよう．第二の手紙から引用したくだりの最後にある算術数列における素数についての同様の主張もまた誤りである．

§2.2. (2.2.1) については Gram, *Skrifter d. K. Danske Videnskabernes Selskab* (6), 2 (1884), 185–308 (212, 295) を見よ．

(2.2.2) と (2.2.3) の歴史については Landau, *Handbuch*, 567–574 を見よ．素数定理は (2.2.2) から「初等的な」理由づけにより（すなわち，複素変数関数論とは独立の理由づけにより）導けることは最初に Landau, *Wiener Sitzungsberichte*, 120 (1911), 973–988 によって証明された．*Handbuch* には (2.2.3) からの導出のみが収録されている．

Soldner によれば，$x = 1.4513692346\cdots$ に対して $\operatorname{li} x = 0$ であり，恐らくこれが Ramanujan の c の本当の値だと思われる．

(2.2.5) については Bromwich, *Infinite series*, ed. 2, 334 を見よ．

(2.2.7) を証明するのに，例えば (2.2.3) より

(1)
$$h(-y) = 1 + \sum \frac{(-1)^n y^n}{n \cdot n! \zeta(n+1)} = 1 + \sum_m \frac{\mu(m)}{m} \sum_n \frac{(-1)^n}{n \cdot n!} \left(\frac{y}{m}\right)^n$$
$$= 1 - \sum \frac{\mu(m)}{m} \int_0^{y/m} \frac{1 - e^{-u}}{u} du$$
$$= -\sum \frac{\mu(m)}{m} \left(\int_0^{y/m} \frac{1 - e^{-u}}{u} du + \log m \right)$$
$$= \sum \frac{\mu(m)}{m} \chi(y, m).$$

さて

$$\chi(y,m) - \chi(y,m+1) = -\int_{y/(m+1)}^{y/m} \frac{1-e^{-u}}{u} du - \log \frac{m}{m+1}$$
$$= \int_{y/(m+1)}^{y/m} \frac{e^{-u}}{u} du = \omega(y,m)$$

とおこう.
$$\sum_{1}^{m} \frac{\mu(k)}{k} = g(m)$$

とおいて (1) の最後の級数の部分和を変形すると次を得る
$$h(-y) = \sum g(m)\omega(y,m).$$

さて

(2) $$g(m) = O\left\{\frac{1}{(\log m)^2}\right\}$$

と
$$0 < \omega(y,m) \le \frac{y}{m(m+1)} \frac{m+1}{y} e^{-y/(m+1)} \le \frac{1}{m}$$

が知られている.よって級数は
$$\sum \frac{1}{m(\log m)^2}$$

の定数倍によって上からおさえられ,すべての y に対して一様に収束する.最後にその各項は 0 に近づく.

(2) とそれよりずっと強い結果については Landau, *Handbuch*, 594–597 を見よ.

(2.2.8) の証明については Hardy (**3**) を見よ.

§2.3. (2.3.3) については,それは Riemann 仮説の下で正しいが,Inghem, 83 (定理 30) または Landau, *Handbuch*, 378–388 を見よ.(2.3.4) が誤りであること,それは (2.3.5) や §2.3 にある他の誤った主張より容易に証明できるが,それについては Ingham, 90 (定理 32) または Landau, *Handbuch*, 711–719 を見よ.

(2.3.4) を (2.3.2) から導くには
$$R(x) - \operatorname{li} x + \frac{1}{2}\operatorname{li} x^{\frac{1}{2}} = O\left\{\sum_{m=3}^{\infty} \frac{1}{m} \sum_{p=1}^{\infty} \frac{(\log x)^p}{p \cdot p! m^p}\right\}$$
$$= O\left\{\log x \sum_{m=3}^{\infty} \frac{1}{m^2} \sum_{p=0}^{\infty} \frac{1}{p!} \left(\frac{\log x}{3}\right)^p\right\} = O(x^{\frac{1}{2}} \log x)$$

に注意せよ.

表はさらにずっと広範囲にわたる D. N. Lehmer の *List of prime numbers from 1 to* $10,006,721$ (Washington, 1914) から抜粋されたものである,ただし $\mathrm{li}\, 10^8$ と $\mathrm{li}\, 10^9$ の値は除く.それらは Ingham からとったものである.$\pi(x)$ の値は Lehmer のものより 1 少ない,というのも彼は 1 を素数として数えているから.その因子表の範囲を超えたものは Meissel により得られ,*Math. Annalen* の一連の論文にあるが,そのうち最新のものは 25 巻 (1885), 251–257 である.その後 Bertelson により確認された.Meissel の方法は Eratostenes の「篩」の精密化である:Mathews, ch. 10 を見よ.Gram, *Acta Math.* 17 (1893), 301–314 に Bertelsen の仕事についての説明がある.

J. Glaisher の *Factor table for the sixth million* (London, 1883) の序文に長文の興味深い論評がある.Torelli の専門書 *Sulla totalità dei numeri primi fino ad un limite assegnato* (Naples, 1901) にも非常に興味深い情報が収録されている.

§2.4. Tchebychef の定理の証明は,Ingham, Landau の両方の本および Hardy and Wright, ch. 22 にある.

§§2.5–2.7. 本書のどこにも素数定理の証明はないが,§§2.6–2.7 に,Hadamard と de la Vallée Poussin のもともとの証明より単純な,Landau の証明の概略が収録されている,それを完成するためには,1 より小さいある α に対して

(1) $$\left|\frac{\zeta'(1+it)}{\zeta(1+it)}\right| = O(|t|^\alpha)$$

であることを証明せねばならない.これは当然 (2.7.6) を前提とするが,それは講義 IV の (A) で二通りの異なったやり方で証明される.より強い命題 (1) は (2.7.6) の一番目の(Hadamard の)証明を発展させることにより証明される.

Ingham の小冊子と Landau の *Handbuch* のどちらも (a) 素数定理の最も単純な証明(§2.8 で触れた Wiener の証明は別にして)と (b) ずっと強い定理のさらに精密化された証明を収録している.

「Abel 型」の定理の逆は成り立たないが,それを正しく修正したものが「Tauber 型の」定理であると定義されるだろう.「Abel 型」の定理は,もし数列あるいは関数が整然と振る舞うならば,その何らかの平均も整然と振る舞うと主張する.つまり

$$A(x) \sim x$$

は

$$A_1(x) = \int_0^x A(t)\, dt \sim \frac{1}{2} x^2$$

を意味する：この Abel 型定理はどのような $A(x)$ に対しても正しくて，特に本書の $A(x)$ に対して正しい．逆は成り立たないが，$A(x)$ についての追加の条件の下では成り立つようになる，ここでは (2.6.3) がそれにあたる．

冪級数の連続性に関する Abel の定理の Tauber による逆が Tauber 型定理の最初のものである：例えば Bromwich, *Infinite series*, ed. 2, 256 を見よ．

$$a_0 + a_1 x + a_2 x^2 + \cdots = \frac{a_0 + (a_0 + a_1)x + (a_0 + a_1 + a_2)x^2 + \cdots}{1 + x + x^2 + \cdots}$$

だから，級数の極限は $a_0, a_0 + a_1, a_0 + a_1 + a_2, \ldots$ のある種の平均の極限である．

§2.8. ここで素数定理の Wiener の証明と呼ばれているものは Wiener の *The Fourier integral* (Canbridge 1933) の §§19 以下に収録されている "Wiener–Ikehara" の証明のことである．かなり異なった証明が §§17–18 にある．

その証明は，Bochner, *Math. Zeitschrift*, 37 (1933), 1–9 および Landau, *Berliner Sitzungsberichte* (1932), 514–521 によりかなり単純化された．Landau のものは現在ある最短の素数定理の証明となっているが，未だいかなる本にも書かれていない．「Ramanujan の仕事」についての私の講義録 (Institute of advanced study, 1936) にある証明は実質的に Bochner の証明である．

"Hardy–Littlewood" の証明については *Quaterly Journal of Math.* 46 (1915), 215–219 または *Acta Math.* 41 (1918), 119–196 (127–134) を見よ．我々の Tauber 型定理の最も単純な証明は Karamata により *Math. Zeitschrift*, 32 (1930), 319–320 で与えられたものである．

§2.10. $\log 2 - \log 3 + \cdots$ の総和可能性については Bromwich, *Infinite series*, ed. 1, 351 を見よ．

§2.11. この節の最後にかけての議論は何年も前に Maclagan Wedderburn 教授により示唆されたものである．Hardy, *Quarterly Journal of Math.* 38 (1907), 269–288 を見よ．

公式 (2.11.2) は，この論文の 283 ページの最後の公式（その最後の項の符号は変えるべきである）を微分することにより導かれる．

Ramanujan は，私が彼の言明の真実性を議論したとき，修正した公式

$$\left\lceil \phi_2(y) + \log 2 \left(1 - \frac{y}{3 \cdot 1!} + \frac{y^2}{7 \cdot 2!} - \frac{y^3}{15 \cdot 3!} + \cdots \right) = \frac{1}{y} + F(y), \right.$$

ただし

$$yF(y) = .0000098844 \cos\left(\frac{2\pi \log y}{\log 2} + .872811\right)$$

で，10 桁まで正しい」といものを作り出した．これは $k = \pm 1$ の項を明示的に考

慮したものである．

§2.12.「明示公式」の証明は Ingham, ch. 4 および Landau *Handbuch*, Kap. 19 に与えられている．Riemann 自身の議論は Mathews, ch. 10 に再現されている．

Möbius の反転公式については Hardy and Wright, 234–237 または Landau *Handbuch*, 577–580 を見よ．

§2.14. Ramanujan は

$$1^{-s} + 2^{-s} + 3^{-s} + \cdots \quad (s < 1)$$

のような，正の項の級数に関する彼独自の発散級数の理論を始めていて，そのような級数の和を Euler–Maclaurin 和公式の定数項として「定義」していたようである．しかし彼には厳密な「定義」を与える習慣はなかった．

講義III 滑らかな数

3.1 相当な個数の比較的小さな素数の積となる数を俗な言葉で**滑らかな**と称する. だから $1200 = 2^4 \cdot 3 \cdot 5^2$ は確かに滑らかと呼ばれるだろう. $2187 = 3^7$ はさらに滑らかだが, そのことは 10 進表記では不明瞭である.

滑らかな数は非常に稀なものだというのが共通した所見である;この事実は, 自動車のナンバーや列車の番号のように, でたらめな具合に注意を引く数字を因数分解する習癖のある人なら誰でも実感するところだろう. Ramanujan と私は共にこの現象に気づいたが, 最初は少々矛盾したことのように思えて[1], その数学的な説明に興味を持った.

そこで我々は「標準的な合成数の度合い」を決めるという問題を自問した. **無作為にとった大きな数 n に何個ぐらいの素因数が現れると期待できるだろうか.**

3.2 ある数が「合成数であること」を測るのに, その素因数の個数によるのが自然である;その個数を, 因数を重複して数えるか否かで二通りの違うやり方で数えることができる.

(3.2.1) $$n = p_1^{a_1} p_2^{a_2} \cdots p_\nu^{a_\nu} = \prod_1^\nu p_r^{a_r},$$

ただし

---

[1] [原註] 数の半分は 2 で割り切れ, 三分の一は 3 で割り切れ, 六分の一は 2 と 3 で割り切れ, 以下同様である. すると確かに我々はほとんどの数は**多数**の素因子を持つと期待してよいのではないだろうか. しかし事実は反対のようである.

$$p_1 < p_2 < \cdots < p_\nu,$$

を n を素数の積として表す標準的な表示とせよ．そのとき

(3.2.2) $$f(n) = \nu$$

は n の異なる素因子の個数であり，

(3.2.3) $$F(n) = \sum_1^\nu a_r$$

は素因子全体の個数で，重複した因子は重複して数えたものである；これらの関数のどちらも n の合成数であることの測度として採用できるだろう．どちらの測度を採用しようと重大な違いを生じないことを見るであろうから，当座は $f(n)$ を考えることにする．

3.3 $f(n)$ が「非常に大きく」はなれないことは明らかである．最悪の，いい換えれば最も滑らかな数 n と比べて $f(n)$ が最大となるものは

$$n = 2 \cdot 3 \cdot 5 \cdots p_\nu$$

で，それは最初の ν 個の素数の積である．そのような数に対して

$$f(n) = \nu = \pi(p_\nu),$$

で

$$\log n = \sum_{r \leq \nu} \log p_r = \vartheta(p_\nu)$$

である．さて定数 A, B に対して

(3.3.1) $$A\nu \log \nu < p_\nu < B\nu \log \nu$$

だから

$$\log p_\nu \sim \log \nu.$$

よって

(3.3.2) $$\nu = f(n) = \log n \frac{\pi(p_\nu)}{\vartheta(p_\nu)} \sim \frac{\log n}{\log p_\nu} \sim \frac{\log n}{\log \nu},$$
で
$$\nu \sim \frac{\log n}{\log \log n}.$$

したがって大きな数 n はおおよそこの数字以上の個数の素因子を持ち得ない．表の限界である 10^7 程度の数は 6 とか 7 より多くは持てないし，10^{80}，つまりだいたい Eddington 数程度はおおよそ 30 より多くは持ち得ない．

素因子**全体**の個数はもっとずっと大きくなるだろう；例えば 10^{80} は 160 個持つし，$n = 2^k$ は
$$\frac{\log n}{\log 2}$$
である．ここでは $f(n)$ と $F(n)$ の間には大きな違いがあるが，これは例外的であることを見るであろう．

3.4 いま証明した $f(n)$ に関する定理はすべての数に関する定理であって，我々は（何らかの意味で）「ほとんどの」数を問題にしているのである．関数
$$\frac{\log n}{\log \log n}$$
はゆっくりと増加するが，決して事実を説明するほどにゆっくりではない．因子表の終わり近くからでたらめにとった数を試してみると，$f(n)$ は通常 7 とか 8 とかではなくて 3 とか 4 とかであることが分かる；そして表が Eddington 数までも拡張できたとしたら，それは通常 30 とかではなくて 5 とか 6 である．Skewes 数[2] のような数は一般的にいって Eddington 数くらいの因子を持つことだろう（それはその大きさを感じ取る助けになるだろう）．

「ほとんどすべての」の定義が必要である．P を数 n のある性質で命題 $P(n)$ で表されるとせよ；$N(x)$ を，x までの数で $P(n)$ が成り立たないものの個数とせよ；さらに

---

[2] ［原註］講義 I, 23 ページをみよ．

$$N(x) = o(x)$$

であると仮定せよ．このとき我々は「ほとんどすべての数は性質 P を持つ」という．大雑把にいえば，例外的な n の割合が無限小ということである．

我々の問題に対する解答はほとんどすべての**数 n はおおよそ $\log \log n$ 程度の素因子を持つ**というものである．もっと正確にいうと，ϵ が与えられると，**ほとんどすべての数は $(1-\epsilon) \log \log n$ と $(1+\epsilon) \log \log n$ の間の個数の素因子を持つ**．この定理は素因子の個数をいかように測ったとしても正しく，我々が見るように，一層正確に述べることができる．

3.5 関数 $\log \log n$ は別の方面からも示唆される．

$$\sum_{n \leq x} f(n) = \sum_{n \leq x} \sum_{p|n} 1 = \sum_{pm \leq x} 1$$

が成り立つ[3]．和はすべての素数 p と正の整数 m で不等式を満たすものの上をわたる；m について和をとれば

(3.5.1)
$$\sum_{n \leq x} f(n) = \sum_{p \leq x} \left[\frac{x}{p} \right],$$

あるいは

(3.5.2)
$$\sum_{n \leq x} f(n) = x \sum_{p \leq x} \frac{1}{p} + O(x)$$

を得る．というのは四角括弧を外すと高々 1 の誤差が生ずるから．しかし

(3.5.3)
$$\sum_{p \leq x} \frac{1}{p} = \log \log x + O(1),$$

したがって

---

[3] ［原註］$p|n$ は「p が n を割り切る」を意味する．したがって $\sum_{p|n} 1$ は n のすべての素因子に対して 1 を合計することになる．同様に $\sum_{p^\mu | n} 1$ は n を割り切るすべての素数または素数の冪に対して 1 を合計することになる．

(3.5.4) $$\sum_{n \leq x} f(n) = x \log \log x + O(x)$$

である．同様に

$$\sum_{n \leq x} F(n) = \sum_{n \leq x} \sum_{p^\mu | n} 1 = \sum_{p^\mu m \leq x} 1$$

(和は素数 p および正の整数 μ と m 上をわたる)，よって

(3.5.5) $$\sum_{n \leq x} F(n) = \sum_{p^\mu \leq x} \left[\frac{x}{p^\mu}\right] = \sum_{p \leq x} \left(\left[\frac{x}{p}\right] + \left[\frac{x}{p^2}\right] + \left[\frac{x}{p^3}\right] + \cdots\right);$$

で

(3.5.6)
$$\sum_{p \leq x} \left(\left[\frac{x}{p^2}\right] + \left[\frac{x}{p^3}\right] + \cdots\right) < x \sum_p \left(\frac{1}{p^2} + \frac{1}{p^3} + \cdots\right) = x \sum_p \frac{1}{p(p-1)} = O(x)$$

である．よって我々はやはり

(3.5.7) $$\sum_{n \leq x} F(n) = x \log \log x + O(x)$$

を得る．

特に

(3.5.8) $$\sum_{n \leq x} f(n) \sim x \log \log x, \quad \sum_{n \leq x} F(n) \sim x \log \log x$$

である．さて $\phi(n)$ がある単純な増加関数で

$$g(2) + g(3) + \cdots + g(n) \sim \phi(2) + \phi(3) + \cdots + \phi(n)$$

であるとすると[4]，「$g(n)$ の平均の大きさは $\phi(n)$ である」というのが自然である．ここで

$$\log \log 2 + \cdots + \log \log n \sim n \log \log n$$

---

[4] [原註] あるいは $g(1) + \cdots + g(n) \sim \phi(1) + \cdots + \phi(n)$. $\log \log n$ が $n = 1$ のとき定義されないので，ここでは 2 から始める．

だから $f(n)$ と $F(n)$ の平均の大きさは $\log\log n$ である.

3.6 これは興味深い定理ではあるけれども,我々が証明したいものとは相当異なったものである.我々は $f(n)$ と $F(n)$ は**通常**は $\log\log n$ であることを証明したいのである.$g(n)$ を n が素数 p のときには $\log p \log\log p$ として,その他のときは 0 とすると,

$$\sum_{n\leq x} g(n) = \sum_{p\leq x} \log p \log\log p \sim x\log\log x$$

となり[5] $g(n)$ の平均の大きさはやはり $\log\log n$ である;しかし $g(n)$ は**通常**は 0 である(というのはほとんどすべての数は合成数だから)から $g(n)$ の**正規**の大きさは 0 である.我々の問題では平均の大きさと正規の大きさとはたまたま同じであるが,それは問題の特異性によるものである.

3.7 我々の定理の証明は,我々のもともとの証明と,ずっと後に Turan によって与えられた別のものの二つがある.Turan の証明はとても単純かつ優美であり,後でそれを示すつもりである;しかし最初にもともとの証明の概略を述べておく,それはある意味でより示唆に富むものである.

二つの関数のうちの一つ,例えば $f(n)$ を考慮するのみで十分である.なぜなら $F(n) \geq f(n)$ で,(3.5.6) によりある C に対して

$$\sum_{n\leq x} \{F(n) - f(n)\} = \sum_{p\leq x} \left(\left[\frac{x}{p^2}\right] + \left[\frac{x}{p^3}\right] + \cdots\right) < Cx$$

となる.x までの数で

$$F(n) - f(n) > G$$

なるものの個数を $N(x)$ とすると

---

[5] [原註]というのは

$$\vartheta(x) = \sum_{p\leq x} \log p \sim x$$

であり,因子 $\log\log p$ は追加の $\log\log x$ を加えるから.

$$\frac{N(x)}{x} < \frac{C}{G}$$

となり，これは G が大きいとき小さい；そして，無限大に増加する n の関数 $\chi(n)$ に対して，$F(n) - f(n) > \chi(n)$ となる数の個数は $o(x)$ である．この意味で「$F(n) - f(n)$ はほとんど常に有界である」．

そこで注意を $f(n)$ に限定する．x を超えない数で $f(n) = r$ なるものの個数を $\omega_r(x)$ とせよ．すると

(3.7.1) $$\omega_1(x) \sim \pi(x) \sim \frac{x}{\log x}$$

である．さらに一般に

(3.7.2) $$\omega_r(x) \sim \frac{x}{\log x} \frac{(\log \log x)^{r-1}}{(r-1)!}$$

ということが知られている．さて

(3.7.3) $$[x] = \omega_1(x) + \omega_2(x) + \cdots + \omega_r(x) + \cdots$$

であり

(3.7.4)
$$x = \frac{x}{\log x} e^{\log \log x} = \frac{x}{\log x}\left(1 + \xi + \frac{\xi^2}{2!} + \cdots + \frac{\xi^{r-1}}{(r-1)!} + \cdots\right),$$

ただし

(3.7.5) $$\xi = \log \log x;$$

そして (3.7.2) は二つの級数の対応する各項の間のある種の類似性を示している．その類似性は，当然ながらあまりにも近すぎることはあり得ない，というのは一番目の級数は有限で終わるから；しかしながら固定された階数の対応する項は $x \to \infty$ のときに漸近的に同値である．

級数

$$1 + \xi + \frac{\xi^2}{2!} + \cdots = \sum_1^\infty \frac{\xi^{r-1}}{(r-1)!}$$

で最大の項は $r = [\xi] + 1$ の項である[6]．(3.7.4) を

(3.7.6) $$x = \frac{x}{\log x} \sum_r \frac{\xi^{r-1}}{(r-1)!} = \frac{x}{\log x} \sum_\mu \frac{\xi^{[\xi]+\mu-1}}{([\xi]+\mu-1)!}$$

と書く，ただし μ は正負両方の値を想定している．Stirling の公式により μ が ξ と比べてかなり小さいならば

$$\frac{\xi^{[\xi]+\mu-1}}{([\xi]+\mu-1)!} \sim \frac{e^\xi}{\sqrt{(2\pi\xi)}} e^{-\mu^2/2\xi}$$

である．よって (3.7.4) の右辺を

(3.7.7) $$\frac{x}{\log x} \cdot \log x \cdot \frac{1}{\sqrt{(2\pi\xi)}} \sum e^{-\mu^2/2\xi}$$

あるいは

$$\frac{x}{\sqrt{(2\pi\xi)}} \int_{-\infty}^{\infty} e^{-t^2/2\xi}\, dt = x$$

と比較することができるだろう；そしてこの積分で t が $\sqrt{\xi}$ より大きなオーダーの部分は無視してよい．したがって実質的には (3.7.4) の和全体は μ が $O(\sqrt{\xi})$ なる項の寄与による．(3.7.3) でも同様のことが正しいに違いないと考えるのが自然である；つまり実質的にその和全体は

$$|r - \xi| = |r - \log \log x|$$

が

$$O(\sqrt{\xi}) = O\{\sqrt{(\log \log x)}\}$$

であるような項から来ると考える．やがて見るように，このことが我々の定理とさらに多くのことを証明するであろう．

　この議論は見ての通り大雑把で，決定的なものではない．級数 (3.7.3) で $\omega_r(x)$ のほとんどの項を無視できることを証明せねばならず，そのためには漸近的な等式ではなくて不等式を必要とする．だがそれらは大した困難もなく見いだすことができて，結論はこういうことである；

---

[6] ［原註］ξ が整数のときには二つの等しい項がある．

$$\frac{\chi(x)}{\sqrt{(\log\log x)}} \to \infty$$

なる任意の x の関数 $\chi(x)$ に対して x を超えないほとんどすべての数は

$$\log\log x \pm \chi(x)$$

の間の個数の素因子を持つ． $\log\log x$ と $\log\log n$ は区間 $(1,x)$ 上の大部分で実質的には区別できないから[7]，ほとんどの数 n は

$$\log\log n \pm \chi(n)$$

の間の個数の素因子を持つ．

3.8 定理の Turan の証明に移る前に加えるべき注意が一つある．漸近公式 (3.7.2) は素数定理の系である；しかしながら最終的な証明は「初等的」である．級数 (3.7.3) の「尾部」が無視し得ることを示さねばならないが，そのために不等式

(3.8.1) $$\omega_r(x) < A\frac{x}{\log x}\frac{(\log\log x + C)^{r-1}}{(r-1)!}$$

を用いる，ここで A と C は x と r の双方に依存しない．これの証明は Tchebychef の不等式

$$\pi(x) < A\frac{x}{\log x}$$

に依存し，素数定理は必要としない．

3.9 この定理の Turan の証明は恒等式 (3.5.1) と

(3.9.1) $$\sum_{n\leq x}\{f(n)\}^2 = \sum_{pp'\leq x, p'\neq p}\left[\frac{x}{pp'}\right] + \sum_{p\leq x}\left[\frac{x}{p}\right]$$

に依存する．

---

[7] ［原註］ $0 < c < 1$ として $x^c < n < x$ とすると，$\log\log n$ は
$$\log(c\log x) = \log\log x - \log(1/c)$$
と $\log\log x$ の間にくる．

(3.9.1) を証明するのに，左辺は

$$\sum_{n\leq x}\left(\sum_{p|n}1\sum_{p'|n}1\right) = \sum_{pm=p'm'\leq x}1 = \sum_{p\neq p', pp'\mu\leq x}1 + \sum_{pm\leq x}1$$

であることに注意する．ここで p, p' は素数，m と μ は任意の正の整数であり，和の範囲は添え字により示されている．初めに μ と m に関して最後の和を足して，求める結果を得る．

さて我々は §3.5 で

(3.9.2) $$\sum_{n\leq x}f(n) = \sum_{p\leq x}\left[\frac{x}{p}\right] = x\log\log x + O(x)$$

であることを既に見た．さらに

$$\sum_{pp'\leq x, p\neq p'}\left[\frac{x}{pp'}\right] = x\sum_{pp'\leq x}\frac{1}{pp'} + O(x);$$

ここで $\sum p^{-2}$ は収束するから $p\neq p'$ という制限は落としてよい．しかし

(3.9.3) $$\left(\sum_{p\leq\sqrt{x}}\frac{1}{p}\right)^2 \leq \sum_{pp'\leq x}\frac{1}{pp'} \leq \left(\sum_{p\leq x}\frac{1}{p}\right)^2$$

である，というのは $p\leq\sqrt{x}$ かつ $p'\leq\sqrt{x}$ は $pp'\leq x$ を意味し，$pp'\leq x$ は $p\leq x$ かつ $p'\leq x$ を意味するから；そして (3.9.3) の両端は

$$\{\log\log x + O(1)\}^2 = (\log\log x)^2 + O(\log\log x)$$

である．よって

(3.9.4) $$\sum_{pp'\leq x, p\neq p'}\left[\frac{x}{pp'}\right] = x(\log\log x)^2 + O(x\log\log x);$$

さらに (3.9.1), (3.9.2) と (3.9.4) から

(3.9.5) $$\sum_{n\leq x}\{f(n)\}^2 = x(\log\log x)^2 + O(x\log\log x)$$

が従う．

最後に，(3.7.5) のように $\log \log x$ を ξ と書いて，(3.9.2) と (3.9.5) により

(3.9.6)
$$\sum_{n \leq x}\{f(n) - \xi\}^2 = \sum_{n \leq x}\{f(n)\}^2 - 2\xi \sum_{n \leq x}\{f(n)\} + \xi^2 \sum_{n \leq x} 1$$
$$= x\{\xi^2 + O(\xi)\} - 2\xi x\{\xi + O(1)\} + \xi^2\{x + O(1)\}$$
$$= O(x\xi)$$

を得る．しかし，もし x 未満の n のうち δx より多くのものに対して

$$|f(n) - \xi| > \chi(x)$$

だとすると

$$\sum_{n \leq x}\{f(n) - \xi\}^2 > \delta x \chi^2$$

となり，これは χ が $\sqrt{\xi}$ より高いオーダーだとすると (3.9.6) に矛盾する；これは定理を証明している．

3.10 n の約数の個数 $d(n)$ に関する奇妙な系がある．

$$d(1) + d(2) + \cdots + d(n) \sim n \log n$$

であることはお馴染みであるから，$d(n)$ の平均の大きさは $\log n$ である．その正規の大きさは何だろうか．

$n = p_1^{a_1} p_2^{a_2} \cdots p_\nu^{a_\nu}$ とすると

(3.10.1) $\qquad f(n) = \nu, \quad F(n) = \sum a_r, \quad d(n) = \prod(1 + a_r)$

である．さらに

$$2 \leq 1 + a \leq 2^a$$

である．よって

(3.10.2) $\qquad\qquad 2^\nu \leq \prod(1 + a_r) \leq 2^{\sum a_r},$

あるいは

(3.10.3) $$2^{f(n)} \leq d(n) \leq 2^{F(n)}.$$

$f(n)$ と $F(n)$ は共に通常はおおよそ $\log\log n$ だから，$d(n)$ は通常はおおよそ

(3.10.4) $$2^{\log\log n} = (\log n)^{\log 2} = (\log n)^{0.6\cdots}$$

である．我々は「$d(n)$ の正規の大きさは $2^{\log\log n}$ である」といい切ることはできない，というのは $d(n)$ について証明する不等式は $f(n)$ について証明するものより遥かに正確でないような類のものだからである[8]．しかしながら，もっと大雑把に $d(n)$ の正規の大きさは「おおよそ $2^{\log\log n}$ である」ということはできる．

この場合，正規の大きさと平均の大きさは一致しない；$d(n)$ は**通常**はその平均の大きさをはるかに下回る．説明は単純である；$d(n)$ は不規則すぎるのである．ほとんどの数はおおよそ $2^{\log\log n}$ 個の約数を持つが，いくつかのものはずっと大きな個数を持ち，あまりにも大きいのでそれらの特異な数が $d(n)$ の平均を支配してしまうのである．$f(n)$ や $F(n)$ の不規則性は同様の効果を生ずるほど強くはないのである．

n を二つの平方数の和として表示する仕方の数 $r(n)$ について同じ質問をしてみるのは自然である；しかしこの場合には答えはすぐ分かる．

$$r(1) + r(2) + \cdots + r(n) \sim \pi n$$

だから，$r(n)$ の平均の大きさは π である．一方，正規の大きさは 0 である，というのはほとんどの数は平方数の和として表せないから[9]．

---

[8] ［原註］
$$2^{\log\log n - \chi(n)} < d(n) < 2^{\log\log n + \chi(n)}$$
の類のもの．$\log d(n)$ の正規の大きさは
$$\log 2 \log\log n.$$

[9] ［原註］最初の x 個の数のうち，たった
$$\frac{Ax}{\sqrt{(\log x)}}$$
程度しか平方数の和として表せない．講義 IV (B) を見よ．平均の大きさについては，講義 V, §5.1 を見よ．

3.11 私が 1936 年にした予想で，その後 Erdös と Pillai により独立に証明されたものを話して終わりにする．

漸近公式 (3.7.2) は固定されたすべての r に対して正しくて，r が x の関数であって十分ゆっくりと無限大に至るときでも正しいと考えるのが自然である．もしそれが

$$r = [\log \log x]$$

に対して成り立つならば，Stirling の公式の単純な応用により

$$\omega_r(x) \sim \frac{1}{\sqrt{(2\pi)}} \frac{x}{\sqrt{(\log \log x)}}$$

が与えられるだろう；いずれにしても，何か正の A に対して

(3.11.1) $$\omega_r(x) > \frac{Ax}{\sqrt{(\log \log x)}}$$

が証明できると希望が持てるだろう．逆の不等式

$$\omega_r(x) < \frac{Ax}{\sqrt{(\log \log x)}}$$

（何らかの A に対して）は (3.8.1) の自明な系である．しかしながら，私がこの予想を立てたときに私が証明できたことは

$$\omega_r(x) > \frac{Ax}{(\log \log x)^{\frac{5}{2}}}$$

がせいぜいであった．

いまでは Erdös と Pillai が (3.11.1) を証明した；実際には，不等式は

$$\log \log x - B\sqrt{(\log \log x)} < r < \log \log x + B\sqrt{(\log \log x)}$$

に対して正しい；そして Pillai はさらに強いことを証明した，すなわち，$0 < k < e$ ならば

$$r \leq k(\log \log x - C)$$

に対して

$$\omega_r(x) > \frac{x}{\log x} \frac{(\log \log x - C)^{r-1}}{(r-1)!},$$

ここで C は k のみに依存する．この範囲の r に対して (3.11.1) が正しいことは単純な系である．

講義 III に関する注釈

この講義の主定理は Hardy と Ramanujan により証明された，*Quaterly Journal of Math*. 48 (1917), 76–92. この論文は『全集』の no. 35 である．no. 32 は予備報告である．

§3.9 で与えられた Turan の証明は彼の論文 1 に公表されている．我々は Marshall Hall 氏により提案された簡単化を組み込んだ．その証明は Hardy and Wright, §22.13 にも再録されている．Turan (**2**) はこの定理のいくつかの一般化を証明した．

§3.3. 不等式 (3.3.1) と漸近関係
$$\pi(x) \sim \frac{\vartheta(x)}{\log x}$$
は「初等的な」理由づけにより証明できる．例えば Hardy and Wright, ch.22 および講義 II を見よ．

(3.5.3) と，より精密な結果については Hardy and Wright, ch. 22；Ingham, 22–24; Landau, *Handbuch*, 100–102 を見よ．少しだけ精密な結果
$$\sum_{p \leq x} \frac{1}{p} = \log \log x + A + o(1)$$
(A は適当な値) は Mertens の定理
$$\prod_{p \leq x} \left(1 - \frac{1}{p}\right) \sim \frac{e^{-\gamma}}{\log x}$$
と同値である，ここで γ は Euler の定数である．

より正確な等式
$$\sum_{n \leq x} f(n) = x \log \log x + Ax + O\left(\frac{x}{\log x}\right),$$
$$\sum_{n \leq x} F(n) = x \log \log x + Bx + O\left(\frac{x}{\log x}\right),$$
を証明することもほぼ同様に容易である．ここで

$$B = A + \sum \frac{1}{p(p-1)}.$$

これらの等式は，この注釈の初めに参照した共著論文の §1.2 (3) に述べられている．

§3.7. (3.7.2) については Landau, *Handbuch*, 203–213 を見よ．

§3.10. $d(n)$ の最大の大きさは大雑把に

$$\frac{\log n}{2 \log \log n}$$

である．これは最初に Wigert により証明された；Landau, *Handbuch*, 219–222 を見よ．Wigert と Landau は証明のなかで素数定理を用いたが，Ramanujan (『全集』, 85–86) はそれが不必要であることを示した．

§3.11. §2.8 についての注釈 (67 ページ) で参照した私の講義録の 5 ページを見よ．Erdös と Pillai の証明は未だ出版されていない．

講義 IV 解析的数論の さらなるいくつかの問題

4.1 この講義で私は解析的数論の古典的な問題に立ち戻る．その内容は雑多でいささか関連を欠いたものだが，そのほとんどが Ramanujan の書簡により示唆されたものであるという理由で，ある種の一貫性を持つのである．Ramanujan はそれについて何も言及していないが，話を脇道にそれて講義 II で私が引き合いに出した話題から話を始める．

A. $\zeta(s)$ が $\sigma = 1$ 上に零点を持たないことの証明

4.2 素数定理は，その証明に $\zeta(s)$ のさらに深い性質は必要ないという意味で，

$$(4.2.1) \qquad \zeta(1+it) \neq 0$$

という定理と「同値」である．厳密な同値性は Wiener の方法を用いることによって初めて明らかとなるのだが，(4.2.1) はいかなる証明においても本質的である．(4.2.1) の標準的な証明は Hadamard によるものだが Ingham による別証明があって，その証明はそれ自体興味深いものであるのみならず Ramanujan による一つの公式に依拠しているがゆえに，ここで扱うにふさわしい．

Hadamard の証明は簡単な三角関数の不等式に依拠している，すなわち

$$(4.2.2) \qquad 3 + 4\cos\theta + \cos 2\theta = 2(1+\cos\theta)^2 \geq 0$$

(すべての実数 θ に対して). 我々はこれを次のように用いる. Euler の公式により

$$\log \zeta(s) = \sum \log \frac{1}{1-p^{-s}} = \sum p^{-s} + f(s),$$

ここで $f(s)$ は $\sigma \geq 1$ で（実際には $\sigma > \frac{1}{2}$ で）正則である. よって $\sigma > 1$ に対して

$$\log |\zeta(\sigma + it)| = \Re \sum p^{-\sigma - it} + g(\sigma, t)$$
$$= \sum p^{-\sigma} \cos(p \log t) + g(\sigma, t),$$

ただし[1], 任意の固定した t に対して, $g(\sigma, t)$ は $\sigma \to 1$ のとき有界である.

$$\chi(\sigma, t) = \log |\zeta^3(\sigma) \zeta^4(\sigma + it) \zeta(\sigma + 2it)|,$$

とおいて, $g(\sigma, t)$ を同様の意味で用いるならば, 次のようになる

$$\chi(\sigma, t) = \sum p^{-\sigma} \{3 + 4\cos(t \log p) + \cos(2t \log p)\} + g(\sigma, t);$$

したがって（級数の各項は正だから）, $\sigma \to 1$ としたとき

(4.2.3) $$\chi(\sigma, t) > -A(t),$$

この式で $A(t)$ は σ には依存しない.

ここで t を固定する. もし $\zeta(1 + it) = 0$ ならば

$$\zeta(\sigma + it) = \zeta(1 + it + \sigma - 1) = (\sigma - 1)^k h(\sigma, t),$$

ただし k は正の整数であり $\log h(\sigma, t)$ は $\sigma \to 1$ のとき有界である；したがって $\sigma \to 1$ のとき

$$\log |\zeta(\sigma + it)| < -k \log \frac{1}{\sigma - 1} + A(t).$$

かつ

$$\log |\zeta(\sigma + 2it)| < A(t)$$

---

[1] ［訳註］$\cos(p \log t)$ は $\cos(t \log p)$ の誤り.

であり，定数 A をもって

$$\log|\zeta(\sigma)| < \log\frac{1}{\sigma-1} + A$$

である．よって

$$\chi(\sigma,t) < (3-4k)\log\frac{1}{\sigma-1} + A(t) \to -\infty,$$

これは (4.2.3) に矛盾する．

4.3 Ingham の証明は 1915 年に Ramanujan により公表された一つの公式に依拠している，すなわち

(4.3.1)
$$f(s) = \sum \frac{\sigma_a(n)\sigma_b(n)}{n^s} = \frac{\zeta(s)\zeta(s-a)\zeta(s-b)\zeta(s-a-b)}{\zeta(2s-a-b)},$$

ここで $\sigma_a(n)$ は n の約数の a 乗の和であり，

$$\Re s, \quad \Re(s-a), \quad \Re(s-b), \quad \Re(s-a-b)$$

はすべて 1 より大きい．特に $\sigma > 1$ に対して[2]

(4.3.2)
$$\sum \frac{d^2(n)}{n^s} = \frac{\zeta^4(s)}{\zeta(2s)}.$$

(4.3.1) を証明するために

$$\chi(n) = \sigma_a(n)\sigma_b(n)$$

は「乗法的」であることに注意する，つまり，互いに素な n と n' に対して

$$\chi(nn') = \chi(n)\chi(n').$$

よって

(4.3.3)
$$f(s) = \prod_p f_p(s),$$

---

[2] ［訳註］$d(n) = \sigma_0(n)$.

ここで p は素数全体をわたり,

$$f_p(s) = 1 + \sum_{\lambda=1}^{\infty} \frac{\sigma_a(p^\lambda)\sigma_b(p^\lambda)}{p^{\lambda s}}$$

で s は積が絶対収束するような任意の値である.しかし

$$\begin{aligned}
f_p(s) &= \sum_{\lambda=0}^{\infty} \frac{p^{(\lambda+1)a}-1}{p^a-1}\frac{p^{(\lambda+1)b}-1}{p^b-1}p^{-\lambda s} \\
&= \frac{1}{(p^a-1)(p^b-1)}\left\{\frac{p^{a+b}}{1-p^{a+b-s}} - \frac{p^a}{1-p^{a-s}} - \frac{p^b}{1-p^{b-s}} + \frac{1}{1-p^{-s}}\right\} \\
&= \frac{1-p^{a+b-2s}}{(1-p^{-s})(1-p^{a-s})(1-p^{b-s})(1-p^{a+b-s})};
\end{aligned}$$

よって

$$\begin{aligned}
f(s) &= \prod_p \frac{1-p^{a+b-2s}}{(1-p^{-s})(1-p^{a-s})(1-p^{b-s})(1-p^{a+b-s})} \\
&= \frac{\zeta(s)\zeta(s-a)\zeta(s-b)\zeta(s-a-b)}{\zeta(2s-a-b)}.
\end{aligned}$$

さて,ある正の c に対して

$$\zeta(1+ic) = 0$$

であったと仮定しよう.(4.3.1) で $a = ic$ および $b = -ic$ とすると,

(4.3.4) $$f(s) = \sum \frac{|\sigma_{ic}(n)|^2}{n^s} = \frac{\zeta^2(s)\zeta(s-ic)\zeta(s+ic)}{\zeta(2s)}$$

を得る.この公式は,初めの段階では $\sigma > 1$ で正当である.しかしながら,$s=1$ における $\zeta^2(s)$ の二次の極は $\zeta(s-ic)$ と $\zeta(s+ic)$ の零点によって相殺されるので,$f(s)$ は $\sigma > \frac{1}{2}$ で正則である;そして級数の係数は正である.よって,Landau のよく知られた定理[3]により,$\sigma > \frac{1}{2}$ で級数は収束し $f(s)$ を表す.特に $s = \frac{1}{2} + \delta > \frac{1}{2}$ でそうである.よって $\delta > 0$ に対して

---

[3] [訳註] Dirichlet 級数 $f(s) = \sum_{n=1}^{\infty}\frac{a_n}{n^s}$ が $\mathrm{Re}(s) > c$ で絶対収束して $f(s)$ が $s=c$ の近傍に正則に解析接続できるとき,すべての a_n が非負ならば,ある $\varepsilon > 0$ に対して Dirichlet 級数は $\mathrm{Re}(s) > c - \varepsilon$ で収束する. T. M. Apostol: Introduction to Analytic Number Theory (Springer-Verlak, 1976),定理 11.13 を見よ.

である．一方，$\delta \to 0$ のとき

$$\zeta(2s) = \zeta(1+2\delta) \to \infty$$

で，(4.3.4) の分子の三因子はすべて有界である；よって

$$f\left(\frac{1}{2}+\delta\right) \to 0.$$

この矛盾はいかなる正の c に対しても $\zeta(1+ic) \neq 0$ であることを示している．

B. 二つの平方数の和となる数の個数

4.4 私の初めの講義で (1.15) と番号づけた主張は「A と x の間にある整数で平方数であるか，または二つの平方数の和となるものの個数は

$$K\int_A^x \frac{dt}{\sqrt{(\log t)}} + \theta(x)$$

である，ここで $K = 0.764\cdots$ で $\theta(x)$ は積分と比べると非常に小さい」というものである．ここで平方数を含めるか否かは重要ではない．Ramanujan は後に (i) K の正確な値を与えた，すなわち

$$\left\{\frac{1}{2}\prod\left(\frac{1}{1-r^{-2}}\right)\right\}^{\frac{1}{2}},$$

ここで r は $4m+3$ の形の素数をわたる，また (ii) $\theta(x)$ のオーダーは

$$\sqrt{\left(\frac{x}{\log x}\right)}$$

であると述べた．我々は後でこの最後の主張は間違いであることを見るであろう．

4.5 この問題は 1908 年に Landau によって解決された．その解は代数的

な特異性を持った関数に素数論の古典的な方法を適用することに依拠しているのでとても興味深い．

我々は $4m+1$ の形の素数と $4m+3$ の形の素数をそれぞれ q と r で表す．n が二つの平方数の和であるためには

$$n = 2^a \mu \nu^2$$

であることが必要十分である．ここで μ はいくつかの素数 q の積であり ν はいくつかの素数 r の積である．b_n を n が二つの平方数の和ならば 1 と定義し，さもなくば 0 とすると，b_n は

$$n = 2^a \prod q^b \prod r^{2c}$$

のときに 1 となり，

$$f(s) = \sum \frac{b_n}{n^s} = \frac{1}{1-2^{-s}} \prod_q \frac{1}{1-q^{-s}} \prod_r \frac{1}{1-r^{-2s}}$$

となる．かたや

$$\zeta(s) = \frac{1}{1-2^{-s}} \prod_q \frac{1}{1-q^{-s}} \prod_r \frac{1}{1-r^{-s}}$$

であり

$$L(s) = 1 - \frac{1}{3^s} + \frac{1}{5^s} - \cdots = \prod \frac{1}{1-q^{-s}} \prod \frac{1}{1+r^{-s}}$$

であるから

(4.5.1) $$\{f(s)\}^2 = \psi(s)\zeta(s)L(s)$$

となる，ここで

(4.5.2) $$\psi(s) = \frac{1}{1-2^{-s}} \prod \frac{1}{1-r^{-2s}}.$$

$\sigma > \frac{1}{2}$ で $\psi(s)$ は正則であり零点を持たないことは容易に分かる．(4.5.1) のその他の因子に関しては，$L(s)$ は全複素平面で正則な関数で，その $s=1$ での値は $\frac{1}{4}\pi$ である．一方，$\zeta(s)$ は $s=1$ における極を除いて正則であ

る．また，$\sigma = 1$ の左にはみ出している，

$$\sigma > 1 - \frac{A}{\{\log(|t|+2)\}^A}$$

の形の領域 D で $\zeta(s)$ も $L(s)$ も 0 にならないことも知られている．最後に D 内の大きな t に対する $\zeta(s)$ と $L(s)$ は

$$O\{(\log|t|)^A\}$$

である．

したがって

$$f(s) = (s-1)^{-\frac{1}{2}} g(s),$$

ここで $g(s)$ は D 内で正則で

$$g(1) = \left\{\frac{1}{4}\pi\psi(1)\right\}^{\frac{1}{2}} = \left\{\frac{1}{2}\pi \prod\left(\frac{1}{1-r^{-2}}\right)\right\}^{\frac{1}{2}} = K\sqrt{\pi}.$$

4.6

$$B(x) = \sum_{n \leq x} b_n$$

とおくと $B(x)$ は二つの平方数の和として表せる x 以下の数の個数である；そして $c > 1$ に対して

(4.6.1) $$B^*(x) = \sum_{n \leq x}{}' b_n = \frac{1}{2\pi i}\int_{c-i\infty}^{c+i\infty} f(s) \frac{x^s}{s} ds$$

である[4]．我々はこの積分（またはこれから派生する積分）を，講義 II で $\psi^*(s)$ の積分を処理したのと同じ具合に処理しなくてはならない．

---

[4] [原註] 星印やダッシュは §2.5 と同じ意味である．

証明の大まかなスケッチを与えるが，それは素数定理の証明の「第一近似」(§2.5) と対比させることができよう．二つの重大な差異がある．積分 (4.6.1) は一方では遥かに単純である，というのも分母にゼータ関数が現れないから；しかしながら他方では極ではなくて代数的な特異性を有するのである．したがって $B^*(x)$ は留数によってではなく $s=1$ を周る積分によって近似されるであろう．我々は積分路を C の形（図 1）の積分路に変形せねばならない．すると近似関数は

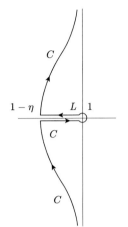

図 1

$$(4.6.2) \quad \frac{1}{2\pi i} \int_L f(s) \frac{x^s}{s} ds$$
$$= \frac{1}{2\pi i} \int_L \frac{x^s}{(s-1)^{\frac{1}{2}} s} g(s) \, ds$$
$$= \frac{K\sqrt{\pi}}{2\pi i} \int_L \frac{x^s}{(s-1)^{\frac{1}{2}}} h(s) \, ds$$

となるであろう，ここで $s=1$ の近傍で

$$(4.6.3) \quad h(s) = 1 + a_1(s-1) + a_2(s-1)^2 + \cdots$$

であり，L は図に示した通り $1-\eta$ から出て 1 を一周する経路である．

$h(s)$ を 1 であるとして処理すると，我々は

$$\frac{K}{\sqrt{\pi}} \int_{1-\eta}^{1} \frac{x^s}{(1-s)^{\frac{1}{2}}} ds = \frac{Kx}{\sqrt{\pi}} \int_0^{\eta} \frac{e^{-u \log x}}{\sqrt{u}} du$$

を得るが，これは実質的には

$$\frac{Kx}{\sqrt{(\log x)}}$$

である．この議論は，適切に展開するならば，

$$(4.6.4) \quad B(x) = \frac{Kx}{\sqrt{(\log x)}} \left\{ 1 + \frac{\alpha_1}{\log x} + \frac{\alpha_2}{(\log x)^2} + \cdots \right\}$$

を示すであろう．ここで級数は Poincaré の意味の漸近級数である．これが

実質的に Landau の結果である，もっとも彼は解析をここまで強引に展開はしていないのだが．

4.7 さて

$$(4.7.1) \quad K \int_A^x \frac{dt}{\sqrt{(\log t)}} = \frac{Kx}{\sqrt{(\log x)}} \left\{ 1 + \frac{\beta_1}{\log x} + \frac{\beta_2}{(\log x)^2} + \cdots \right\}$$

である．級数は再び漸近級数である．よって Ramanujan の結果は，$\theta(x)$ を除けば (4.6.4) と同じ形をしている；しかし二つの級数でその係数は同じではない[5]．(4.6.4) における係数は，やや込み入った具合に，(4.6.3) の係数 $a_1, a_2, \ldots$ に依存している．積分 (4.7.1) は (4.6.4) の初項を超えて近似するだけの効力はなく，Rananujan の主張 (15) は，それ自体正しいのではあるが，間違いなく道を誤らせるものである．彼は，わけもなく惑わされたのではなく，素数定理との類似性によって惑わされたのである．素数定理においては対数積分 $\mathrm{li}\, x$ が重要でありかつ極めてよい近似なのである．

依然として

$$B(x) \sim \frac{Kx}{\sqrt{(\log x)}}$$

は正しいのであって，Ramanujan が一体どのようにしてこの結論に至ったかを知ることは非常に興味深いことであろう．K の式からみて，彼が公式 (4.5.1) を用いたことは明らかと思われる．彼の残りの議論が極めて推測的なものであったことは疑いない．

4.8 Ramanujan は後に未発表の原稿の中で似たような誤りを犯している．それは彼の死後 Stanley 嬢，Watson および私自身によって検討された．Ramanujan の関数 $\tau(n)$[6] は「ほとんど常に」5 で割り切れる．さらに精確にいえば，$\tau(n)$ が 5 で割り切れるとき $t_n = 0$ とし，さもなくば $t_n = 1$ として，

$$T(x) = \sum_{n \leq x} t_n$$

---

[5] ［原註］実際 $\beta_1 \neq \alpha_1$．
[6] ［原註］講義 X を見よ．

とすると，ある定数 C に対して

$$T(x) \sim C \frac{x}{(\log x)^{\frac{1}{2}}}$$

である．ここでもまた Ramanujan は

$$C \int_A^x \frac{dt}{(\log t)^{\frac{1}{2}}}$$

が遥かによい近似であると誤解していたのである．

C. Möbius 関数 $\mu(n)$ についての注釈

4.9 Möbius 関数 $\mu(x)$ に関わるいくつかの定理は素数定理と「同じ深さ」にあることはよく知られている；「初等的」な具合にそれらの定理が素数定理から導かれ，素数定理はそれらの定理から導かれるという意味で，それらの定理は素数定理と同等である．このことは特に

(4.9.1) $$\sum \frac{\mu(n)}{n} = 0$$

や

(4.9.2) $$M(x) = \sum_{n \leq x} \mu(n) = o(x)$$

などの定理に対していえることである；そして当然ながらこれら二つの定理は同様の意味で同等である．(4.9.2) が (4.9.1) から従うことは，実際自明である，というのは

$$\sum \frac{a_n}{n}$$

の収束はどのような a_n であれ

$$A_n = a_1 + a_2 + \cdots + a_n = o(n)$$

を意味するからである．(4.9.1) を (4.9.2) から導くことは，技術的には「初等的」であるとはいえ直ちにというわけには到底いかず，Axer のかなり微妙な定理と $\mu(n)$ の特殊な性質に依拠する．

Ramanujan から私への最初の手紙にあるいくつかの主張から，彼が

C. Möbius 関数 $\mu(n)$ についての注釈　　**95**

(4.9.1) や (4.9.2) をよく知っていたことが窺われる．もちろん彼が真の証明を有していたかについて疑問はない．直ちにいえることは

$$\lim_{s\to 1}\sum \frac{\mu(n)}{n^s} = \lim_{s\to 1}\frac{1}{\zeta(s)} = 0$$

であって，彼はこれと (4.9.1) が別のものであるとは到底思わなかったであろう．

その主張というのは『全集』の p.xxiv で (2) と番号のついたものである．u を異なる奇数個の素数の積であるような数として，そのような数で x までの個数を $U(x)$ とすると，

(4.9.3) $$U(x) \sim \frac{3x}{\pi^2},$$

(4.9.4) $$\sum \frac{1}{u^2} = \frac{9}{2\pi^2},$$

(4.9.5) $$\sum \frac{1}{u^4} = \frac{15}{2\pi^4}$$

である．

最後の二つの定理はやさしい．平方因子を持たない数を q と書き，u はいま説明した意味として，v を u でないような q であるとしよう．すると

$$\mu(u) = -1, \quad \mu(v) = 1$$

で

$$\sum \frac{1}{u^s} = \frac{1}{2}\sum \frac{|\mu(n)| - \mu(n)}{n^s}.$$

しかし

$$\sum \frac{\mu(n)}{n^s} = \frac{1}{\zeta(s)}$$

であり

$$\sum \frac{|\mu(n)|}{n^s} = \prod \left(1 + \frac{1}{p^s}\right) = \frac{\zeta(s)}{\zeta(2s)}$$

である．よって $s > 1$ に対して

$$\sum \frac{1}{u^s} = \frac{1}{2}\left\{\frac{\zeta(s)}{\zeta(2s)} - \zeta(s)\right\}$$

であって，(4.9.4) と (4.9.5) はこれの特殊な場合である．

定理 (4.9.3) はもっと深いところにあって，(4.9.2) に依拠している．$U(x)$ を定義したように $Q(x)$ と $V(x)$ を定義するならば，

$$Q(x) = U(x) + V(x) \quad \text{であり} \quad M(x) = V(x) - U(x)$$

である．

$$Q(x) \sim \frac{6x}{\pi^2}$$

を示すことは全く容易で，すると (4.9.3) は (4.9.2) から従う．よって Ramanujan のここでの主張は素数定理とちょうど同じ「深さ」にある．

講義 IV に関する注釈

§4.2 Hadamard の証明を発展させて領域

$$\sigma > 1 - \frac{A}{\{\log(|t|+2)\}^A}$$

で $\zeta(s)$ は零点を持たないこと，実際には

$$|\zeta(s)| > \frac{A}{\{\log(|t|+2)\}^A}$$

であることを示すことができる．ここで A は適当な正の定数である．Landau, *Handbuch*, 169–180 を見よ．

Ingham の証明は彼の論文 **2** として出版された．それはすべての Dirichlet の「L-関数」，特に

$$L(s) = 1^{-s} - 3^{-s} + 5^{-s} - \cdots$$

に適用できる；しかし Hadamard の証明と同じように発展させることはできない．

§4.3 公式 (4.3.1) は『全集』135 (15) に述べられている．B. M. Wilson (**1**) に証明がある．

(4.3.3) に関しては，例えば Hardy and Wright, 247–248 を見よ．

Landau の定理は *Math. Annalen*, 61 (1905), 527–550 に出版された. その証明は *Handbuch*, 697–698 にも与えられている.

§4.4 p.11 への注意書き (28 ページに印刷されている) を見よ.

Rmanujan の実際の主張は『全集』xxiv と xxviii を見よ. 容易に分かることだが, もし $\theta(x)$ のオーダーに関する彼の主張が正しいのならば, 真の平方数を勘定に入れるか否かが重要になったであろう.

§4.5 ここで仮定した $\zeta(s)$ の性質は, §4.2 の注意書きで参照した *Handbuch* の部分で Landau によって証明されていることに含まれている. L-関数, 特に $L(s) = 1^{-s} - 3^{-s} + \cdots$ への拡張に関しては *Handbuch*, 459–464 を見よ.

§4.6 ここでの議論は §2.5 における議論よりも少々洗練されていなくもない, というのも §2.5 では私は Riemann 仮説が正しいものと仮定したのだが, かたやここでは私は $\zeta(s)$ や $L(s)$ の零点に関して証明されていないことは何も仮定していない (そのために, くねくねした積分路を用いなければならない). その他に関しては, 議論は §2.5 におけると同様に大雑把なものである.

§4.8 Stanley (**1**) を見よ. 関数 $\tau(n)$ には数多くの奇妙な合同関係がある;例えばほとんどすべての n に対して $\tau(n) \equiv 0 \pmod{691}$ である. これらに関しては, Mordell (**1**), Watson (**23**), および講義 X を見よ.

§4.9 Landau, *Proc. Matematyczno-Fizycznych*, 21 (1910), 97–177 (130–137) および §2.2 の注釈を見よ.

$Q(x)$ の漸近公式に関しては Hardy and Wright, 267–268 および Landau, *Handbuch*, 604–609 を見よ. この定理は Gegenbauer による.

講義 V　格子点問題

5.1　D を u と v 平面上の有界な領域で原点 O をその内部に含むものとし，O の周りに長さの比 $x^{\frac{1}{2}}:1$ あるいは面積比 $x:1$ に拡大したものを $D(x)$ とせよ．x が大きいとき，$D(x)$ の内部あるいは境界上におおよそ何個の格子点（すなわち，整数座標の点）があるだろうか．

そのような「格子点問題」の中で最も馴染み深いものは Gauss の「円の問題」である．その場合には D は単位円で $D(x)$ は円

$$u^2 + v^2 \leq x$$

である．$D(x)$ 内の格子点の個数を $N(x)$ とすると

(5.1.1) $$N(x) = \pi x + O(x^{\frac{1}{2}})$$

であることを示すことは容易である（その円の面積，誤差はその円周程度）．この定理はほとんど直観的に分かるものであるが，最終的な真実の表明とはほど遠いものであって，問題のより深い分析により (5.1.1) の $\frac{1}{2}$ は，最初は $\frac{1}{3}$ により，その後は様々なより小さな数字に置き換えられることが示された．

問題をもっと幾何学的でないように述べることもできる．整数 n を二つの平方数の和として表す表し方の個数を $r(n)$ とすると（平方数のもとの数の順序や符号が違うものは別のものとして数える），$r(x)$ は円 $u^2 + v^2 = n$ 上の格子点の個数であり，

$$N(x) = r(1) + r(2) + \cdots + r([x]) = \sum_{n \leq x} r(n)$$

である；そうであるから (5.1.1) は

(5.1.2) $$\sum_{n \leq x} r(n) = \pi x + O(x^{\frac{1}{2}})$$

と書けて，数論的関数 $r(n)$ の「平均の大きさ」についての定理になる．

　楕円へ，そして任意の次元の空間内の超球および超楕円体へと，この問題の多数の一般化がある．

5.2　別の有名な格子点問題は「Dirichlet の約数問題」である．それを少し違った形で述べるのが便利である．§5.1 の円は四つの象限で対称的だったので，一つの象限のみに関して述べてもよかったのである．そこで $D(x)$ を

$$u \geq 0, \quad v \geq 0, \quad u^2 + v^2 \leq x$$

により定義するならば

$$N(x) = \frac{1}{4}\pi x + O(x^{\frac{1}{2}})$$

である．座標軸上の点を放棄して $D(x)$ を

$$u > 0, \quad v > 0, \quad u^2 + v^2 \leq x$$

と定義することも同様にできたのである；この修正は約数問題では本質的であることを見るであろう．

　約数問題のときは $D(x)$ は

$$u > 0, \quad v > 0, \quad uv \leq x$$

により定義されるから，$N(x)$ は座標軸と直角双曲線 $uv = x$ の間の格子点の個数である．ここで，もしあれば双曲線上のものは数えるが，座標軸上のものは数えない．座標軸上には無数の点があるから，それらを除外することは本質的である．

　Dirichlet により，この場合

(5.2.1) $$N(x) = x \log x + (2\gamma - 1)x + O(x^{\frac{1}{2}})$$

であることが証明された．ここで γ は Euler の定数である．この定理は

(5.1.1) に対応している．もっともその証明はそれほどに全く自明ではない．円の問題のときのように，この定理は現代の書き手により精密化されてきて，結果も同じである．別の述べ方は (i)

(5.2.2) $$\sum_{n \leq x} d(n) = x \log x + (2\gamma - 1)x + O(x^{\frac{1}{2}}),$$

ここで $d(n)$ は n の約数の個数，(ii)

(5.2.3) $$[x] + \left[\frac{x}{2}\right] + \left[\frac{x}{3}\right] + \cdots = x \log x + (2\gamma - 1)x + O(x^{\frac{1}{2}})$$

である．最後の形は Dirichlet の証明で用いられたものである．

5.3 Ramanujan が彼の若い時期に，どの程度これらの問題について考えていたか私は知らない．彼は Dirichlet の近似の支配的な項

$$x \log x + (2\gamma - 1)x$$

には慣れ親しんでいて，恐らく同じ類の議論によってそれらを見いだしていた．もしそうであれば彼は (5.2.1) を知っていたに違いない．しかし彼がこの問題に対して何ら実質的な貢献をなしたとは思えない，というのはこれらすべての問題でつらいところは誤差を評価するところにあるのだが，それについて彼の初期の見解は非常に漠然としたものだったからである．

例えば，彼の私への最初の手紙に彼は

$$\text{``}d(1) + d(2) + \cdots + d(n) = n \log n + (2\gamma - 1)n + \frac{1}{2}d(n)\text{''}$$

と書いている．我々は（もしこの言明を厳密にとるとしたら），Dirichlet の公式での誤差のオーダーは $d([x])$ のそれを超えないと推察すべきであり，特にすべての正の ϵ に対して

$$N(x) = x \log x + (2\gamma - 1)x + O(x^\epsilon)$$

であると推察すべきである．反証することが極めて容易であるわけではないが，これは誤りである（実際 $\epsilon = \frac{1}{4}$ で）．しかしながら，それよりありそうなことは Ramanujan は単に非常に真っ当な形式的な原則を知っていたから $\frac{1}{2}d(n)$ の項を挿入したのである．我々が数論的関数 a_n の「和関数」

を調べるとき，通常は $A(x)$ ではなくて，x が整数のときには最後の項 $a_{[x]}$ に $\frac{1}{2}$ を乗じた

$$A^*(x) = \sum_{n \leq x}{}' a_n$$

であり，それは解析では自然に立ち現れるものである[1]．

もちろん，彼の後の人生では Ramanujan はそれらの問題により洗練された仕方で興味を持つようになった．とはいえ彼の貢献は重要なものではなかった．

5.4 しかしながら，ここでは私はこれらの古典的な問題ではなくて，他の Ramanujan の言明に結びついたものに関心がある．これも彼の私宛ての最初の手紙にあるもので，

「n より小さい $2^u 3^v$ の形の数の個数は

$$\frac{\log 2n \log 3n}{2 \log 2 \log 3}$$

である．」

とある．この公式は，もちろん一つの近似を意図するものであるが，Ramanujan がそれをどの程度正確なものと考えていたかを示す証拠はない．

$$\eta = \log n, \quad \omega = \log 2, \quad \omega' = \log 3$$

と書くのが便利であろう．すると Ramanujan の主張は不等式

---

[1] [原註] Perron の公式

$$A^*(x) = \sum_{\lambda_n \leq x}{}' a_n = \frac{1}{2\pi i} \int_{c-i\infty}^{c+i\infty} f(s) \frac{e^{xs}}{s} \, ds$$

のように．ここで $f(s) = \sum a_n e^{-\lambda_n s}$．Hardy and Riesz, *The general theory of Dirichlet's series*, 12 を見よ．ここでは x が λ_n ならば最後の項に $\frac{1}{2}$ が掛けられることになる．

(5.4.1) $$u \geq 0, \quad v \geq 0, \quad \omega u + \omega' v \leq \eta$$

の解の個数は「近似的には」

$$\frac{\eta^2}{2\omega\omega'} + \frac{\eta}{2\omega} + \frac{\eta}{2\omega'} + \frac{1}{2}$$

だというものである．最後の $\frac{1}{2}$ は，もちろんあまり深刻にとるべきものではない；我々は，何かの定数がそこに入る権利を持つとしたら，それは $\frac{1}{2}$ ではないということを見るであろう．

私はこの講義で，Ramanujan の言明を契機とできる，非常に好奇心をそそりかつ興味深い解析のいくつかについての短い報告をしたいと思う．

5.5 そこで ω と ω' を任意の正の数とし，

$$N(\eta) = N(\eta, \omega, \omega')$$

を (5.4.1) の解の個数とする．すなわち，ある直角三角形内の格子点の個数として，

(5.5.1) $$\Omega(\eta) = \frac{\eta^2}{2\omega\omega'} + \frac{\eta}{2\omega} + \frac{\eta}{2\omega'}$$

とおき，

(5.5.2) $$N(\eta) = \Omega(\eta) + R(\eta)$$

としよう．問題は $R(\eta)$ に関して可能な限り最良の限界を求めるというものである．それは，違った形で幾人もの書き手，特に Hardy と Littlewood および Ostrowski により考察されてきた．1921 年と 1922 年に出版された二つの論文で Hardy と Littlewood はここで述べた形でそれを考察した．Ostrowski は少し違う問題で，表面的にはさらに特殊だが実質的には同値なものを考察して，別の方法で全く同じ結果を得ている．

座標軸上の格子点を無視しても問題は本質的には変わらない．三角形の垂直方向と水平方向の辺は η/ω と η/ω' であって，それらの上の格子点の個数は

$$1 + \left[\frac{\eta}{\omega}\right] + \left[\frac{\eta}{\omega'}\right] = \frac{\eta}{\omega} + \frac{\eta}{\omega'} + j,$$

である，ここで $|j| \leq 1$．よって三角形の内部または斜辺上の格子点の個数を $M(\eta)$ と表すと，

$$M(\eta) = \frac{\eta^2}{2\omega\omega'} - \frac{\eta}{2\omega} - \frac{\eta}{2\omega'} + r(\eta)$$

である，ここで $r(\eta)$ は $R(\eta)$ と高々 1 だけ違う．

初めに

(5.5.3) $$N(\eta) = \frac{\eta^2}{2\omega\omega'} + O(\eta)$$

は明らかである（三角形の面積，誤差は高々その周長のオーダー）．これ以上のことはすべて

$$\theta = \omega/\omega'$$

の数論的な性質に依存する．

$$N(\eta, \omega, \omega') = N(k\eta, k\omega, k\omega')$$

だから，問題と本当に関係するのは比 θ のみである．

有理数の θ

5.6 一番単純な場合は θ が有理数のときである．そのときは（ω と ω' の比のみが関係するから）

$$\omega = a, \quad \omega' = b$$

と考えてよい，ここで a と b は互いに素な正の整数である．

(5.6.1) $$au + bu = n$$

の解の個数は

$$\left[\frac{n}{ab}\right] + \zeta$$

である．ここでζは0または1である[2]．$N(\eta)$はηが値nを通過する際にオーダーηの跳躍を生ずることが従い，$R(\eta)$は実質的にはオーダーηなのだから等式

$$R(\eta) = o(\eta)$$

は誤りである．

5.7 我々は次のようにして$N(\eta)$を明示的に計算することができる．

$$au + bv \quad (u, v = 0, 1, 2, \ldots)$$

を絶対値の大きさの順に並べた数列をλ_νとして，それぞれのλ_νを現れる回数だけ勘定にいれて

---

[2] [原註] 例えば Bachmann, *Niedere Zahlentheorie*, ii, 129 を見よ．証明は単純である．
$$n = mab + r \quad (0 \le r < ab)$$
と仮定して
$$u = bU + \beta, \quad v = aV + \alpha \quad (0 \le \alpha < a, \ 0 \le \beta < b)$$
と書く；すると (5.6.1) は
(5.6.2) $$mab + r = (U+V)ab + a\beta + b\alpha$$
となる．ab 個の数の集合
$$a\beta + b\alpha \quad (0 \le \alpha < a, \ 0 \le \beta < b)$$
を考えよ．それらすべての数は $2ab$ より小さく (mod ab) で合同でない．よってそれらは
$$\rho, \quad ab + \rho'$$
と書ける．ここで ρ と ρ' は共に
$$0, \ 1, \ \ldots, \ ab - 1$$
を走る．もし
$$a\beta + b\alpha = \rho$$
ならば (5.6.2) は
$$U + V = m$$
を意味する．最初の等式を満たす α, β が一組あり，二番目を満たす U, V が $m+1$ 組あって，それぞれの組 U, V, α, β が (5.6.2) の一つの解を与える．一方，もし
$$a\beta + b\alpha = ab + \rho'$$
ならば (5.6.2) は
$$U + V = m - 1$$
を与え，この場合には m 個の解のみがある．

とすると[3]

$$f(s) = \sum e^{-\lambda_\nu s}$$

$$N^*(\eta) = \sideset{}{'}\sum_{\lambda_\nu \leq \eta} 1 = \frac{1}{2\pi i}\int_{c-i\infty}^{c+i\infty} f(s)\frac{e^{\eta s}}{s}\,ds$$

である．ここで $c>0$ でダッシュは §5.3 で説明した意味である．しかし

$$f(s) = \sum_{u,v} e^{-(au+bv)s} = \frac{1}{(1-e^{-as})(1-e^{-bs})}$$

だから

(5.7.1) $\qquad N^*(\eta) = \dfrac{1}{2\pi i}\displaystyle\int_{c-i\infty}^{c+i\infty} \dfrac{e^{\eta s}}{(1-e^{-as})(1-e^{-bs})}\dfrac{ds}{s}.$

積分を留数の和として計算する．被積分関数は

(i) 原点に 3 次の極を持ち，留数は

(5.7.2) $\qquad P(\eta) = \dfrac{\eta^2}{2ab} + \dfrac{\eta}{2a} + \dfrac{\eta}{2b} + \dfrac{a^2+3ab+b^2}{12ab};$

(ii) k を整数として，点

$$s = 2k\pi i$$

に 2 次の極を持ち，留数は

$$\frac{e^{2k\eta\pi i}}{2kab\pi i}\left(\eta - \frac{1}{2k\pi i} + \frac{1}{2}a + \frac{1}{2}b\right);$$

(iii) 点

$$s = \frac{2k\pi i}{a}\ (a \nmid k), \quad s = \frac{2k\pi i}{b}\ (b \nmid k)$$

に[4] 1 次の極を持ち，留数はそれぞれ

---

[3] ［原註］既に 102 ページで引用した Perron の公式による．
[4] ［原註］$x \nmid y$ は「x は y の約数でない」の意味（$x \mid y$ の逆）．

$$-\frac{1}{4k\pi}\frac{e^{2k\pi i(\eta+\frac{1}{2}b)/a}}{\sin(kb\pi/a)}, \quad -\frac{1}{4k\pi}\frac{e^{2k\pi i(\eta+\frac{1}{2}a)/b}}{\sin(ka\pi/b)}$$

である：積分はこれらすべての留数の和であることを示すことは難しくない[5]．それから簡単な計算により公式

(5.7.3) $\qquad N^*(\eta) = P(\eta) + Q(\eta) + T_1(\eta) + T_2(\eta)$

に導かれる．ここで $P(\eta)$ は (5.7.2) により定義され，

(5.7.4)
$$Q(\eta) = -\frac{\eta+\frac{1}{2}a+\frac{1}{2}b}{ab}\left(\eta-[\eta]-\frac{1}{2}\right) + \frac{1}{2ab}\left\{\left(\eta-[\eta]-\frac{1}{2}\right)^2 - \frac{1}{12}\right\},$$

(5.7.5)
$$T_1(\eta) = -\frac{1}{4\pi}{\sum}'\frac{\cos\dfrac{2k\pi}{a}(\eta+\frac{1}{2}b)}{k\sin\dfrac{bk\pi}{a}}, \quad T_2(\eta) = -\frac{1}{4\pi}{\sum}'\frac{\cos\dfrac{2k\pi}{b}(\eta+\frac{1}{2}a)}{k\sin\dfrac{ak\pi}{b}},$$

最後の二つの級数で k はそれぞれ a と b の倍数でないすべての整数値を走る．

明らかに
$$Q(\eta) = -\frac{\eta}{ab}\left(\eta-[\eta]-\frac{1}{2}\right) + O(1)$$

であり，$T_1(\eta)$ と $T_2(\eta)$ は周期的（それぞれ a と b を周期とする）だから，有界である．よって大きな η に対して

(5.7.6) $\qquad N^*(\eta) = P(\eta) - \dfrac{\eta}{ab}\left(\eta-[\eta]-\dfrac{1}{2}\right) + O(1)$

である．二番目の項は η が整数値 n を通過するときに

---

[5] ［原註］長方形
$$c-iT, \quad c+iT, \quad -\xi+iT, \quad -\xi-iT$$
に Cauchy の定理を適用する．ここで T を長方形の水平な辺がいかなる極のある決められた距離 δ 以内も通過しないように選び，T と ξ を無限大にもっていく．

$$\frac{n}{ab}+O(1)$$

だけの不連続性を持ち，§5.6 での我々の結論と一致している．

無理数の θ

5.8　θ が無理数のときには問題は当然もっと難しい．まず初めにすべての無理数 θ に対して

(5.8.1) $$R(\eta) = o(\eta)$$

であることが示されていて，

(5.8.2) $$\Omega(\eta) = \frac{\eta^2}{2\omega\omega'} + \frac{\eta}{2\omega} + \frac{\eta}{2\omega'}$$

は $N(\eta)$ に対する真の近似となる；そして特殊な θ に対してはさらに精密な結果がある．それらは θ の有理数による近似の様子，あるいは（同じことだが）θ の連分数表示

$$\theta = a_0 + \frac{1}{a_1+}\,\frac{1}{a_2+}\cdots$$

における商 a_n の振る舞いに依存している．もしも a_n が急速には増大しないならば，0 と 1 の間の α に対して

(5.8.3) $$R(\eta) = O(\eta^\alpha)$$

となる；そしてもしも a_n が有界ならば，

(5.8.4) $$R(\eta) = O(\log \eta)$$

となる．特にすべての代数的数 θ に対して (5.8.3) が正しく，すべての二次の無理数 θ に対して (5.8.4) が正しい．

　Ramnujan の問題の θ は超越的である．その無理数性は自明である，というのも

$$\frac{\log 2}{\log 3} = \frac{a}{b}$$

は $3^a = 2^b$ を意味するから．それが超越的であることは，α と β が代数的で β が無理数のときにはいつでも

$$\alpha^\beta$$

は超越的であるという Gelfand と Schneider の定理から従う．3 と

$$3^\theta = 2$$

は有理数だから，したがって θ は代数的ではあり得ない．

Ramanujan の場合に，我々が証明できる最大のことは

(5.8.5) $$R(\eta) = o\left(\frac{\eta}{\log \eta}\right)$$

ということである．私はこれを §5.15 で証明する．私が §5.12 で証明する少しだけ正確でない式

(5.8.6) $$R(\eta) = O\left(\frac{\eta}{\log \eta}\right)$$

は実質的に Ostrowski の定理にあるものである．

5.9 θ が無理数のときにも $N^*(\eta)$ に対する「恒等式」があって，形の上では (5.7.3) と似ているが，普通の意味では収束しないような級数を含んでいる．私はこれを使わないことにして，実質的に Heilbronn によるところの (5.8.1) と (5.8.6) の証明を与えよう．Heilbronn の議論は原理においては Ostrowski のものと同じであるが，より単純である．それは，(5.8.1) や (5.8.6) のときのように $R(\eta)$ が「η よりほんの少し小さい」ことを証明せねばならないときには有効だが，この単純な形では，(5.8.4) のように非常に「単純な」θ に対してのみ正しいようなより正確な結果には導かない．

$\{x\}$ により

$$\{x\} = x - [x] - \frac{1}{2}$$

を表す．この関数は解析的な表示

$$\{x\} = -\frac{1}{\pi}\left(\sin 2\pi x + \frac{\sin 4\pi x}{2} + \cdots\right)$$

を持つが，我々はここではこれを用いない．

縦軸 $u = n$ は三角形の斜辺と点

$$n, \frac{\eta - n\omega}{\omega'}$$

で交わり，その上の格子点の個数は

$$1 + \left[\frac{\eta - n\omega}{\omega'}\right]$$

である．よって

$$N(\eta) = \sum_{n \leq \eta/\omega} \left(1 + \left[\frac{\eta - n\omega}{\omega'}\right]\right) = \sum_{n \leq \eta/\omega} \left(\frac{\eta - n\omega}{\omega'} + \frac{1}{2}\right) - \sum_{n \leq \eta/\omega} \left\{\frac{\eta - n\omega}{\omega'}\right\}$$

である．

$$\frac{\eta}{\omega} = \left[\frac{\eta}{\omega}\right] + f$$

とすると，最初の和は

$$\left(\left[\frac{\eta}{\omega}\right] + 1\right)\left(\frac{\eta}{\omega'} + \frac{1}{2}\right) - \frac{1}{2}\left[\frac{\eta}{\omega}\right]\left(\left[\frac{\eta}{\omega}\right] + 1\right)\frac{\omega}{\omega'}$$
$$= \left(\frac{\eta}{\omega} + 1 - f\right)\left(\frac{\eta}{\omega'} + \frac{1}{2}\right) - \frac{1}{2}\left(\frac{\eta}{\omega} - f\right)\left(\frac{\eta}{\omega} + 1 - f\right)\frac{\omega}{\omega'}$$
$$= \frac{\eta^2}{2\omega\omega'} + \frac{\eta}{2\omega} + \frac{\eta}{2\omega'} + O(1)$$

である．よって

(5.9.1) $$N(\eta) = \frac{\eta^2}{2\omega\omega'} + \frac{\eta}{2\omega} + \frac{\eta}{2\omega'} - S(\eta) + O(1) = \Omega(\eta) - S(\eta) + O(1),$$

ここで

(5.9.2) $$S(\eta) = \sum_{n \leq \eta/\omega} \left\{\frac{\eta}{\omega'} - n\theta\right\};$$

よって (5.8.1) の証明は

(5.9.3)
$$S(\eta) = o(\eta)$$

の証明に帰着される．

Ostriwski は，103 ページで引用した彼の論文の中で，和

$$\sum_{n \leq x} \{n\theta\}$$

に関心を向けているが，(5.9.2) と全く同じ種類の級数で，彼の議論は (5.9.2) にも同様の効果をもって適用できるだろう．

5.10 θ の連分数展開の近似分数を

$$\frac{p}{q} = \frac{p_m}{q_m}$$

とすると，q_m は m と共に無限大となり

$$\theta - \frac{p}{q} = \theta - \frac{p_m}{q_m} = \frac{(-1)^m}{q_m q'_{m+1}}$$

となる．ここで

$$q'_{m+1} = a'_{m+1} q_m + q_{m-1}$$

で a'_{m+1} は a_{m+1} に対応する完全商である[6]．$q < \eta/\omega$ と仮定して

$$\left[\frac{\eta}{\omega}\right] = rq + s \quad (r \geq 1,\ 0 \leq s < q)$$

とする．すると

(5.10.1) $$S(\eta) = \sum_{n=0}^{rq-1} \left\{\frac{\eta}{\omega'} - n\theta\right\} + O(s) = S^*(\eta) + O(s)$$

である．

$$n = \mu q + \nu \quad (\mu = 0, 1, \ldots, r-1;\ \nu = 0, 1, \ldots, q-1)$$

と書けば

---

[6] ［訳註］a'_{m+1} の整数部分が a_{m+1}. このとき $a'_{m+2} = (a'_{m+1} - a_{m+1})^{-1}$.

(5.10.2) $$S^*(\eta) = \sum_{\mu=0}^{r-1} \sum_{\nu=0}^{q-1} \left\{ \frac{\eta}{\omega'} - (\mu q + \nu)\theta \right\} = \sum_{\mu=0}^{r-1} S_\mu(\eta),$$

ここで

(5.10.3) $$S_\mu(\eta) = \sum_0^{q-1} \{\alpha - \nu\theta\}, \quad \alpha = \alpha_\mu = \frac{\eta}{\omega'} - \mu q \theta.$$

次の節で α に関して一様に

(5.10.4) $$S_\mu(\eta) = O(1)$$

であることを証明する．当座これを仮定すると，(5.10.1), (5.10.2) および (5.10.4) は

(5.10.5) $$S(\eta) = O(r) + O(s) = O\left(\frac{\eta}{q_m}\right) + O(q_m)$$

を与える．

$S_\mu(\eta)$ が有界であることの証明

5.11 考えをはっきりさせるために，m は偶数であると仮定しよう．すると

$$0 < \theta - \frac{p}{q} < \frac{1}{q^2}$$

である．さらに

$$\alpha = \frac{a}{q} + \delta,$$

ここで a は整数で

$$0 \le \delta < \frac{1}{q}.$$

したがって

$$\alpha - \nu\theta - \frac{a - \nu p}{q} = \delta - \nu\left(\theta - \frac{p}{q}\right)$$

は $1/q$ より小さく $-1/q$ より大きいから

(5.11.1) $$\left|\alpha - \nu\theta - \frac{a-\nu p}{q}\right| < \frac{1}{q}$$

である．

もし m が奇数ならば，θ は p/q より小さくなり，a を
$$\alpha = \frac{a}{q} - \delta \quad \left(0 \leq \delta < \frac{1}{q}\right)$$
により定義すると，(5.11.1) はやはり成り立つ．よっていずれの場合も

(5.11.2) $$\alpha - \nu\theta, \quad \frac{a-\nu p}{q}$$

の違いは $1/q$ より小さい．ところで $(p,q)=1$ であり，したがって
$$\frac{a-\nu p}{q} = i_\nu + r_\nu,$$
ここで i_ν は整数であり r_ν は，順序はともかく，
$$0, \frac{1}{q}, \frac{2}{q}, \dots, \frac{q-1}{q}$$
を動く．(5.11.2) にある数の整数部分は，それらの数の間に整数があるときに限り異なり得て，それは $r_\nu = 0$ のときのみ起こり得るから，したがって一回のみである．その場合，差
$$[\alpha - \nu\theta] - \left[\frac{a-\nu p}{q}\right]$$
は 0 か -1 である．この差を ϵ と呼ぶ．

$$\sum_0^{q-1}[\alpha - \nu\theta] = \sum_0^{q-1}\left[\frac{a-\nu p}{q}\right] + \epsilon$$
$$= \sum_0^{q-1}\frac{a-\nu p}{q} - \frac{1}{q} - \frac{2}{q} - \cdots - \frac{q-1}{q} + \epsilon$$
$$= a - \frac{1}{2}(p+1)(q-1) + \epsilon,$$

講義 V 格子点問題

$$S_\mu(q) = \sum_0^{q-1}\{\alpha - \nu\theta\} = \sum_0^{q-1}(\alpha - \nu\theta - \frac{1}{2}) - \sum_0^{q-1}[\alpha - \nu\theta]$$

$$= q(\alpha - \frac{1}{2}) - \frac{1}{2}q(q-1)\theta - a + \frac{1}{2}(p+1)(q-1) - \epsilon$$

$$= q\alpha - a - \frac{1}{2}q(q-1)\left(\theta - \frac{p}{q}\right) - \frac{1}{2} - \epsilon,$$

$$|S_\mu(q)| \leq |q\delta| + \frac{1}{2}q^2 \cdot \frac{1}{q^2} + \frac{1}{2} + 1 < 3$$

が従う. これで (5.10.4) すなわち (5.10.5) の証明が完結する.

5.12 したがって

$$S(\eta) = O\left(\frac{\eta}{q_m}\right) + O(q_m)$$

である. 任意の正の δ と十分大きな任意の η が与えられたとき,

$$\frac{1}{\delta} < q_m < \delta\eta,$$

$$\frac{\eta}{q_m} + q_m < 2\delta\eta$$

となるように m を選ぶことができる. よってすべての無理数 θ に対して $S(\eta) = o(\eta)$ である；そしてこれは, 既に見たように, (5.8.1) と同値である.

次に θ が Ramanujan の値であると仮定せよ. するとすべての p, q に対して

(5.12.1) $$|2^q - 3^p| \geq 1$$

である. これは

$$|1 - e^{p\log 3 - q\log 2}| \geq 2^{-q}$$

であり, そこからある定数 A とすべての q に対して

(5.12.2) $$|q\theta - p| > A2^{-q}$$

が従う．

もし p と q が p_m と q_m であるならば,
$$|q_m\theta - p_m| < \frac{1}{q_{m+1}},$$
したがって
$$q_{m+1} < A2^{q_m} < e^{Aq_m}$$
である[7]．m を
$$q_m \leq \frac{\eta}{\log \eta} < q_{m+1}$$
となるように選べる．すると
$$e^{Aq_m} > q_{m+1} > \frac{\eta}{\log \eta},$$
$$q_m > A\log \eta,$$
$$\frac{\eta}{q_m} + q_m < A\frac{\eta}{\log \eta}$$
となり，これは (5.8.6) を証明している．

(5.8.5) の証明

5.13 (5.8.5) を証明することが残っている．これは (5.8.6) の非常に小さな改良であり，疑いなく最終的な真理にはよほど及ばないものであるから，それに拘るのはつまらないことに思えるかもしれない．しかしながらその証明は Pillai による非常に興味深い定理に依拠しており，これを含めるのはこの定理のゆえである．

2 と 3 の冪を大きさの順に並べた数列

$$2,\ 3,\ 4,\ 8,\ 9,\ 16,\ 27,\ 32,\ 64,\ 81,\ \ldots$$

を書き下して，その第 n 項を u_n とする．そのとき Pillai の定理は，数列の

---

[7] ［原註］様々な A は当然同じものではない．

n 番目の間隔 $u_{n+1} - u_n$ は u_n に近い速さで無限大に至ると主張する．より正確には，与えられた任意の正の δ に対して

$$|2^x - 3^y| > 2^{(1-\delta)x}$$

が $x > x_0(\delta)$ なるすべての整数 x と y に対して成り立つ．

特に方程式

(5.13.1) $$2^x - 3^y = k$$

は与えられた任意の k に対して，有限個の整数解を持ち得るのみである．このことはより容易に証明される．Thue の非常によく知られた定理によれば

(5.13.2) $$AX^3 - BY^3 = l$$

(A, B, l は任意の整数) は有限個の解を持つのみである．

$$x = 3\xi + \rho, \quad y = 3\eta + \sigma, \quad (\rho, \sigma = 0, 1, 2)$$

とおくならば，我々は (5.13.2) の形の九つの方程式

$$2^\rho (2^\xi)^3 - 3^\sigma (3^\eta)^3 = k$$

を得る．これらのそれぞれは有限個の解を持つのみだから，(5.13.1) もしたがってそうである．

5.14 Pillai はさらに一般的に，$\boldsymbol{m, n, a, b}$ が与えられた正の整数で，任意の整数 $\boldsymbol{x}$ と $\boldsymbol{y}$ に対して

$$\boldsymbol{am^x - bn^y \neq 0}$$

とすると，$\boldsymbol{\delta}$ が正ならば，すべての $\boldsymbol{x > x_0(\delta)}$ に対して

$$\boldsymbol{|am^x - bn^y| > m^{(1-\delta)x}}$$

であることを証明する．ここで $x_0(\delta)$ は，もちろん，δ と同時に m, n, a および b にも依存する．同様に議論の中に現れる K は特に指摘されている助

変数と同時に m, n, a および b に依存する.

我々は Siegel の一つの深い定理を用いる：ξ が r 次の代数的数ならば, すべての整数 p と q に対して

$$\left|\xi - \frac{p}{q}\right| > \frac{A(\xi)}{q^{2r^{\frac{1}{2}}}}$$

なる, ξ のみに依存する $A(\xi)$ がある. 馴染み深い Liouville の定理があって, そこでは $2r^{\frac{1}{2}}$ の代わりに r が立ち現れる. Thue は r は $\frac{1}{2}r + 1$ より大きな任意の数で置き換えるられることを示したが, Liouville の定理も Thue の定理も Pillai の応用には十分強力でない. 本質的なことは r より低いオーダーの指数になることである.

u と v は正の整数であり, a/b は r 乗数ではなく, さらに

$$\frac{1}{2}au^r < bv^r < au^r$$

であると仮定せよ.

$$w = \left(\frac{a}{b}\right)^{1/r} u = \alpha u$$

とおくと, α は高々 r 次の代数的数で

$$au^r - bv^r = b(w^r - v^r) > brv^{r-1}(w - v)$$
$$> K(r)u^{r-1}(w - v) = K(r)u^r \left(\alpha - \frac{v}{u}\right)$$

である. よって Siegel の定理により

(5.14.1) $$au^r - bv^r > K(r)u^{r-2r^{\frac{1}{2}}}$$

である. これが $0 < bv^r \leq \frac{1}{2}au^r$ ならばやはり正しいことは明らかであるから, それは $au^r - bv^r$ が正のときはいつでも成り立つ. 同様にそれが正のときはいつでも

(5.14.2) $$bv^r - au^r > K(r)v^{r-2r^{\frac{1}{2}}}$$

となり, 少し考えると (5.14.1) と (5.14.2) を

(5.14.3) $$|au^r - bv^r| > K(r)z^{r-2r^{\frac{1}{2}}}$$

の形に統合できることが分かる．ここで u と v は任意の正の整数であり，z は u または v を随意にとる[8]．$K(r)$ はもちろん r と同時に a と b にも依存する．

いまや我々は Pillai の定理を証明することができる．δ を小さくかつ正にとって

$$r = \frac{16}{\delta^2}$$

とし，

$$x = sr + h \ (0 \leq h < r), \quad y = tr + l \ (0 \leq l < r)$$
$$u = m^s, \quad v = n^t$$

と書く．すると (5.14.3) より

$$|am^x - bn^y| = |am^h \cdot u^r - bn^l \cdot v^r| > K(r, h, l)u^{r-2r^{\frac{1}{2}}}$$

であり，問題となる h と l の値の個数は r のみに依存して，r は δ のみに依存するから

$$|am^x - bn^y| > K(\delta)u^{r-2r^{\frac{1}{2}}}$$

となる．

さらに

$$u^r = m^{x-h} > K(\delta)m^x,$$
$$u^{r-2r^{\frac{1}{2}}} = u^{(1-\frac{1}{2}\delta)r} > K(\delta)m^{(1-\frac{1}{2}\delta)x},$$

したがって

$$|am^x - bn^y| > K(\delta)m^{(1-\frac{1}{2}\delta)x}.$$

ここから $x > x_0(\delta)$ に対して

---

[8] ［原註］a/b は r 乗数でないので，$au^r - bv^r$ は 0 になり得ない．もしそれが u^r または v^r より小さいオーダーならば，u と v は同じオーダーである．

$$|am^x - bn^y| > m^{(1-\delta)x}$$

が従って，これが Pillai の定理である．

5.15 Pillai の定理は (5.8.6) を (5.8.5) に改良するのにちょうど足りるものである．§5.12 の議論に戻って，(5.12.1) を

$$|2^q - 3^p| \geq 2^{q(1-\delta)}$$

(任意の正の δ と十分大きい p, q に対して) で；そして (5.12.2) を

$$|q\theta - p| > 2^{-\delta q} = e^{-\epsilon q}$$

で置き換えることができる，ここで $\epsilon = \delta \log 2$ である．十分大きな m に対して

$$q_{m+1} < e^{\epsilon q_m}$$

が従う．m を

$$q_m \leq \frac{2\epsilon\eta}{\log\eta} < q_{m+1}$$

となるように選ぶ．すると大きな η と m に対して

$$q_m > \frac{1}{\epsilon}\log q_{m+1} > \frac{1}{\epsilon}(\log\eta - \log\log\eta + \log 2\epsilon) > \frac{1}{2\epsilon}\log\eta$$

となり，

$$q_m + \frac{\eta}{q_m} < \frac{4\epsilon\eta}{\log\eta}$$

となるから，

$$S(\eta) = o\left(\frac{\eta}{\log\eta}\right)$$

となる．

こうして我々は (5.8.6) の O を o に取り替えたのである．このように強力な武器を使用して最終的な結果がかくも小さな改良に終わったことは少々期待外れに思えるかもしれないが，そのような期待外れはこのような類の解析

にはよくあることである．

講義 V に関する注釈

§5.1. (5.1.1) の二つの証明が Hardy and Wright, 268–269 にある．

円の問題の本質的な難しさは，すべての正の ϵ に対して

$$N(x) = \pi x + O(x^{\xi+\epsilon})$$

となる ξ の最小値 Θ を決定することである．(5.1.1) より $\Theta \leq \frac{1}{2}$ が従う．Sierpinski は 1906 年に $\Theta \leq \frac{1}{3}$ であることを証明し，van der Corput は 1923 年に $\Theta < \frac{1}{3}$ であることを，Littlewood と Walfisz は 1924 年に $\Theta \leq \frac{37}{112}$ であることを証明した．別の方向では，Hardy と Landau が 1915 年に独立に $\Theta \geq \frac{1}{4}$ であることを証明した．この段階に至るこの問題の深い研究が Landau, *Vorlesungen*, ii, 183–308 にある．

この諸結果はそれ以来 Nieland, Titchmarsh および Vinogradov により改良されてきた．最良の結果は Vinogradov の $\Theta \leq \frac{17}{53}$ である．

より豊富な引用文献は Bohr と Cramér, *Enzykl. d. Math. Wiss.* II c 8 (1922), 823–824，および Titchmarsh による二つの論文，*Quarterly Jounal of Math.* (Oxford), 2 (1931), 161–173 と *Proc. London Math. Soc.* (2), 38 (1935), 96–115 および 555 に見ることができよう．Littlewood と Walfisz の論文は *Proc. Royal Soc.* (A), 106 (1924), 478–488 にある．

§5.2. Dirichlet による (5.2.1) の証明については，例えば，Hardy and Wright, 262–263 を見よ．

この問題の歴史は円の問題のそれと非常に似ている．もっとも最近の書き手達は後者に集中しがちであるが．この問題では Θ は

$$N(x) = x \log x + (2\gamma - 1)x + O(x^{\xi+\epsilon})$$

なる最小の ξ である．(5.2.1) より $\Theta \leq \frac{1}{2}$ が従う．Voronoi は 1903 年に $\Theta \leq \frac{1}{3}$ を証明し，Hardy と Landau は 1916 年に $\Theta \geq \frac{1}{4}$ を，van der Corput は 1922 年に $\Theta < \frac{33}{100}$ を証明した．より豊富な引用文献は上で引用した Bohr と Cramér の論説，815–822 を見よ．

ここで知られている最良の結果は $\Theta \leq \frac{27}{82}$ と思われ，van der Corput により後に論文 *Math. Annalen*, 98 (1928), 697–717 で証明された．

§5.3. 一つの例は公式

$$(1) \qquad \sum_0^\infty \frac{r(n)}{\sqrt{(n+a)}} e^{-2\pi\sqrt{\{(n+a)b\}}} = \sum_0^\infty \frac{r(n)}{\sqrt{(n+b)}} e^{-2\pi\sqrt{\{(n+b)a\}}}$$

である．ここで a と b は正で $r(n)$ は §5.1 の意味である．

左辺の級数を

$$\frac{1}{\sqrt{\pi}}\int_0^\infty e^{-ax-\pi^2 b/x}\Big\{\sum r(n)e^{-nx}\Big\}\frac{dx}{\sqrt{x}} = \frac{1}{\sqrt{\pi}}\int_0^\infty e^{-ax-\pi^2 b/x}\vartheta^2(x)\frac{dx}{\sqrt{x}},$$

ただし

$$\vartheta(x) = 1 + 2e^{-x} + 2e^{-4\pi x} + \cdots$$

とおいて[9]，関数等式

$$\vartheta(x) = \sqrt{\left(\frac{\pi}{x}\right)}\vartheta\left(\frac{\pi^2}{x}\right)$$

を用いれば，(1) を証明することは容易である．楕円体への一般化があって，*Quarterly Journal of Math.* 46 (1915), 283 に引用してある．

この公式は $\sqrt{a}$ と $\sqrt{b}$ が正の実数部分を持つ限り依然として正当である．$0 < \theta < \pi$ と正かつ非整数の x に対して $a = xe^{i\theta}$ とおき，$\theta \to \pi$ とし，虚数部分をとってから $b = 0$ とすれば

(2) $$\sum_{0\le n<x}\frac{r(n)}{\sqrt{(x-n)}} = 2\pi\sqrt{x} + \sum_1^\infty \frac{r(n)}{\sqrt{n}}\sin\{2\pi\sqrt{(nx)}\}$$

を得る．これは私が *Proc. London Math. Soc.* (2), 15 (1916), 192–213 (205) にある論文の中で ($\alpha > 0$ に対して) 証明した $\sum(x-n)^\alpha r(n)$ に関する公式で $\alpha = -\frac{1}{2}$ とおいた結果でもある．もちろん，これらの演繹はどちらも (2) の証明ではないし，文献上に現れたいかなる証明も知らない．この公式は等式

$$\sum_{0\le n\le x}{}' r(n) = \pi x + \sqrt{x}\sum_1^\infty \frac{r(n)}{\sqrt{n}}J_1\{2\pi\sqrt{(nx)}\}$$

(上で引用した *Quarterlu Journal* の中で最初に証明された) と同じ種類のものである．

私が想像するに，(2) の右辺の級数は，x が整数でない限り任意の正の次数で Cesàro または Riesz 総和可能である．

§5.4. 『全集』xxiv (3).

§5.5. Hardy と Littlewood による主要な論文は *Proc. London Math. Soc.* (2), 20 (1922), 15–36 および *Abh. math. Semin. Hamburg*, 1 (1922), 212–249 にある；Ostrowski のものは *Abh. math. Semin. Hamburg*, 1 (1922), 77–98 と 250–251 にある．それらの問題に関する論評が，網羅的な文献と共に Koksma,

---

[9] ［訳註］$2e^{-4\pi x}$ は $2e^{-4x}$ の間違い．

"Diophantische Approximationen", *Ergebnisse der Math.* iv 4 (1936), Kap. ix にある.

§5.8. 述べた条件の下での α^β の超越性を証明する問題は, Hilert の 1900 年に Paris での第七回国際数学者会議における彼の講演 "Mathematische Probleme" で提示された問題の 7 番目のものである. この講演は *Göttinger Nachrichten* (1900), 253–297 に独語で出版されており, 仏語では "Sur les problèmes futures des mathématiques" の表題の下に, 会議の公式報告書 (Paris, 1902) にある. 上で引用した Koksma, Kap. iv, 特に pp.64–65 を見よ, そこには Gelfond と Schneider の論文への参照がある.

§5.9. その「恒等式」については §5.5 で引用した Hardy と Littlewood による二番目の論文の定理 4 を見よ.

Heilbronn 博士は彼の証明を個人的に私に知らせてくれた.

§5.10. 連分数の記号は Hardy and Wright, ch. x. §§5.13–14 のものである.

§§5.13–14. -Pillai の定理は *Journal Indian Math. Soc.* 19 (1931), 1–11 で証明された.

Pólya, *Math. Zeitschrift* 1 (1918), 143–148 はそこから非常に特別な場合として, (5.13.1) はただ有限個の解しか持たないことが従うような一般的な定理を証明した. Herschfeld, *Bull. Amer. Math. Soc.* 42 (1936), 231–234 は k が十分大きいならば解は高々一つであることを示した. この種のさらなる結果が Pillai による別の論文, *Journal Indian Math. Soc.* (2), 2 (1936), 119–122 と 215 にある.

Thue と Siegel の定理については Landau, *Vorlesungen*, iii, 37–56 を見よ. Siegel の定理は Satz 691 である. そこでは少し違った形で $r \geq 3$ に対して述べられているが, $r = 2$ の場合は自明である.

講義 VI 分割数に関する Ramanujan の業績

6.1 n の分割とは，n を任意の個数の正の整数に分けることである．したがって

$$4 = 3+1 = 2+2 = 2+1+1 = 1+1+1+1$$

は 5 個の分割を持つ．分けた整数を並べる順序は重要ではないので，それでよければ減少する順に並べられていると考えてよいだろう．n の分割の個数を $p(n)$ で表す；したがって $p(1) = 1$ であり $p(4) = 5$ である．$p(0)$ を 1 と定義するのが便利である．

n の分割はグラフ的に点あるいは「結節点」を並べたものとして表すことができるだろう．したがって

$$\begin{matrix} \bullet & \bullet & \bullet & \bullet & \bullet & \bullet \\ \bullet & \bullet & \bullet & & & \\ \bullet & \bullet & \bullet & & & \\ \bullet & \bullet & & & & \\ \bullet & & & & & \end{matrix}$$

は 15 の分割 $6+3+3+2+1$ を表す．このグラフを縦に読むこともできて，そのときにはそれは分割 $5+4+3+1+1+1$ を表す．このような関係にある二つの分割は**共役**と呼ばれる．

どちらの分割にせよ最大の部分は他方の部分の個数に等しい．一般に，m

行からなるグラフは，横に読めば m 個の部分への分割を表し，かたや縦に読めば最大の部分が m である分割を表す．したがって n の m 個の部分への分割の個数は，最大のものが m である分割の個数に等しい；さらに高々 m 個の部分への分割の個数は m を超えないようないくつかの部分への分割の個数に等しい．

6.2 そのグラフを直接調べることにより証明できる，より明らかでない多数の定理がある．一例として Euler の有名な恒等式の F. Franklin による美しい証明を挙げる．

Euler の恒等式とは

$$(6.2.1) \quad (1-x)(1-x^2)(1-x^3)\cdots = 1 - x - x^2 + x^5 + x^7 - \cdots$$

である．右辺は

$$1 + \sum_{k=1}^{\infty}(-1)^k\{x^{\frac{1}{2}k(3k-1)} + x^{\frac{1}{2}k(3k+1)}\} = \sum_{k=-\infty}^{\infty}(-1)^k x^{\frac{1}{2}k(3k+1)}$$

である．それは

$$1 + \sum_{1}^{\infty} c_n x^n$$

とも書ける，ただし c_n は $n = \frac{1}{2}k(3k\pm 1)$ でない限り 0 であり，そのときには $(-1)^k$ である．

$$(1-x)(1-x^2)(1-x^3)\cdots = \sum \gamma(n) x^n$$

と書き，係数 $\gamma(n)$ の算術的な解釈を得るために積を掛け合わせよう．n の等しくない部分への分割すべてに対応して x^n の一つの項がある：したがって分割 $6 = 3 + 2 + 1$ から項 $(-1)^3 x^6$ が生ずる．一般的に，n の等しくない μ 個の部分への分割一つは $\gamma(n)$ へ $(-1)^\mu$ だけ寄与するから

$$\gamma(n) = p_e(n) - p_o(n),$$

ここで $p_e(n)$ および $p_o(n)$ は n の偶数個および奇数個の等しくない部分へ

の分割の個数である．我々は可能な限り，これら二つの型の分割の間に一対一対応を確立することを試みる．その対応は完全ではあり得ない，というのも完全な対応であるならばすべての n に対して $p_e(n) = p_o(n)$ そして $\gamma(n) = 0$ となるからである．

グラフ G_1 は n の任意個数の等しくない部分への任意の分割を，減少する順序で表している（水平方向に読む）．一番下の線 AB をグラフの**基線** β と呼ぶ．北東の端の結節点から南西方向にグラフ内で可能な最長の線を引く；当然，それが結節点を一つしか含まないこともあり得る．この線 CDE をグラフの**傾き** σ と呼ぶ．（グラフ G_1 のように）σ の中に β の中より多くの結節点があるとき $\beta < \sigma$ と書き，その他の場合にも同様の記号を用いる．すると三つの可能性がある．

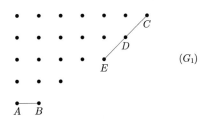

(i) $\beta < \sigma$．グラフ G_2 に示すように，β を σ に平行に外側の位置に動かす．これにより減少する等しくない部分への新たな分割，しかもそのような部分の個数は G_1 におけるその数と偶奇において反対のものができる．

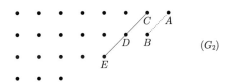

この操作を O と呼び，反対の操作（σ を取り外して β の下に置く）を Ω と呼ぶ．$\beta < \sigma$ のときには，グラフの条件に反することなしに Ω は可能でないことは明らかである．

(ii) $\beta = \sigma$. この場合 O は（グラフ G_4 のように）β と σ が繋がらなければ（グラフ G_3 のように）可能であり，繋がる場合は不可能である．いずれの場合にも Ω は不可能である．

(iii) $\beta > \sigma$. この場合 O は常に不可能である．Ω は（グラフ G_6 のように）β が σ と繋がり，かつ $\beta = \sigma + 1$ でなければ（グラフ G_5 のように）可能である．最後の場合には Ω は不可能である，なぜなら，それは二つの等しい部分を持つ分割に至るから．

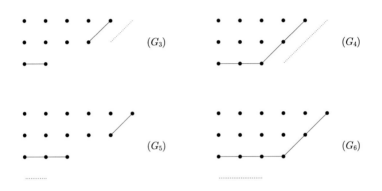

まとめると：(G_4) と (G_6) に例示される場合を除いて二つのタイプの分割の間に $(1,1)$ 対応がある．それらの例外の場合の中で最初の場合には n は

$$k + (k+1) + (k+2) + \cdots + (2k-1) = \frac{1}{2}(3k^2 - k)$$

の形をしており，この場合，k が偶あるいは奇に応じて一つの偶のあるいは一つの奇の分割の超過がある．二つ目の場合には n は

$$(k+1) + (k+2) + (k+3) + \cdots + 2k = \frac{1}{2}(3k^2 + k)$$

の形をしており，超過は同じである．よって $n = \frac{1}{2}(3k^2 \pm k)$ でなければ $\gamma(n) = 0$ であり，そうならば $\gamma(n) = (-1)^k$ である．すなわち $\gamma(n) = c_n$ でありこれが Euler の定理である．

6.3 Franklin の証明は,初等的な「組合せ論的な」議論によってどのようなことができるかの非常に際立った例である;しかしながら分割の理論のほとんどはもっと解析的なお膳立てを要する.

その解析的理論は Euler により基礎づけられ,素数の解析的理論のように,**母関数**の考えによっている.しかし分割の理論の母関数は**冪級数**

$$F(x) = \sum f(n)x^n$$

である.関数 $F(n)$ は[1]関数 $f(n)$ の母関数と呼ばれ,$f(n)$ を**数え上げる**ともいわれる.

$p(n)$ の母関数を見いだすことは容易である.それは関数

$$F(x) = \frac{1}{(1-x)(1-x^2)(1-x^3)\cdots}$$

(楕円関数の理論で基本的な関数) である.実際,$F(x)$ の各因子を二項定理により展開して

$$F(x) = (1 + x + x^2 + x^3 + \cdots)(1 + x^2 + x^4 + x^6 + \cdots)$$
$$(1 + x^3 + x^6 + x^9 + \cdots)\cdots$$

を得て,少し考えると n のすべての分割が x^n の係数にちょうど 1 だけ寄与することが分かる.よって

$$F(x) = \sum p(n)x^n.$$

様々な具合に制限された部分への n の分割を数え上げる母関数を見いだすことも同様に容易である.例えば

$$\frac{1}{(1-x)(1-x^3)(1-x^5)\cdots}$$

は奇数への分割;

$$(1+x)(1+x^2)(1+x^3)\cdots$$

は等しくない部分への分割;そして

---

[1] [訳註] $F(n)$ は $F(x)$ の誤り.

$$(1+x)(1+x^3)(1+x^5)\cdots$$

は等しくない奇数への分割を数え上げる．Euler の積

$$(1-x)(1-x^2)(1-x^3)\cdots$$

は§6.2 の $\gamma(n)$ を数え上げる，すなわち n の偶数個の等しくない部分への分割数の，奇数個への分割数に対する超過である．

同様に（後に参照したい例を挙げる）

$$\frac{1}{(1-x)(1-x^2)\cdots(1-x^m)}$$

は m を超えない部分への分割，あるいは（同値であることを確認したことだが）高々 m 個の部分への分割を数え上げる；

$$\frac{x^N}{(1-x)(1-x^2)\cdots(1-x^m)}$$

は $n-N$ の高々 m 個の部分への分割数；そして

$$\frac{x^N}{(1-x^2)(1-x^4)\cdots(1-x^{2m})}$$

は $n-N$ の高々 m 個の偶数への分割数，あるいは $\frac{1}{2}(n-N)$ の高々 m 個の任意の部分への分割数を数え上げる．最後に

$$\frac{1}{(1-x)(1-x^4)(1-x^6)(1-x^9)\cdots},$$

ここで x の指数は $5m+1$ と $5m+4$ の数であるが，これは n をこれら二つの形の部分への分割を数え上げる．

Ramanujan の合同式

6.4 $p(n)$ の数論的な性質で知られているものは非常にわずかである；我々は，例えば，いつ $p(n)$ が偶数あるいは奇数になるか知らない．Ramanujan は何らかのそのような性質を発見した最初の，そしていまに至るも唯一の数学者である；そして彼の定理は，最初は観察によって発見されたのである．MacMahon は，後で私も言及する他の目的のために，最初の 200 の n の値

に対する $p(n)$ の表を計算しており，Ramanujan はその表が $p(n)$ のある種の単純な合同性を示していることを見て取った．特に数 $5m+4, 7m+5$ そして $11m+6$ の分割数はそれぞれ 5, 7 そして 11 で割り切れる；つまり

(6.4.1) $$p(5m+4) \equiv 0 \pmod{5},$$

(6.4.2) $$p(7m+5) \equiv 0 \pmod{7},$$

(6.4.3) $$p(11m+6) \equiv 0 \pmod{11}.$$

例えば $p(4) = 5$ および $p(5) = 7$.

6.5 Ramanujan は (6.4.1) と (6.4.2) の比較的単純な証明を発見した．それらは正しく楕円関数の理論に属する二つの公式に依存している，つまり Euler の公式 (6.2.1) と Jacobi の公式

(6.5.1) $$\{(1-x)(1-x^2)(1-x^3)\cdots\}^3 = 1 - 3x + 5x^3 - 7x^6 + \cdots,$$

ここで右辺の指数は三角数 $\frac{1}{2}k(k+1)$ である．我々は既に (6.2.1) は証明したが，(6.5.1) の同様に単純な証明はない．我々は (6.5.1) を

$$\{(1-x)(1-x^2)(1-x^3)\cdots\}^3 = \frac{1}{2}\sum_{-\infty}^{\infty}(-1)^k(2k+1)x^{\frac{1}{2}k(k+1)}$$

と書いてもよかろう．

さて Ramanujan は次のように議論する．(6.2.1) と (6.5.1) により

$$x\{(1-x)(1-x^2)\cdots\}^4 = x\{(1-x)(1-x^2)\cdots\} \cdot \{(1-x)(1-x^2)\cdots\}^3$$
$$= x(1 - x - x^2 + x^5 + \cdots)(1 - 3x + 5x^3 - 7x^6 + \cdots)$$

を得る．我々はこれを，μ と ν の両方を $-\infty$ から ∞ まで走らせて

(6.5.2)
$$x\{(1-x)(1-x^2)\cdots\}^4 = \frac{1}{2}\sum\sum(-1)^{\mu+\nu}(2\nu+1)x^{1+\frac{1}{2}\mu(3\mu+1)+\frac{1}{2}\nu(\nu+1)}$$

と書いて，どのような状況で x の指数が 5 で割り切れるかを考える．それには

$$2(\mu+1)^2 + (2\nu+1)^2 = 8\left\{1 + \frac{1}{2}\mu(3\mu+1) + \frac{1}{2}\nu(\nu+1)\right\} - 10\mu^2 - 5$$

がやはり 5 の倍数であることを要する．さて可能な場合を数え上げることにより分かるように

$$2(\mu+1)^2 \equiv 0,\, 2,\, \text{または } 3 \quad (\bmod\ 5)$$

および

$$(2\nu+1)^2 \equiv 0,\, 1,\, \text{または } 4 \quad (\bmod\ 5)$$

であり，それぞれの剰余の和が 0 または 5 となるのはおのおのが 0 のときに限る．よって，もし (6.5.2) における指数が 5 の倍数ならばその係数 $2\nu + 1$ も 5 の倍数であり，したがって

$$x\{(1-x)(1-x^2)\cdots\}^4$$

における x^{5m+5} の係数は 5 の倍数である．

次に

$$\frac{1}{(1-x)^5}$$

の二項展開において，すべての係数は 5 で割り切れる．ただし 1, x^5, x^{10}, $\ldots$ の係数は例外で，それらは剰余 1 (mod 5) を持つ．すなわち

$$\frac{1}{(1-x)^5} \equiv \frac{1}{1-x^5} \quad (\bmod\ 5)^2$$

あるいは

$$\frac{1-x^5}{(1-x)^5} \equiv 1 \quad (\bmod\ 5).$$

よって

$$x\frac{(1-x^5)(1-x^{10})\cdots}{(1-x)(1-x^2)\cdots} = x\{(1-x)(1-x^2)\cdots\}^4 \frac{(1-x^5)(1-x^{10})\cdots}{\{(1-x)(1-x^2)\cdots\}^5}$$

における x^{5m+5} の係数は 5 の倍数であり，したがって

---

[2] ［原註］対応する係数が合同 (mod 5) である．

$$\frac{x}{(1-x)(1-x^2)(1-x^3)\cdots}$$

でもそうであって，この係数が $p(5m+4)$ である．

(6.4.2) も同様に証明することができる．この場合

$$x^2\{(1-x)(1-x^2)\cdots\}^6 = x^2(1-3x+5x^3-7x^6+\cdots)^2$$
$$= \frac{1}{4}\sum\sum(-1)^{\mu+\nu}(2\mu+1)(2\nu+1)x^{2+\frac{1}{2}\mu(\mu+1)+\frac{1}{2}\nu(\nu+1)}$$

と書いて

$$(2\mu+1)^2 + (2\nu+1)^2 = 8\left\{2 + \frac{1}{2}\mu(\mu+1) + \frac{1}{2}\nu(\nu+1)\right\} - 14$$

は $2\mu+1$ と $2\nu+1$ の双方が 7 で割り切れるときに限って 7 で割り切れることを見て取る．しからば証明は以前のと同じ方針で完成するであろう．(6.4.3) の同様に単純な証明はないようである．

6.6 Ramanujan はずっと先まで行った．彼は 5^2, 7^2 および 11^2 を法とした合同を証明した．5^2 に対するそれは

$$p(25m+24) \equiv 0 \pmod{5^2}$$

であり，一つの予想を提出した：もし

$$\boldsymbol{\delta} = \boldsymbol{5^a 7^b 11^c}$$

かつ

$$\boldsymbol{24\lambda \equiv 1 \pmod{\delta}}$$

ならばすべての $\boldsymbol{m}$ に対して

$$\boldsymbol{p(m\delta + \lambda) \equiv 0 \pmod{\delta}}$$

である．特殊な法 5^a, 7^b および 11^c に対して証明すれば十分であり，一般の合同は系である．

この予想から相当量の研究がなされ，Ramanujan は一般化しすぎたということが判明した．Gupta は MacMahon の $p(n)$ の計算を $n=300$ まで延

長して,

$$p(243) = 133978259344888$$

であることを見いだした. 7^3 では割り切れない数である; S. Chowla は,

$$24 \cdot 243 \equiv 1 \pmod{7^3}$$

だから，これは Ramanujan の予想と矛盾することを見て取った．かたや Krečmar は合同

$$p(125m + 99) \equiv 0 \pmod{5^3}$$

を，Watson は一般の 5^a に対する合同を証明した；さらに D. H. Lehmer は，ある特殊な場合に，11^3 と 11^4 に対する予想を立証した．Lehmer の仕事はいくつかの特定の非常に大きな $p(n)$ の値を，講義 VIII で説明する方法によって計算することを必要とする：最大のものは

(6.6.1)
$$p(14031) = 92\ 85303\ 04759\ 09931\ 69434\ 85156\ 67127\ 75089$$
$$29160\ 56358\ 46500\ 54568\ 28164\ 58081\ 50403$$
$$46756\ 75123\ 95895\ 59113\ 47418\ 88383\ 22063$$
$$43272\ 91599\ 91345\ 00745$$

で，11^4 で割り切れる数である.

6.7 (6.4.1) の別の証明もあって，それは私が引用したものよりずっと難しいものであるが，ずっと多くのことをいっていて Ramanujan を楕円モジュラー関数の理論にずっと深く導いたものである．(6.4.1) と (6.4.2) を証明したのと同じ論文の中で，Ramanujan は証明なしに二つの注目すべき恒等式

(6.7.1)
$$p(4) + p(9)x + p(14)x^2 + \cdots = 5\frac{\{(1-x^5)(1-x^{10})(1-x^{15})\cdots\}^5}{\{(1-x)(1-x^2)(1-x^3)\cdots\}^6}$$

と

(6.7.2)
$$p(5) + p(12)x + p(17)x^2 + \cdots = 7\frac{\{(1-x^7)(1-x^{14})(1-x^{21})\cdots\}^3}{\{(1-x)(1-x^2)(1-x^3)\cdots\}^4}$$
$$+ 49x\frac{\{(1-x^7)(1-x^{14})(1-x^{21})\cdots\}^7}{\{(1-x)(1-x^2)(1-x^3)\cdots\}^8}$$

を言明した[3]．これらは (6.4.1) と (6.4.2) を直観的にし，5^2 と 7^2 を法とした合同の証明を提供する．例えば，(6.7.1) を仮定するならば，

$$\frac{p(4)x + p(9)x^2 + \cdots}{5\{(1-x^5)(1-x^{10})\cdots\}^4} = \frac{x}{(1-x)(1-x^2)\cdots}\frac{(1-x^5)(1-x^{10})\cdots}{\{(1-x)(1-x^2)\cdots\}^5}$$
$$\equiv \frac{x}{(1-x)(1-x^2)\cdots} \pmod{5}$$

を得る．よって（我々が既に証明していることから）左辺の x^{5m+5} の係数は 5 の倍数である；さらにこれから

$$p(25m + 24) \equiv 0 \pmod{5^2}$$

がしたがう．同様に (6.7.2) は

$$p(49m + 47) \equiv 0 \pmod{7^2}$$

を導く．

Ramanujan は (6.7.1) と (6.7.2) の完全な証明をついに公表しなかった；しかし Darling と Mordell により証明が発見されている．

Rogers–Ramanujan の等式

6.8 私は次に二つの公式，「Rogers–Ramanujan の公式」を取り上げる．そこでは Ramanujan はずっと有名でない数学者に先を越されてきたとはいえ，それは彼をもってしても，かつて書き下したいかなるものにも確かに匹敵するくらい注目すべき公式である．

Rogers–Ramanujan の等式とは

---

[3] ［訳註］$p(17)$ は $p(19)$ の間違い．

134　講義 VI　分割数に関する Ramanujan の業績

(6.8.1)
$$1 + \frac{x}{1-x} + \frac{x^4}{(1-x)(1-x^2)} + \cdots + \frac{x^{m^2}}{(1-x)(1-x^2)\cdots(1-x^m)} + \cdots$$
$$= \frac{1}{(1-x)(1-x^6)\cdots(1-x^4)(1-x^9)\cdots}$$

および

(6.8.2)
$$1 + \frac{x^2}{1-x} + \frac{x^6}{(1-x)(1-x^2)} + \cdots + \frac{x^{m(m+1)}}{(1-x)(1-x^2)\cdots(1-x^m)} + \cdots$$
$$= \frac{1}{(1-x^2)(1-x^7)\cdots(1-x^3)(1-x^8)\cdots}$$

である．それぞれの場合に右辺の分母の指数は公差 5 の二つの算術数列をなす．これがこの公式の驚くべきところである；左辺の「基本的な級数」は比較的馴染み深い型のものである．

　この公式にはとても奇妙な歴史がある．それらは最初 1894 年に Rogers により発見された．彼は才能豊かな数学者だが，どちらかといえば特に名声を得るでもなく，いまでは主として Ramanujan による彼の業績の再発見によって記憶されている．Rogers は立派な解析学者であり，その天賦の才は，より小さな規模ではあるが Ramanujan のものと似ていなくもないものであった；しかし誰も彼のなしたことには何も大した注意を払わず，彼がこの公式を証明したところの論文は全く見過ごされていた．

　Ramanujan は 1913 年以前のどこかでこの公式を再発見した．その当時には彼には証明がなく（証明がないということを知ってもいた），私が知らせた数学者は誰も証明を見つけることができなかった．それらはしたがって MacMahon の *Combinatory analysis* の第二巻では証明なしに述べられている．

　謎は 1917 年に三重に解決された．その年，Ramanujan は *Proceedings of the London Mathematical Society* の古い巻に目を通していて，たまたま Rogers の論文に行き当たった．私は彼の驚くさまと，彼が Rogers の仕事に対して示した感嘆のさまをはっきりと思い出すことができる．手紙のやり取りがそれに続き，その中で Rogers は彼のもともとの証明の相当な単純

化に達した．同じ頃，当時戦争により英国から切り離されていたが I. Schur もまたこの等式を再発見した．Schur は二つの証明を公表し，その内の一つは「組合せ論的」なもので，知られている他のいかなる証明とも類似しないものである．いまでは七つの証明が公表されていて，その内の四つは既に言及したものであり，二つは後に Rogers と Ramanujan により発見されたより一層単純な証明であり，『全集』に公表されている．さらに，ずっと後になって Watson による全く別の着想に基づく証明が一つある．それらの証明のいずれもが「単純」かつ「直線的な」証明と呼べるものではない，というのも最も単純なものは本質的には成り立つことを立証することであり，本当にやさしい証明を期待することなど無理であろうことに疑いはないからである．

6.9 MacMahon と Schur はこの定理が単純な組合せ論的な解釈を持つことを示した．最初のものをとる．平方 m^2 を

$$1 + 3 + 5 + \cdots + (2m-1),$$

あるいは (G_7) の黒丸により示されるように表すことができる．もし $n - m^2$ の高々 m 個の部分への任意の分割を，部分が減少する順序にとって，

$$(G_7)$$

(G_7) の白丸が示すようにグラフに追加すると，ここでは $m = 4$ で $n = 4^2 + 11 = 27$ であるが，我々は n の分割（ここでは

$$27 = 11 + 8 + 6 + 2）$$

136　講義 VI　分割数に関する Ramanujan の業績

で繰り返しや連続する[4]部分のない，あるいは**違いが最低でも 2 である部分**への分割を得る．このような n の分割で，特定の m に付随するものは

$$\frac{x^{m^2}}{(1-x)(1-x^2)\cdots(1-x^m)}$$

により数え上げられ，これは (6.8.1) の左辺の級数の一般項である；そして級数全体はそのような n の分割全体を数え上げている．

一方，右辺は数 $5m+1$ と $5m+4$ への分割を数え上げている．よって (6.8.1) は「組合せ論的」な定理としていい直すことができるだろう：**最小の違いが 2 である n の分割の個数は，部分 $5m+1$ と $5m+4$ への分割の個数に等しい**．したがって $n=9$ のときには，それぞれの型の分割が 5 個ある；

$$9,\ 8+1,\ 7+2,\ 6+3,\ 5+3+1$$

が第一の型のもので，

$$9,\ 6+1+1+1,\ 4+4+1,\ 4+1+1+1+1+1,$$
$$1+1+1+1+1+1+1+1+1$$

が第二の型のものである．(6.8.2) の同様な組合せ論的解釈がある．

この定理のこれらの形は MacMahon（あるいは Schur）によるものである；Rogers にしろ Ramanujan にしろ定理の組合せ論的な側面を考慮することはなかった．この二通りの分割の間に，「組合せ論的な」議論によって直接の対応を設定するような証明を追求することは自然なことであるが，そのような証明は知られていない．Schur の「組合せ論的な」証明は (6.8.1) 自身ではなく，すぐに言及するがその公式の変形に基づいている[5]．それは (6.2.1) の Franklin の証明に似ていなくもないが，相当程度より難しい．

6.10　最終的に Rogers と Ramanujan により与えられた証明はおおよそ同等のものだが，Rogers の形のほうが多少たどりやすい．

(6.8.1) の右辺を

---

[4]　[原註] 1 だけ異なる部分．
[5]　[原註] (6.10.1) の両辺に $(1-x)(1-x^2)\cdots$ を掛けたもの．

$$\frac{1}{\prod\{(1-x^{5m+1})(1-x^{5m+4})\}} = \frac{\prod\{(1-x^{5m})(1-x^{5m+2})(1-x^{5m+3})\}}{(1-x)(1-x^2)(1-x^3)\cdots}$$

と書くことができる；そして右辺の分子は，テータ関数の理論からの標準的な公式により，

$$1 - x^2 - x^3 + x^9 + x^{11} - \cdots$$

と変形される．ここで指数の数字は

$$\frac{1}{2}(5n^2 \pm n) \quad (n=0,1,2,\ldots).$$

我々はしたがって

(6.10.1)
$$1 + \frac{x}{1-x} + \frac{x^4}{(1-x)(1-x^2)} + \cdots = \frac{1 - x^2 - x^3 + x^9 + x^{11} - \cdots}{(1-x)(1-x^2)(1-x^3)\cdots}$$

を示さねばならない．同様に (6.8.2) は

(6.10.2)
$$1 + \frac{x^2}{1-x} + \frac{x^6}{(1-x)(1-x^2)} + \cdots = \frac{1 - x - x^4 + x^7 + x^{13} - \cdots}{(1-x)(1-x^2)(1-x^3)\cdots}$$

と同値となり，右辺の分子の指数の数字は $\frac{1}{2}(5n^2 \pm 3n)$ である．

6.11 我々は補助的な関数

(6.11.1)
$$G_k = G_k(a,x) = \sum_{n=0}^{\infty} (-1)^n a^{2n} x^{\frac{1}{2}n(5n+1)-kn}(1-a^k x^{2kn})C_n$$

を用いる，ここで k は $0, 1$ または 2 であり

$$C_0 = 1, \quad C_n = \frac{(1-a)(1-ax)\cdots(1-ax^{n-1})}{(1-x)(1-x^2)\cdots(1-x^n)}.$$

したがって

(6.11.2)
$$G_k = (1-a^k)C_0 - a^2 x^{3-k}(1-a^k x^{2k})C_1 + a^4 x^{11-2k}(1-a^k x^{4k})C_2 - \cdots.$$

138　講義 VI　分割数に関する Ramanujan の業績

$a \neq 0$ ならばすべての x に対して $G_0 = 0$ である. さらに

(6.11.3) $\qquad G_1(x,x) = 1 - x - x^4 + x^7 + x^{13} - \cdots$

および

(6.11.4) $\qquad G_2(x,x) = 1 - x^2 - x^3 + x^9 + x^{11} - \cdots$

は (6.10.2) と (6.10.1) に現れた級数である.

　作用素 η を

$$\eta f(a,x) = f(ax,x)$$

により定義するならば,

(6.11.5) $\qquad \eta C_n = \dfrac{(1-ax)\cdots(1-ax^n)}{(1-x)\cdots(1-x^n)} = \dfrac{1-ax^n}{1-a} C_n$

および

(6.11.6) $\qquad \eta C_{n-1} = \dfrac{(1-ax)\cdots(1-ax^{n-1})}{(1-x)\cdots(1-x^{n-1})} = \dfrac{1-x^n}{1-a} C_n.$

よって

(6.11.7) $\quad (1-x^n)C_n = (1-a)\eta C_{n-1}, \quad (1-ax^n)C_n = (1-a)\eta C_n,$

特に

$$\eta C_0 = C_0 = 1.$$

　k が 1 または 2 ならば, (6.11.7) より

$G_k - G_{k-1}$
$= \displaystyle\sum_{n=0}^{\infty} (-1)^n a^{2n} x^{\frac{1}{2}n(5n+1)-kn} \{1 - a^k x^{2kn} - x^k(1 - a^{k-1} x^{2(k-1)n})\} C_n$
$= a^{k-1}(1-a)$
$\qquad + \displaystyle\sum_{n=1}^{\infty} (-1)^n a^{2n} x^{\frac{1}{2}n(5n+1)-kn} \{(1-x^k) + a^{k-1} x^{(2k-1)n}(1-ax^n)\} C_n$

$$= a^{k-1}(1-a)\eta C_0$$
$$+ (1-a)\sum_{n=1}^{\infty}(-1)^n a^{2n} x^{\frac{1}{2}n(5n+1)-kn}\{\eta C_{n-1} + a^{k-1}x^{(2k-1)n}\eta C_n\}$$

である．この級数を $\eta C_0, \eta C_1, \ldots$ について整理すると，ηC_n の係数は

$$(-1)^n(1-a)\{a^{2n+k-1}x^{\frac{1}{2}n(5n+1)+(k-1)n} - a^{2n+2}x^{\frac{1}{2}(n+1)(5n+6)-k(n+1)}\}$$
$$= (-1)^n(1-a)a^{2n+k-1}x^{\frac{1}{2}n(5n+1)+(k-1)n}\{1 - a^{3-k}x^{(3-k)(2n+1)}\}.$$

よって

$$G_k - G_{k-1}$$
$$= (1-a)a^{k-1}\sum_{n=0}^{\infty}(-1)^n a^{2n} x^{\frac{1}{2}n(5n+1)+(k-1)n}\{1 - a^{3-k}x^{(3-k)(2n+1)}\}\eta C_n.$$

しかし

$$G_{3-k} = \sum_{n=0}^{\infty}(-1)^n a^{2n} x^{\frac{1}{2}n(5n+1)-(3-k)n}\{1 - a^{3-k}x^{(3-k)2n}\}C_n$$

であって

$$\eta G_{3-k} = \sum_{n=0}^{\infty}(-1)^n a^{2n} x^{\frac{1}{2}n(5n+1)+(k-1)n}\{1 - a^{3-k}x^{(3-k)(2n+1)}\}C_n;$$

したがって[6]

(6.11.8) $\qquad G_k - G_{k-1} = (1-a)a^{k-1}\eta G_{3-k} \quad (k=1,2).$

6.12 ここで

$$H_k = H_k(a,x) = \frac{G_k(a,x)}{(1-a)(1-ax)(1-ax^2)\cdots}$$

($H_0 = 0$ である) とおけば，(6.11.8) は

---

[6] ［訳注］C_n は ηC_n の間違い．

となる．特に

(6.12.1) $$H_1 = \eta H_2, \quad H_2 - H_1 = a\eta H_1$$

だから

(6.12.2) $$H_2 = \eta H_2 + a\eta^2 H_2.$$

さて

$$H_2 = 1 + c_1 a + c_2 a^2 + \cdots$$

と仮定せよ，ただし係数は x のみに依存する．(6.12.2) に代入して

$$1 + c_1 a + c_2 a^2 + \cdots = 1 + c_1 ax + c_2 a^2 x^2 + \cdots \\ + a(1 + c_1 a x^2 + c_2 a^2 x^4 + \cdots)$$

を得る．よって係数を等しいとおいて

$$c_1 = \frac{1}{1-x}, \quad c_2 = \frac{x^2}{1-x^2} c_1, \quad c_3 = \frac{x^4}{1-x^3} c_2, \ldots$$

だから

$$c_n = \frac{x^{n(n-1)}}{(1-x)(1-x^2)\cdots(1-x^n)};$$

よって

$$\frac{G_2(a,x)}{(1-a)(1-ax)\cdots} = H_2(a,x)$$
$$= 1 + \frac{a}{1-x} + \frac{a^2 x^2}{(1-x)(1-x^2)} + \frac{a^3 x^6}{(1-x)(1-x^2)(1-x^3)} + \cdots.$$

同様に

$$\frac{G_1(a,x)}{(1-a)(1-ax)\cdots} = H_1(a,x) = \eta H_2(a,x)$$
$$= 1 + \frac{ax}{1-x} + \frac{a^2 x^4}{(1-x)(1-x^2)} + \frac{a^3 x^9}{(1-x)(1-x^2)(1-x^3)} + \cdots.$$

最後に，これら二つの公式で $a = x$ とおき，(6.11.4) と (6.11.3) を用いれば，(6.10.1) と (6.10.2) を得る．

この証明は初等的であり，適度に単純なものである；しかし，それがややわざとらしいものであることは否定し得ない．それは「立証」である；我々は (6.11.1) が関数等式を満たすことを立証したが，その議論は我々がこの特定の級数を選択することについて何の説明も与えない．

6.13 Rogers による他の証明があって，それは若干より多くのことを仮定するが，明らかに一層明快である[7]．

$$x_n = 1 - x^n, \quad x_n! = x_1 x_2 \cdots x_n$$

と書くことにより公式を短くして

$$f(a) = \prod_1^\infty (1 + ax^n)$$

を a の冪に展開することから始める．この関数は

$$f(a) = (1 + ax) f(ax)$$

を満たす．$f(a)$ に対する a の冪級数を代入して係数が等しいとすれば，困難なく

$$f(a) = 1 + \frac{x}{x_1!} a + \frac{x^3}{x_2!} a^2 + \cdots + \frac{x^{\frac{1}{2}n(n+1)}}{x_n!} a^n + \cdots$$

を得る．

a を $ae^{i\theta}$ と $ae^{-i\theta}$ で置き換えて，生ずる級数を掛けると

---

[7] ［原註］§§10–12 の議論は，(6.10.1) の証明と見なせば，(6.8.1) と (6.10.1) を等しいとするのにテータ関数の若干の知識が要求されるとはいえ，何も仮定しない．ここの証明では，我々はテータ関数の理論から公式を援用する．

(6.13.1)
$$\Phi(x,\theta,a) = \prod_1^\infty (1 + 2ax^n \cos\theta + a^2 x^{2n})$$
$$= \left(1 + \frac{x}{x_1!}ae^{i\theta} + \frac{x^3}{x_2!}a^2 e^{2i\theta} + \cdots\right)\left(1 + \frac{x}{x_1!}ae^{-i\theta} + \frac{x^3}{x_2!}a^2 e^{-2i\theta} + \cdots\right)$$
$$= 1 + \sum_1^\infty \frac{B_n(\theta)}{x_n!} a^n$$

となる,ここで

(6.13.2)
$$\frac{B_{2n}(\theta)}{x_{2n}!} = \frac{x^{n(n+1)}}{x_n! x_n!}\left(1 + \frac{x_n}{x_{n+1}} 2x \cos 2\theta + \frac{x_n x_{n-1}}{x_{n+1} x_{n+2}} 2x^4 \cos 4\theta + \cdots \right.$$
$$\left. + \frac{x_n x_{n-1} \cdots x_1}{x_{n+1} x_{n+2} \cdots x_{2n}} 2x^{n^2} \cos 2n\theta\right),$$

(6.13.3)
$$\frac{B_{2n+1}(\theta)}{x_{2n+1}!} = \frac{x^{(n+1)^2}}{x_n! x_{n+1}!}\left(2\cos\theta + \frac{x_n}{x_{n+2}} 2x^2 \cos 3\theta + \frac{x_n x_{n-1}}{x_{n+2} x_{n+3}} 2x^6 \cos 5\theta + \cdots \right.$$
$$\left. + \frac{x_n x_{n-1} \cdots x_1}{x_{n+2} x_{n+3} \cdots x_{2n+1}} 2x^{n(n+1)} \cos(2n+1)\theta\right).$$

最後に, (6.13.1) で a を $x^{-\frac{1}{2}}$ で置き換えて, テータ関数の理論から標準的な公式, すなわち

$$\Phi(x,\theta,x^{-\frac{1}{2}}) = \prod(1 + 2x^{n-\frac{1}{2}}\cos\theta + x^{2n-1})$$
$$= \frac{1 + 2x^{\frac{1}{2}}\cos\theta + 2x^{\frac{4}{2}}\cos 2\theta + 2x^{\frac{9}{2}}\cos 3\theta + \cdots}{(1-x)(1-x^2)(1-x^3)\cdots}$$

を用いる.したがって

(6.13.4)
$$\frac{1 + 2x^{\frac{1}{2}}\cos\theta + 2x^{\frac{4}{2}}\cos 2\theta + 2x^{\frac{9}{2}}\cos 2\theta + \cdots}{(1-x)(1-x^2)(1-x^3)\cdots} = 1 + \sum_1^\infty \frac{B_n(\theta)}{x_n!} x^{-\frac{1}{2}n}$$

を得る[8].

6.14 (6.13.4) で，$B_n(\theta)$ をその明示的表示 (6.13.2) あるいは (6.13.3) で置き換えて右辺を三角級数として整え直すと，収束する二つの三角級数の間の等式を得る．そのような等式は恒等式に違いなく，二つの級数における $\cos n\theta$ の係数は同じである．したがって

$$1,\ 2\cos\theta,\ 2\cos 2\theta,\ 2\cos 3\theta,\ \ldots$$

を，それに対して級数が依然として収束する任意の数で置き換えてよいだろう．

$$1,\ 2\cos 2\theta,\ 2\cos 4\theta,\ \ldots,\ 2\cos 2n\theta,\ \ldots$$

を

$$1,\ -(1+x),\ x(1+x^2),\ \ldots,\ (-1)^n x^{\frac{1}{2}n(n-1)}(1+x^n),\ \ldots$$

で置き換え，すべての奇の余弦を 0 で置き換えれば，$B_{2n}(\theta)$ は

(6.14.1)
$$\beta_{2n} = \frac{x_{2n}!}{x_n! x_n!} x^{n(n+1)} \left\{ 1 - \frac{x_n}{x_{n+1}} x(1+x) + \frac{x_n x_{n-1}}{x_{n+1} x_{n+2}} x^5 (1+x^2) - \cdots \right.$$
$$\left. + (-1)^n \frac{x_n x_{n-1} \cdots x_1}{x_{n+1} x_{n+2} \cdots x_{2n}} x^{\frac{1}{2}n(3n-1)}(1+x^n) \right\}$$

となり

(6.14.2)
$$1 + \frac{\beta_2}{x_2!} x^{-1} + \frac{\beta_4}{x_4!} x^{-2} + \cdots = \frac{1 - x^2 - x^3 + x^9 + x^{11} - \cdots}{(1-x)(1-x^2)(1-x^3)\cdots}$$

を得る．ここで右辺は (6.10.1) におけるものと同じである．一方，

$$2\cos\theta,\ 2\cos 3\theta,\ \ldots,\ 2\cos(2n+1)\theta,\ \ldots$$

---

[8] [訳註] $2x^{\frac{9}{2}}\cos 2\theta$ は $2x^{\frac{9}{2}}\cos 3\theta$ の間違い．

144　講義 VI　分割数に関する Ramanujan の業績

を

$$(1-x),\ -(1-x^3),\ \ldots,\ (-1)^n x^{\frac{1}{2}n(n-1)}(1-x^{2n+1}),$$

で置き換え，偶の余弦を 0 で置き換えれば，$B_{2n+1}(\theta)$ は

$$(6.14.3)\quad \beta_{2n+1} = \frac{x_{2n+1}!}{x_n! x_{n+1}!} x^{(n+1)^2} \bigg\{ 1 - \frac{x_n}{x_{n+2}} x^2 (1-x^3)$$
$$+ \frac{x_n x_{n-1}}{x_{n+2} x_{n+3}} x^7 (1-x^5) - \cdots$$
$$+ (-1)^n \frac{x_n x_{n-1} \cdots x_1}{x_{n+2} x_{n+3} \cdots x_{2n+1}} x^{\frac{1}{2}n(3n+1)} (1-x^{2n+1}) \bigg\},$$

となる．$x^{-\frac{1}{2}}$ を掛けて

$$(6.14.4)\quad \frac{\beta_1}{x_1} x^{-1} + \frac{\beta_3}{x_3} x^{-2} + \cdots = \frac{1 - x - x^4 + x^7 + x^{13} - \cdots}{(1-x)(1-x^2)(1-x^3)\cdots}$$

を得る．ここで右辺は (6.10.2) におけるものと同じである．(6.14.2) と (6.14.4) の左辺が (6.10.1) と (6.10.2) におけるものと同じであることの証明が残っている．

6.15　β_n の値を初等的なやり方で求めることによりこれを実行できる．しかし，それを実行する前に §6.14 での代入が線形解析的な変換に対応していることを述べる．例えば $x = e^{-\delta}$ ならば

$$\int_{-\infty}^{\infty} e^{-2\theta^2/\delta} \cos\theta \cdot 2\cos 2n\theta \cdot d\theta$$
$$= \int_{-\infty}^{\infty} e^{-2\theta^2/\delta} \{\cos(2n-1)\theta + \cos(2n+1)\theta\} d\theta$$
$$= \sqrt{\left(\frac{1}{2}\pi\delta\right)} \{e^{-\frac{1}{8}(2n-1)^2 \delta} + e^{-\frac{1}{8}(2n+1)^2 \delta}\}$$
$$= \sqrt{\left(\frac{1}{2}\pi\delta\right)} x^{\frac{1}{8}} \cdot x^{\frac{1}{2}n(n-1)}(1+x^n).$$

よって §6.14 での第一の代入は (i) θ を $\theta + \frac{1}{2}\pi$ に変更し，(ii) 作用

$$\sqrt{\left(\frac{2}{\pi\delta}\right)}x^{-\frac{1}{8}}\int_{-\infty}^{\infty}e^{-2\theta^2/\delta}\cos\theta\cdots d\theta$$

を施した結果と対応している．同様に第二の代入は (i) θ を $\theta+\frac{1}{2}\pi$ に変更し，(ii) 作用

$$-\sqrt{\left(\frac{2}{\pi\delta}\right)}x^{-\frac{1}{8}}\int_{-\infty}^{\infty}e^{-2\theta^2/\delta}\sin 2\theta\cdots d\theta$$

を施した結果であることが確かめられるだろう．

6.16 さて

(6.16.1) $\quad \beta_{2n} = \dfrac{x_{2n}!}{x_n!x_n!}x^{n(n+1)}\gamma_{2n}, \quad \beta_{2n+1} = \dfrac{x_{2n+1}!}{x_n!x_{n+1}!}x^{(n+1)^2}\gamma_{2n+1}$

と書いて

(6.16.2) $\qquad\qquad\qquad \gamma_{2n} = x_n!, \quad \gamma_{2n+1} = x_{n+1}!$

ということを証明する．そうすれば

(6.16.3)
$\quad \beta_{2n} = x^{n(n+1)}x_{n+1}x_{n+2}\cdots x_{2n}, \quad \beta_{2n+1} = x^{(n+1)^2}x_{n+1}x_{n+2}\cdots x_{2n+1}$

を得て，(6.14.2) と (6.14.4) の左辺の級数が Rogers–Ramanujan の級数に帰着することが直ちに確かめられるだろう．

(6.16.2) を証明するには

(6.16.4) $\qquad\qquad\qquad \gamma_{2n+1} = x_{n+1}\gamma_{2n}, \quad \gamma_{2n+2} = \gamma_{2n+1}$

を証明すれば十分である．さて

講義 VI 分割数に関する Ramanujan の業績

$$\gamma_{2n} = 1 - \frac{x_n}{x_{n+1}}x(1+x) + \frac{x_n x_{n-1}}{x_{n+1}x_{n+2}}x^5(1+x^2)$$
$$- \frac{x_n x_{n-1}x_{n-2}}{x_{n+1}x_{n+2}x_{n+3}}x^{12}(1+x^3) + \cdots$$
$$= \left(1 - x\frac{x_n}{x_{n+1}}\right) - x^2\frac{x_n}{x_{n+1}}\left(1 - x^3\frac{x_{n-1}}{x_{n+2}}\right)$$
$$+ x^7 \frac{x_n x_{n-1}}{x_{n+1}x_{n+2}}\left(1 - x^5\frac{x_{n-2}}{x_{n+3}}\right) - \cdots$$
$$= \frac{1}{x_{n+1}}(1-x) - x^2\frac{x_n}{x_{n+1}x_{n+2}}(1-x^3)$$
$$+ x^7 \frac{x_n x_{n-1}}{x_{n+1}x_{n+2}x_{n+3}}(1-x^5) - \cdots$$
$$= \frac{\gamma_{2n+1}}{x_{n+1}},$$

であり

$$\gamma_{2n+1} = (1-x) - \frac{x_n}{x_{n+2}}x^2(1-x^3) + \frac{x_n x_{n-1}}{x_{n+2}x_{n+3}}x^7(1-x^5)$$
$$- \frac{x_n x_{n-1}x_{n-2}}{x_{n+2}x_{n+3}x_{n+4}}x^{15}(1-x^7) + \cdots$$
$$= 1 - x\left(1 + x\frac{x_n}{x_{n+2}}\right) + x^5\frac{x_n}{x_{n+2}}\left(1 + x^2\frac{x_{n-1}}{x_{n+3}}\right)$$
$$- x^{12}\frac{x_n x_{n-1}}{x_{n+2}x_{n+3}}\left(1 + x^3\frac{x_{n-2}}{x_{n+4}}\right) + \cdots$$
$$= 1 - \frac{x_{n+1}}{x_{n+2}}x(1+x) + \frac{x_{n+1}x_n}{x_{n+2}x_{n+3}}x^5(1+x^2)$$
$$- \frac{x_{n+1}x_n x_{n-1}}{x_{n+2}x_{n+3}x_{n+4}}x^{12}(1+x^3) + \cdots$$
$$= \gamma_{2n+2}.$$

これらが求める関係式である．

等式 (6.16.2) は

(6.16.5) $$1 - \frac{1-x^n}{1-x^{n+1}}x(1+x) + \frac{(1-x^n)(1-x^{n-1})}{(1-x^{n+1})(1-x^{n+2})}x^5(1+x^2) - \cdots$$
$$= (1-x)(1-x^2)\cdots(1-x^n)$$

および

(6.16.6)
$$(1-x) - \frac{1-x^n}{1-x^{n+2}}x^2(1-x^3) + \frac{(1-x^n)(1-x^{n-1})}{(1-x^{n+2})(1-x^{n+3})}x^7(1-x^5) - \cdots$$
$$= (1-x)(1-x^2)\cdots(1-x^{n+1})$$

である．これらのそれぞれは $n \to \infty$ のとき Euler の恒等式
$$1 - x - x^2 + x^5 + x^7 - \cdots = (1-x)(1-x^2)(1-x^3)\cdots$$
に帰着する；こうしてこの節での議論はこの恒等式のとりわけ単純な証明を与える．我々は後に[9]公式 (6.16.5) と (6.16.6) とに別の具合に導かれることになろう．

6.17 (6.12.2) から従うように，あるいは直接に確かめられるだろうが，
$$F(a) = H_1(a, x) = 1 + \frac{ax}{1-x} + \frac{a^2 x^4}{(1-x)(1-x^2)} + \cdots$$
は関数等式
$$F(a) = F(ax) + axF(ax^2)$$
を満たす．これから
$$\frac{F(a)}{F(ax)} = 1 + ax\frac{F(ax^2)}{F(ax)} = 1 + \frac{ax}{1 + ax^2\frac{F(ax^3)}{F(ax^2)}} = 1 + \frac{ax}{1+}\frac{ax^2}{1+}\frac{ax^3}{1+\cdots}$$
が従う．特に
$$1 + \frac{x}{1+}\frac{x^2}{1+}\frac{x^3}{1+\cdots} = \frac{F(1)}{F(x)}$$
$$= \frac{(1-x^2)(1-x^7)\cdots(1-x^3)(1-x^8)\cdots}{(1-x)(1-x^6)\cdots(1-x^4)(1-x^9)\cdots}$$
$$= \frac{1 - x^2 - x^3 + x^9 + x^{11} - \cdots}{1 - x - x^4 + x^7 + x^{13} - \cdots}$$

---

[9] ［原註］講義 VII の §7.8 を見よ．

は楕円テータ関数の比であり，x の特定の特殊値に対しては値が求められるであろう．この公式は，私の最初の講義で引用した x の特殊値に対する連分数の値の Ramanujan による計算の鍵となるものである．

講義 VI に関する注釈

この講義は Hardy and Wright，第 19 章の内容のかなりの部分を含んでおり，相当量の繰り返しがあることは避け難い；しかしここでの記述は比較してより体系的でない．§§6.13–16 に対応するものは Hardy and Wright にはない．

§6.2. Hardy and Wright §19.11 か，あるいは MacMahon *Combinatory analysis*, ii, 21–23 を見よ．Franklin の証明は最初に *Comptes rendus*, 92 (1881), 448–450 に発表された．

Hardy and Wright と MacMahon は共に「図形的な」証明の他の例を与えている．

§6.3. $F(x)$ が $p(n)$ を数え上げることのより厳密な証明については，Hardy and Wright, §19.3 を見よ．

§§6.4–5. Hardy and Wright, §19.12 と比較せよ，しかしそこでは (6.4.2) の証明はない．(6.4.1) と (6.4.2) の別の証明と (6.4.3) の証明が『全集』の no. 30 にある．Darling (**3**) は (6.4.2) と (6.4.1) のさらなる証明を与えた．

MacMahon の論文 **2** に $p(n)$ の偶奇についての興味深い注意書きがある．MacMahon は一般的な定理は何も証明していないが，(mod 2) の漸化合同式を与えて，それによってかなり大きな n について非常に早く $p(n)$ の偶奇を計算することが可能である．例えば彼は「5 分程度の作業で」$p(1000)$ が奇数であることを証明している．

(6.5.1) の標準的な証明の一つは Hardy and Wright, §19.9 に再録されている．

§§6.6–7. 法 5^2, 7^2 および 11^2 に関する合同の Ramanujan による証明は，いまでは Watson 教授が所有している未発表の論文原稿に含まれている．Darling (**2**) は (6.7.1) の証明を与え，Mordell (**1**) は (6.7.1) と (6.7.2) の両方のずっと短い証明を与えた．

Chowla, Gupta, Krečmar, Lehmer および Watson の仕事に関連する参考文献は S. Chowla (**1**); Gupta (**1, 2, 3**); Krečmar (**1**); D. H. Lehmer (**1, 3**) および Watson (**24**) である．

§6.8. Rogers (**1**)：この恒等式は §5 の公式 (1) と (2) である．Rogers は「Hölder の不等式」も先んじて述べているが（そして Hölder により引用されているが），標準的な形では書かれておらず，その基本的な重要性を認識してもいない．Hardy, Littlewood および Pólya の *Inequalities*, 25 および 311 を見よ．

Rogers の二つの後の証明は彼の論文 **2** と **4** にある：後者は §§6.10–6.12 で与えられた証明を含み，前者は §§6.13–6.16 で与えられたものを含む．

　Ramanujan 自身の証明については『全集』の no. 26 を見よ．Schur の二つの証明は *Berliner Sitzungsberichte* (1917), 301–321 にあり，Watson のものは Watson (**3**) にある．

　Ramanujan は私への手紙の中では明示的にその公式を述べてはいなかったように見えるが，彼の最初の手紙の公式 IX, (4)–(7) はそれらに依拠している．講義 I の公式 (1.10)–(1.12)，『全集』xxvii，および Watson (**4**) を見よ．Ramanujan は *Journal Indian Math. Soc.* 6 (1914), 199 でその公式を問題として提示した；『全集』330 を見よ．

　§6.9. Hardy and Wright, §19.13 と MacMahon, *Combinatory analysis*, ii, 33–36 を見よ．

　§§6.10–6.12. Hardy and Wright, §19.14 を見よ．証明の冒頭で必要なテータ関数公式は §§19.8–19.9 で証明されている（定理 355 および 356）．

　§6.13. $f(a)$ を a の冪に展開することは Euler に遡る．テータ関数公式は Hardy and Wright, §19.8 あるいは楕円関数に関する標準的な専門書ならどれにでも証明されている．

　§6.17. 講義 I の公式 (1.10)–(1.12) を見よ．証明は Watson (**4**) により与えられた．

講義 VII 超幾何級数

7.1 超幾何級数に関する Ramanujan の仕事は，彼の死後，私が分析して編集した彼のノートの二つの章に収められている．それ以来，この分析はロンドン数学会の出版物に Bailey, Watson, Whipple その他による，ちょっとした論文の洪水を引き起こしてきた．Bailey の論文にそれらの研究全般に関する優れた報告がある．

そのノートの第 10 章を占める問題は級数

$$
(7.1.1) \quad F\begin{pmatrix} \alpha_1, \alpha_2, \alpha_3 \\ \beta_1, \beta_2 \end{pmatrix} = 1 + \frac{\alpha_1 \alpha_2 \alpha_3}{1 \cdot \beta_1 \beta_2} + \frac{\alpha_1(\alpha_1+1)\alpha_2(\alpha_2+1)\alpha_3(\alpha_3+1)}{1 \cdot 2 \cdot \beta_1(\beta_1+1)\beta_2(\beta_2+1)} + \cdots
$$

の和に関するもので，その章はこの級数について 1922 年以前に知られていた実質的にすべてのことを含んでいる．$\beta_2 = \alpha_3$ ならば，この級数は通常の超幾何級数に帰着し，その和は Gauss の公式

$$
\begin{aligned}
(7.1.2) \quad F\begin{pmatrix} \alpha_1, \alpha_2 \\ \beta_1 \end{pmatrix} &= 1 + \frac{\alpha_1 \alpha_2}{1 \cdot \beta_1} + \frac{\alpha_1(\alpha_1+1)\alpha_2(\alpha_2+1)}{1 \cdot 2 \cdot \beta_1(\beta_1+1)} + \cdots \\
&= \frac{\Gamma(\beta_1)\Gamma(\beta_1 - \alpha_1 - \alpha_2)}{\Gamma(\beta_1 - \alpha_1)\Gamma(\beta_1 - \alpha_2)}
\end{aligned}
$$

により与えられる[1]．

高次の超幾何級数を用いる必要があるだろうから，標準的な記号の説明か

---

[1] ［原註］ここでも，他のところでも収束の問題は無視する．読者は，私が引用しあるいは証明するいかなる公式であれ，それが正当であるための条件を与えることができるであろう．

ら始めねばならない．

$$a^{(n)} = a(a+1)\cdots(a+n-1), \quad a_{(n)} = a(a-1)\cdots(a-n+1)$$

および

$$_pF_q\begin{pmatrix}\alpha_1,\alpha_2,\cdots,\alpha_p\\ \beta_1,\beta_2,\cdots,\beta_q\end{pmatrix};x\end{pmatrix} = \sum_{n=0}^{\infty}\frac{\alpha_1^{(n)}\alpha_2^{(n)}\cdots\alpha_p^{(n)}}{n!\beta_1^{(n)}\beta_2^{(n)}\cdots\beta_q^{(n)}}x^n$$

と書く．この級数は一般に $p \leq q$ ならばすべての x に対して，$p = q+1$ のときには $|x| < 1$ に対して収束する．$p > q+1$ のときには，α の一つが 0 か負の整数でなければすべての x に対して発散する．通常 $x = 1$ のときには変数の 1 は省略する．したがって

$$F\begin{pmatrix}\alpha_1,\alpha_2,\alpha_3\\ \beta_1,\beta_2\end{pmatrix} = {}_3F_2\begin{pmatrix}\alpha_1,\alpha_2,\alpha_3\\ \beta_1,\beta_2\end{pmatrix} = {}_3F_2\begin{pmatrix}\alpha_1,\alpha_2,\alpha_3\\ \beta_1,\beta_2\end{pmatrix};1\end{pmatrix}.$$

7.2 この章の鍵となる公式は

(7.2.1)
$$\sum_{n=0}^{\infty}(-1)^n(s+2n)\frac{s^{(n)}(x+y+z+u+2s+1)^{(n)}}{n!(x+y+z+u+s)_{(n)}}\prod_{x,y,z,u}\frac{x_{(n)}}{(x+s+1)^{(n)}}$$
$$= \frac{s}{\Gamma(s+1)\Gamma(x+y+z+u+s+1)}\prod_{x,y,z,u}\frac{\Gamma(x+s+1)\Gamma(y+z+u+s+1)}{\Gamma(z+u+s+1)}$$

である[2]．ここで五つの変数

(7.2.2) $\qquad x,\ y,\ z,\ u,\ -x-y-z-u-2s-1$

の一つは正の整数である．この条件（これが本質的である）が満たされるならば，この級数は途中で停止し，この公式は代数的な恒等式である．実際，この章全体は本質的には初等的な形式的代数の一章なのである；我々は，根本的には多項式の間の恒等式に関心がある：それらから我々は無限級数の間の恒等式を導き出すが，必要とされる極限への移行は，それらのいくつかに

---

[2] ［訳註］17 ページの訳注参照．

は重要な点があるとはいえ，解析が得意な人には深刻な困難をもたらすものではない．

Ramanujan はその公式をおおよそ 1910 年か 1911 年には発見していたようであるが，彼は Dougall に先を越されていた．公式は手強いように見えるが，Dougall の証明は非常に単純である．私は Ramanujan も同様に[3]議論したと想像するが，ノートにはそれを示すものは何もない．

$$a_{(n)} = (-1)^n (-a)^{(n)}$$

および

$$\frac{(1+\frac{1}{2}s)^{(n)}}{(\frac{1}{2}s)^{(n)}} = \frac{s+2n}{s}$$

に注意するならば，(7.2.1) を

(7.2.3)
$$_7F_6\left(\begin{array}{c} s, 1+\frac{1}{2}s, -x, -y, -z, -u, x+y+z+u+2s+1 \\ \frac{1}{2}s, x+s+1, y+s+1, z+s+1, u+s+1, -x-y-z-u-s \end{array}; 1\right)$$
$$= \frac{1}{\Gamma(s+1)\Gamma(x+y+z+u+s+1)} \prod_{x,y,z,u} \frac{\Gamma(x+s+1)\Gamma(y+z+u+s+1)}{\Gamma(z+u+s+1)}$$

の形に書くことができる．$x+y+z+u+2s+1$ を $-v$ と書いて

(7.2.4) $$x+y+z+u+v = -2s-1$$

とするならば，その公式は

(7.2.5)
$$_7F_6\left(\begin{array}{c} s, 1+\frac{1}{2}s, -x, -y, -z, -u, -v \\ \frac{1}{2}s, x+s+1, y+s+1, z+s+1, u+s+1, v+s+1 \end{array}; 1\right)$$
$$= \frac{1}{\Gamma(s+1)\Gamma(x+y+z+u+s+1)} \prod_{x,y,z,u} \frac{\Gamma(x+s+1)\Gamma(y+z+u+s+1)}{\Gamma(z+u+s+1)}$$

---

[3] ［原註］特別な場合に関するものだが，適切に組み合わせれば厳密な証明になるような立証により．

となる．ここで左辺は明らかに x, y, z, u, v に関して対称的である．右辺は四つの変数 x, y, z, u に関して対称的であり，五つの変数は対称的な関係 (7.2.4) により結びつけられているのだから，それは五つの変数について対称的である．

その変数の一つは正の整数である．例えば，もし
$$x = m$$
ならば級数は途中で停止し，右辺は

(7.2.6)
$$\frac{(s+1)^{(m)}(z+u+s+1)^{(m)}(u+y+s+1)^{(m)}(y+z+s+1)^{(m)}}{(y+s+1)^{(m)}(z+s+1)^{(m)}(u+s+1)^{(m)}(y+z+u+s+1)^{(m)}}$$

となる．そして両辺に
$$(y+s+1)^{(m)}(y+z+u+s+1)^{(m)}$$
を掛けるならば，その公式は，それぞれ $2m$ 次の y の多項式が同じものであることを主張する．

その公式が
$$x = 0, 1, 2, \ldots, m-1$$
に対して正しいことを仮定して，$x = m$ に対してそれを証明する．最後の注意により，y の $2m+1$ 個の異なった値に対してそれが正しいことを証明すれば十分である．

さて帰納法の仮定と x と y の対称性から，その公式は
$$y = 0, 1, 2, \ldots, m-1$$
に対して正しく，帰納法の仮定と x と v の対称性から
$$v = 0, 1, 2, \ldots, m-1,$$
すなわち，

$$y = -2s-z-u-m-1,\ -2s-z-u-m-2,\ \ldots,\ -2s-z-u-2m$$

に対して正しい．よってそれは y の一般には異なる $2m$ 個の値に対して正しく，もう一個の値で正しいことを検証すれば十分である．その値として

$$y = -s - m$$

をとる．y のこの値は級数 (7.2.5) の最後の項のみの極である；よってこの項の留数が積 (7.2.6) の留数に等しいことを証明すれば十分である．それぞれの留数が

$$(-1)^{m-1}\frac{(s+1)^{(m)}}{(m-1)!}\frac{(s+z+u+1)^{(m)}(z-m+1)^{(m)}(u-m+1)^{(m)}}{(s+z+1)^{(m)}(s+u+1)^{(m)}(z+u-m+1)^{(m)}}$$

であることは容易に検証されて，これにより証明が完成する[4]．

7.3 一群の際立った特別な事例がある．x, y あるいは z が正の整数であると仮定すると，s で割ってから，s を $t-u$ と書き，しかる後に $u \to \infty$ とすると

(7.3.1) $\quad F\begin{pmatrix} -x, -y, -z \\ t+1, -x-y-z-t \end{pmatrix}$

$$= \frac{\Gamma(t+1)\Gamma(y+z+t+1)\Gamma(z+x+t+1)\Gamma(x+y+t+1)}{\Gamma(x+t+1)\Gamma(y+t+1)\Gamma(z+t+1)\Gamma(x+y+z+t+1)}$$

を得るが，これは (7.1.1) の

$$\alpha_1 + \alpha_2 + \alpha_3 = \beta_1 + \beta_2 - 1$$

かつ，一つの α が負の整数のときの値である．この結果は Saalschütz により 1890 年に発見された．

一方，u が正の整数と仮定して，s で割ってから，$z = -\frac{1}{2}s$ とおき，しかる後に $u \to \infty$ とすると

---

[4] ［原註］§7.7 でもう少し詳細を述べる．そこで私は，(7.2.3) を特別の場合として含む，より一般的な公式を証明する．

(7.3.2) $\quad F\begin{pmatrix} -x, -y, s \\ x+s+1, y+s+1 \end{pmatrix}$

$$= \frac{\Gamma(\frac{1}{2}s+1)\Gamma(x+s+1)\Gamma(y+s+1)\Gamma(x+y+\frac{1}{2}s+1)}{\Gamma(s+1)\Gamma(x+\frac{1}{2}s+1)\Gamma(y+\frac{1}{2}s+1)\Gamma(x+y+s+1)}$$

を得る．この公式は A. C. Dixon によるものだが，(7.1.1) の

$$\alpha_1 + \beta_1 = \alpha_2 + \beta_2 = \alpha_3 + 1$$

のときの値である．それは $(1-x)^{-m}$ の二項級数の係数の立方の和に関する F. Morley の公式

$$1 + \left(\frac{m}{1}\right)^3 + \left(\frac{m(m+1)}{1\cdot 2}\right)^3 + \cdots = \frac{\Gamma(1-\frac{3}{2}m)}{\{\Gamma(1-\frac{1}{2}m)\}^3}\cos\frac{1}{2}m\pi$$

を含む．

公式 (7.3.1) と (7.3.2) は，級数 (7.1.1) の理論で最も重要な三点のうちの二つである．三つ目は

(7.3.3) $\quad \dfrac{\Gamma(x+y+s+1)}{\Gamma(x+s+1)\Gamma(y+s+1)} F\begin{pmatrix} -a, -b, x+y+s+1 \\ x+s+1, y+s+1 \end{pmatrix}$

$$= \frac{\Gamma(a+b+s+1)}{\Gamma(a+s+1)\Gamma(b+s+1)} F\begin{pmatrix} -x, -y, a+b+s+1 \\ a+s+1, b+s+1 \end{pmatrix}$$

である．この Thomae による公式もまた Ramanujan によって再発見された．それは，ここでの私の主な題目である Dougall–Ramanujan の恒等式からの帰結ではないが，Ramanujan の証明を述べておく[5]．Gauss の公式により

---

[5] ［原註］これは Ramanujan がノートに明示的な証明を与えている稀な事例の一つである．その証明は本質的には Thomae のものと同じものである．

$$\frac{\Gamma(x+y+s+n+1)}{\Gamma(x+s+n+1)\Gamma(y+s+n+1)} = \frac{1}{\Gamma(s+n+1)} F\begin{pmatrix} -x, -y \\ s+n+1 \end{pmatrix}$$

$$= \frac{1}{\Gamma(-x)\Gamma(-y)} \sum_{m=0}^{\infty} \frac{\Gamma(-x+m)\Gamma(-y+m)}{m!\Gamma(s+m+n+1)}.$$

よって

$$\frac{\Gamma(x+y+s+1)}{\Gamma(x+s+1)\Gamma(y+s+1)} F\begin{pmatrix} -a, -b, x+y+s+1 \\ x+s+1, y+s+1 \end{pmatrix}$$

$$= \frac{1}{\Gamma(-a)\Gamma(-b)} \sum_{n=0}^{\infty} \frac{\Gamma(-a+n)\Gamma(-b+n)\Gamma(x+y+s+n+1)}{n!\Gamma(x+s+n+1)\Gamma(y+s+n+1)}$$

$$= \frac{1}{\Gamma(-a)\Gamma(-b)\Gamma(-x)\Gamma(-y)}$$

$$\times \sum_{m,n=0}^{\infty} \frac{\Gamma(-x+m)\Gamma(-y+m)\Gamma(-a+n)\Gamma(-b+n)}{m!n!\Gamma(s+m+n+1)}$$

となり，対称性により結論が従う．

7.4 Dougall–Ramanujan の恒等式に戻る．ノートには多数の優美な和が記されていて，すべてではないが，そのほとんどは (7.2.1) から導くことができる[6]．ここで多くを引用することはできないが，私の最初の講義にある (1.2), (1.3) および (1.4) については少し述べたい．

(7.2.1) で，u を正の整数と仮定して $u \to \infty$ とするならば，我々は

$$(7.4.1) \quad \sum_{n=0}^{\infty} (-1)^n (s+2n) \frac{s^{(n)}}{n!} \prod_{x,y,z} \frac{x_{(n)}}{(x+s+1)^{(n)}}$$

$$= \frac{s\Gamma(x+y+z+s+1)}{\Gamma(s+1)} \prod_{x,y,z} \frac{\Gamma(x+s+1)}{\Gamma(y+z+s+1)}$$

を得る．特殊な場合

---

[6] ［原註］私の論文 **8**，および Bailey の論文の 96 ページに多数の例がある．

$$x = y = -s, \quad z = \infty,$$

および

$$x = y = z = -s$$

が与えるのは，$s = \frac{1}{2}$ に対しては (1.2) に帰着するところの

$$(7.4.2) \quad s - (s+2)\left(\frac{s}{1}\right)^3 + (s+4)\left(\frac{s(s+1)}{1 \cdot 2}\right)^3 - \cdots = \frac{\sin s\pi}{\pi},$$

および $s = \frac{1}{4}$ に対しては (1.3) に帰着するところの

(7.4.3)
$$s + (s+2)\left(\frac{s}{1}\right)^4 + (s+4)\left(\frac{s(s+1)}{1 \cdot 2}\right)^4 + \cdots = \frac{\sin^2 s\pi}{2\pi^2 \cos s\pi} \frac{\{\Gamma(s)\}^2}{\Gamma(2s)}$$

である．

公式 (1.4) はもっと難しくて，それを (7.2.1) から導くことはできない．証明は私自身と Whipple によって与えられたが，第一のものは Legendre 多項式の理論に依拠しており，第二のものは Whipple 自身による (7.2.1) の一つの一般化に依拠している．それぞれの証明は Ramanujan の級数が

$$\frac{2}{\pi}\left\{1 + \left(\frac{1}{2}\right)^3 + \left(\frac{1 \cdot 3}{2 \cdot 4}\right)^3 + \cdots\right\}$$

に等しいことを示し，この級数の和を (7.3.2) を用いて求める．Ramanujan の証明を知ることができれば非常に興味深いのだが．

他の面白い和は

$$(7.4.4) \quad 1 - \left(\frac{1}{2}\right)^3 + \left(\frac{1 \cdot 3}{2 \cdot 4}\right)^3 - \cdots = \left\{\frac{\Gamma(\frac{9}{8})}{\Gamma(\frac{5}{4})\Gamma(\frac{7}{8})}\right\}^2$$

である．これもまた (7.2.1) から導かれるものではないが，恐らく，それぞれ Clausen と Kummer による二つの公式

$$(7.4.5) \quad \left\{ {}_2F_1\begin{pmatrix} \alpha, \beta \\ \alpha+\beta+\frac{1}{2} \end{pmatrix};x \right\}^2 = {}_3F_2\begin{pmatrix} 2\alpha, \alpha+\beta, 2\beta \\ \alpha+\beta+\frac{1}{2}, 2\alpha+2\beta \end{pmatrix};x$$

および

$$(7.4.6) \quad {}_2F_1\begin{pmatrix} \alpha, \beta \\ 1+\alpha-\beta \end{pmatrix};-1 = \frac{\Gamma(1+\alpha-\beta)\Gamma(1+\frac{1}{2}\alpha)}{\Gamma(1+\alpha)\Gamma(1+\frac{1}{2}\alpha-\beta)}$$

の結果として生じたものであろう．これらの公式はどちらもノートにある．
(7.4.5) と (7.4.6) で

$$\alpha = \beta = \frac{1}{4}$$

とおき，(7.4.5) で $x = -1$ とおくならば

$$1 - \left(\frac{1}{2}\right)^3 + \left(\frac{1\cdot 3}{2\cdot 4}\right)^3 - \cdots = {}_3F_2\begin{pmatrix} \frac{1}{2}, \frac{1}{2}, \frac{1}{2} \\ 1, 1 \end{pmatrix};-1$$

$$= \left\{ {}_2F_1\begin{pmatrix} \frac{1}{4}, \frac{1}{4} \\ 1 \end{pmatrix};-1 \right\}^2 = \left\{ \frac{\Gamma(\frac{9}{8})}{\Gamma(\frac{5}{4})\Gamma(\frac{7}{8})} \right\}^2$$

を得る．

7.5 他の興味深い公式で相当の注目を集めたものとして

$$(7.5.1) \quad \frac{1}{n} + \left(\frac{1}{2}\right)^2 \frac{1}{n+1} + \left(\frac{1\cdot 3}{2\cdot 4}\right)^2 \frac{1}{n+2} + \cdots$$
$$= \left\{ \frac{\Gamma(n)}{\Gamma(n+\frac{1}{2})} \right\}^2 \left\{ 1 + \left(\frac{1}{2}\right)^2 + \left(\frac{1\cdot 3}{2\cdot 4}\right)^2 + \cdots n \text{ 項まで} \right\}$$

がある．この公式を Bailey により発見されたより一般的な公式の特別な場合として証明する，すなわち

(7.5.2)
$$\left\{\frac{\Gamma(m+\frac{1}{2})}{\Gamma(m)}\right\}^2 \left\{\frac{1}{m} + \left(\frac{1}{2}\right)^2 \frac{1}{m+1} + \left(\frac{1\cdot 3}{2\cdot 4}\right)^2 \frac{1}{m+2} + \cdots n \text{ 項まで}\right\}$$
$$= \left\{\frac{\Gamma(n+\frac{1}{2})}{\Gamma(n)}\right\}^2 \left\{\frac{1}{n} + \left(\frac{1}{2}\right)^2 \frac{1}{n+1} + \left(\frac{1\cdot 3}{2\cdot 4}\right)^2 \frac{1}{n+2} + \cdots m \text{ 項まで}\right\}$$

である.

これを $_4F_3$ の型の途中で停止する二つの級数の間の等式として書くことができる. というのは

$$\frac{1}{m} + \left(\frac{1}{2}\right)^2 \frac{1}{m+1} + \left(\frac{1\cdot 3}{2\cdot 4}\right)^2 \frac{1}{m+2} + \cdots n \text{ 項まで}$$
$$= \left\{\frac{1\cdot 3\cdots(2n-3)}{2\cdot 4\cdots(2n-2)}\right\}^2 \frac{1}{m+n-1}\left\{1 + \frac{(2n-2)^2(m+n-1)}{(2n-3)^2(m+n-2)}\right.$$
$$\left. + \frac{(2n-2)^2(2n-4)^2(m+n-1)(m+n-2)}{(2n-3)^2(2n-5)^2(m+n-2)(m+n-3)} + \cdots\right\}$$
$$= \frac{1}{(m+n-1)\pi}\left\{\frac{\Gamma(n-\frac{1}{2})}{\Gamma(n)}\right\}^2 F\left(\begin{array}{c}1,-n+1,-n+1,-m-n+1\\-n+\frac{3}{2},-n+\frac{3}{2},-m-n+2\end{array}\right)$$

である[7]. よって (7.5.2) は

(7.5.3) $\quad \left(m-\frac{1}{2}\right)^2 F\left(\begin{array}{c}1,-n+1,-n+1,-m-n+1\\-n+\frac{3}{2},-n+\frac{3}{2},-m-n+2\end{array}\right)$
$$= \left(n-\frac{1}{2}\right)^2 F\left(\begin{array}{c}1,-m+1,-m+1,-m-n+1\\-m+\frac{3}{2},-m+\frac{3}{2},-m-n+2\end{array}\right)$$

に帰着する. さて

$$_2F_1\left(\begin{array}{c}a,b\\c\end{array};x\right) = (1-x)^{c-a-b}\,_2F_1\left(\begin{array}{c}c-a,c-b\\c\end{array};x\right)$$

だから

---

[7] [原註] §7.1 の記号を用いて.

$$
{}_2F_1\begin{pmatrix} -n+1, -n+1 \\ -m-n+2 \end{pmatrix} {}_2F_1\begin{pmatrix} -m+\frac{1}{2}, -m+\frac{1}{2} \\ -m-n+1 \end{pmatrix}
$$

$$
= {}_2F_1\begin{pmatrix} -m+1, -m+1 \\ -m-n+2 \end{pmatrix} {}_2F_1\begin{pmatrix} -n+\frac{1}{2}, -n+\frac{1}{2} \\ -m-n+1 \end{pmatrix}.
$$

この等式の両辺の x^{m+n-1} の係数を等しいとおけば，(7.5.3) を得ることが分かる．

7.6 ここまでのほとんどの公式，特に (7.2.1) は「基本的な」級数に一般化することができる．(7.2.1) の一般化を証明するが，それは，それ自体が面白いし Rogers–Ramanujan の等式との興味深い関連性を持つからである．

超幾何級数の「基本的な」一般化は最初に Heine により組織的に研究された．超幾何級数

(7.6.1) $$1 + \frac{\alpha\beta}{1\cdot\gamma} + \frac{\alpha(\alpha+1)\beta(\beta+1)}{1\cdot 2\cdot\gamma(\gamma+1)} + \cdots$$

で，$0 < q < 1$ に対して

$$\frac{1-q^{\lambda+n}}{1-q^{\mu+n}}$$

を

$$\frac{\lambda+n}{\mu+n}$$

($q \to 1$ としたときの極限) の代わりに書くとして，q^λ および q^μ の代わりに l, m と書く；さらに因子 q^n を級数の n 番目の項に導入する．したがって級数

(7.6.2) $$1 + \frac{(1-a)(1-b)}{(1-q)(1-c)}q + \frac{(1-a)(1-aq)(1-b)(1-bq)}{(1-q)(1-q^2)(1-c)(1-cq)}q^2 + \cdots$$

が得られ，それは $q \to 1$ のとき (7.6.1) に帰着する．これが (7.6.1) に対応する「基本的級数」である．

より一般的に

$$(a)_q^n = (1-a)(1-aq)\cdots(1-aq^{n-1})$$

および

(7.6.3) $$\Phi\begin{pmatrix} a_1, a_2, \ldots, a_r \\ b_1, b_2, \ldots, b_s \end{pmatrix} = \sum_0^\infty \frac{(a_1)_q^n (a_2)_q^n \cdots (a_r)_q^n}{(q)_q^n (b_1)_q^n \cdots (b_s)_q^n} q^n$$

と書いてよかろう. $a_1 = q^{\alpha_1}, \ldots, b_1 = q^{\beta_1}, \ldots$ で $q \to 1$ とすると，(7.6.3) は

$$F\begin{pmatrix} \alpha_1, \alpha_2, \ldots, \alpha_r \\ \beta_1, \beta_2, \ldots, \beta_s \end{pmatrix}$$

に帰着する．$\alpha_1 + \beta_1 = 1$ のような α と β の間の加法的関係は，$a_1 b_1 = q$ のような a と b の間の乗法的関係に対応する．

級数 (7.2.5) の類似は

(7.6.4) $$\Phi\begin{pmatrix} a, q\sqrt{a}, -q\sqrt{a}, 1/b, 1/c, 1/d, 1/e, 1/f \\ \sqrt{a}, -\sqrt{a}, abq, acq, adq, aeq, afq \end{pmatrix}$$

である．ここで

$$s,\ x,\ y,\ z,\ u,\ v$$

を

$$q^s = a, \quad q^x = b, \quad q^y = c, \quad q^z = d, \quad q^u = e, \quad q^v = f$$

で置き換えた．四つのパラメータ

$$q\sqrt{a},\ -q\sqrt{a},\ \sqrt{a},\ -\sqrt{a}$$

の効果は，級数の一般項で因子

$$\frac{1 - aq^{2n}}{1 - a}$$

を生ずることであって，ちょうど (7.2.5) の二つのパラメータ $1 + \frac{1}{2}s$ と $\frac{1}{2}s$ の効果が因子 $(s+2n)/s$ を生ずることであったのと同様である．関係式 (7.2.4) は

(7.6.5) $$a^2bcdefq = 1$$

により置き換えられ,パラメータの一つ,例えば b は,q^m の形であらねばならない.

(7.2.1) の右辺のガンマ関数の積および有限積 (7.2.6) を同様に変形することができる.$\lambda_1 + \lambda_2 = \mu_1 + \mu_2$ のときには

$$\frac{\Gamma(\mu_1+1)\Gamma(\mu_2+1)}{\Gamma(\lambda_1+1)\Gamma(\lambda_2+1)} = \prod_1^\infty \frac{(\lambda_1+n)(\lambda_2+n)}{(\mu_1+n)(\mu_2+n)}$$

であって,これは

$$\frac{f(l_1)f(l_2)}{f(m_1)f(m_2)}$$

で置き換えられる,ここで

$$f(l) = \prod_1^\infty (1 - lq^n).$$

よってガンマ関数の積は

(7.6.6) $$f(a)f(abcde) \prod_{b,c,d,e} \frac{f(abc)}{f(ab)f(abcd)}$$

となり,有限積は

(7.6.7) $$\frac{(aq)_q^m (aqde)_q^m (aqec)_q^m (aqcd)_q^m}{(aqc)_q^m (aqd)_q^m (aqe)_q^m (aqcde)_q^m}$$

となる;そして我々は,(7.6.5) が満たされ,b, c, d, e, f の一つ,例えば b が q^m であれば,(7.6.4) は (7.6.6) または (7.6.7) のいずれかと等しいという予想に導かれる.(7.6.4) が b, c, d, e, f に関して対称的であることは明白である(制限はそれらのパラメータのどの一つにも課することができるから)が,一方で (7.6.6) は対称的に結合した五つのパラメータの内の四つに関して対称的だから,それらすべてに関して対称的である.

7.7 それは F. H. Jackson により最初に発見されたのだが,その恒等式を

§7.2 でのものと正確に平行な議論により証明することができる．それが
$$b = 1,\ q,\ q^2,\ \ldots,\ q^{m-1}$$
に対して正しいと仮定して，$b = q^m$ に対してそれを証明する．$b = q^m$ として，両辺に
$$(aqc)_q^m (aqcde)_q^m$$
を掛けると，それは c に関する $2m$ 次の二つの多項式の間の恒等式となり，それが $2m+1$ 個の異なる c の値に対して成り立つことを示せば十分である．さて，帰納法の仮定および b と c の対称性により，それは
$$c = 1,\ q,\ q^2,\ \ldots,\ q^{m-1}$$
に対して正しく，f の同じ値に対応する c の m 個の値に対しても正しい．したがって c のもう一つの値に対して正しいことを示せば十分である．

級数 (7.6.4) の最後の項のみの極である，値
$$c = a^{-1} q^{-m}$$
を選ぶ．この極での留数が (7.6.7) の留数に等しいことを証明すれば十分である．留数は，因子 $-a^{-1}q^{-m}$ を別にして，$c = a^{-1}q^{-m}$ のときの
$$\frac{1}{1 - acq^m} = -\frac{1}{aq^m} \frac{1}{c - a^{-1}q^{-m}}$$
の係数の値である；我々はそれらの係数が，この特定の c の値に対して等しいことを証明せねばならない．

最初の係数を計算するために，
$$b = q^m, \quad c = \frac{1}{aq^m}, \quad \frac{1}{f} = adeq$$
に注意すると，

(7.7.1)
$$\frac{1 - aq^{2m}}{1 - a} \frac{(a)_q^m}{(q)_q^m} \frac{(q^{-m})_q^m}{(aq^{m+1})_q^m} \frac{(aq^m)_q^m}{(q^{-m+1})_q^{m-1}} \frac{(1/d)_q^m}{(adq)_q^m} \frac{(1/e)_q^m}{(aeq)_q^m} \frac{(adeq)_q^m}{(1/de)_q^m} q^m$$

を得る.

$$\left(\frac{1}{d}\right)_q^m = \left(1-\frac{1}{d}\right)\left(1-\frac{q}{d}\right)\cdots\left(1-\frac{q^{m-1}}{d}\right)$$
$$= (-1)^m q^{\frac{1}{2}m(m-1)} d^{-m} (dq^{-m+1})_q^m$$

であり，$1/e$ と $1/de$ の項も同様に変形され，さらに

$$(q)_q^m = (1-q)(1-q^2)\cdots(1-q^m)$$
$$= (-1)^m q^{\frac{1}{2}m(m+1)} (q^{-m})_q^m$$

だから，(7.7.1) は

$$\frac{1-aq^{2m}}{1-a}\frac{(a)_q^m(aq^m)_q^m}{(aq^{m+1})_q^m}\frac{(adeq)_q^m(dq^{-m+1})_q^m(eq^{-m+1})_q^m}{(q^{-m+1})_q^{m-1}(adq)_q^m(aeq)_q^m(deq^{-m+1})_q^m}$$

である. さらに

$$\frac{1-aq^{2m}}{1-a}\frac{(a)_q^m(aq^m)_q^m}{(aq^{m+1})_q^m} = \frac{1-aq^{2m}}{1-a}(1-a)(1-aq)\cdots(1-aq^{m-1})\frac{1-aq^m}{1-aq^{2m}}$$
$$= (aq)_q^m.$$

よって最終的に (7.7.1) は

$$\frac{(aq)_q^m(adeq)_q^m(dq^{-m+1})_q^m(eq^{-m+1})_q^m}{(q^{-m+1})_q^{m-1}(adq)_q^m(aeq)_q^m(deq^{-m+1})_q^m}$$

に帰着し，それは (7.6.7) に現れる係数でもある.

これにより，極限の場合として Dougall–Ramanujan の恒等式を含む Jackson の恒等式の証明が完了する.

7.8 特に,

$$a=1, \quad b=q^m, \quad c=d=e=\epsilon, \quad f=a^{-2}q^{-m-1}\epsilon^{-3}$$

として ϵ を零にもっていこう. すると

$$\frac{(1-c^{-1})(1-c^{-1}q)\cdots(1-c^{-1}q^{n-1})}{(1-acq)(1-acq^2)\cdots(1-acq^n)} \sim (-1)^n q^{\frac{1}{2}n(n-1)}\epsilon^{-n}$$

となり，d と e に関する因子も同様である；さらに

$$\frac{(1-f^{-1})(1-f^{-1}q)\cdots(1-f^{-1}q^{n-1})}{(1-afq)(1-afq^2)\cdots(1-afq^n)} \sim (-1)^n q^{-\frac{1}{2}n(n-1)+mn}\epsilon^{3n}$$

である．少し約分すると

$$\sum_{n=0}^{m}(-1)^n(1+q^n)\frac{(1-q^m)(1-q^{m-1})\cdots(1-q^{m-n+1})}{(1-q^{m+1})(1-q^{m+2})\cdots(1-q^{m+n})}q^{\frac{1}{2}n(3n-1)}$$
$$= (1-q)(1-q^2)\cdots(1-q^m)$$

を得るが，これは §6.16 で直接証明した Rogers の二つの公式の内の第一のものである．$a=1$ の代わりに $a=q$ をとるならば，第二の公式を得る．それらの公式は §6.16 で見たように，Rogers–Ramanujan の恒等式の証明へと繋がる．このようにして得られた証明は §§6.13–16 で与えられた Rogers の証明と，後に Watson により発見された証明を折衷したものである．Watson は §§7.6–7 のものより形においてより複雑な恒等式を用いるが，それは直接的な極限操作により Rogers–Ramanujan の恒等式に繋がる．我々は，Dougall–Ramanujan の恒等式の直接的な一般化である，より単純な恒等式を用いて §6.16 のやや技巧的な代数を回避するが Rogers の議論のよりすっきりした部分は保持している．

講義 VII に関する注釈

§7.1. この二章に関する私の分析は Hardy (**8**) にある．そこでは私が主として関心を払った章を ch. XII と呼んだが，Watson の「第二版」では ch. X である．Watson, **10**, 139 を見よ．

この講義で論じられたほとんどすべての公式は Bailey の冊子 *Generalized hypergeometirc series* (Cambridge 1935) の中で証明されている．この冊子は充実した文献を含んでおり，私は 1914 年以前に出版された論文への重ねての参照はしない．

一般化された超幾何級数の標準的なものとされてきた記号は，Barnes, *Proc. London Math. Soc.* (2), 5 (1907), 59–116 により導入された．

§7.2. Dougall–Ramanujan の恒等式はノートの ch. X にある最初の公式である．講義 I の (1.2) と (1.3) は特殊な場合であるが，Ramanujan は一般的な公式を公表したことはかつてなかったように見受けられる．私はそれをノートから彼の死後ようやく発見した．

§7.3. m が負の整数であるという Morley の公式の特殊な場合は，早くも 1891 年に Dixon により発見された（そして 1892 年に Richmond によって，より簡潔に証明された）．Morley は彼の公式を 1902 年に公表したが，彼の結果こそが，同じ年に Dixon をして (7.3.2) へと導いたのである．Dixon のもとの証明は非常に複雑であった．

$(1+x)^m$ の展開の対応する和は，変数が -1 の $_3F_2$ で，ガンマ関数の有限積としては和が書けない．

公式 (7.3.3) は Bailey の冊子の §3.2 の (1) と同値である．その定理からいえることとして

$$\frac{1}{\Gamma(\beta_1)\Gamma(\beta_2)\Gamma(\beta_1+\beta_2-\alpha_1-\alpha_2-\alpha_3)} F\begin{pmatrix} \alpha_1,\alpha_2,\alpha_3 \\ \beta_1,\beta_2 \end{pmatrix}$$

は五つの変数

$$\beta_1, \quad \beta_2, \quad \beta_1+\beta_2-\alpha_2-\alpha_3, \quad \beta_1+\beta_2-\alpha_3-\alpha_1, \quad \beta_1+\beta_2--\alpha_1-\alpha_2$$

の対称関数である．

§7.4. (7.4.1) を導くのに用いた極限操作は少々注意を要する．Bailey の冊子の 27 ページ，および彼が引用している Dougall の論文を見よ．

(1.4) については Hardy (**4**) および Watson (**1**) を見よ．

Whipple は **3** で (7.4.4) の二つの一般化を与えている．それらの一般化は級数

$$_3F_2\begin{pmatrix} \frac{1}{2}, \frac{1}{2}+x, \frac{1}{2}-x \\ 1+x, 1-x \end{pmatrix}; -1 \end{pmatrix},$$

および

$$_3F_2\begin{pmatrix} \frac{1}{2}, \frac{1}{2}+x, \frac{1}{2}+2x \\ 1+x, 1+2x \end{pmatrix}; -1 \end{pmatrix}$$

の和を与え，それは $x=0$ のとき Ramanujan の級数に帰着する．第二のものはこの講義で述べた方法により証明することができる．

§7.5. (7.5.1) の最初の証明は Darling (**1**) および Watson (**5**) により与えられた；そして一般化は Bailey (**2, 4**), Hodgkinson (**1**) および Whipple (**2**) による．その公式は "Lebesugue" および "Landau" の定数への面白い応用がある；Watson, *Quarterly Jounal of Math.* (Oxford), 1 (1930), 310–318 を見よ．

168   講義 VII   超幾何級数

Bailey (**4**) は (7.5.2) と，さらに一層一般化した公式

$$\frac{\Gamma(x+m)\Gamma(y+m)}{\Gamma(m)\Gamma(x+y+m)} \left[{}_3F_2\begin{pmatrix}x,y,v+m-1\\v,x+y+n\end{pmatrix}\right]_n$$
$$=\frac{\Gamma(x+n)\Gamma(y+n)}{\Gamma(n)\Gamma(x+y+n)} \left[{}_3F_2\begin{pmatrix}x,y,v+n-1\\v,x+y+n\end{pmatrix}\right]_m$$

を証明した[8]．ここで $[\cdots]_n$ と $[\cdots]_m$ は級数の最初の n または m 項のみとることを意味する．$x=y=\frac{1}{2}, v=1$ のとき，これは (7.5.2) に帰着する．

公式 (7.5.3) は Bailey の冊子の §7.2, 公式 (1) の特殊な場合である．x, y, z, u, v, w, n を

$$-n+1,\quad -n+1,\quad 1,\quad -m-n-2,\quad -n+\frac{3}{2},\quad -n+\frac{3}{2},\quad m+n-1$$

に取り替えよ．

さらなる知見はその冊子の §10.4 を見れば得られよう．

§7.6. Heine, *Theorie der Kugelfunktionen*, i (1878), 97–125 を見よ．

§7.7. Jackson, *Messenger of Math.* 50 (1921), 101–112. Bailey の冊子の §8.3 を見よ．Rogers–Ramanujan の恒等式の Watson の証明は §§8.5–6 に与えられている．

---

[8] [訳註] 左辺の ${}_3F_2\begin{pmatrix}x,y,v+m-1\\v,x+y+n\end{pmatrix}$ は ${}_3F_2\begin{pmatrix}x,y,v+m-1\\v,x+y+m\end{pmatrix}$ の間違い．

講義 VIII　分割数の漸近的理論

8.1　この講義では次の問題を扱う：大きな n に対して $p(n)$ はどの程度大きくなるか．数論的関数の近似的あるいは漸近的な値についていかに多くのことが書かれてきたかを考えると，1917 年までこの問題が全く問われずにきたということははなはだ注目すべきことである．この年 Ramanujan と私は，彼の『全集』で no. 36 となっている覚え書きを出版したのである．かくも豊かな個性を持ち，かくも完全かつ驚くべき解をもたらした問題を発見した我々はとても幸運であった．

8.2　このような問題を攻略するのに，一つの明らかな方法がある（非常に初等的な方法が自ずと見える場合は別だが）．a_n が正で，冪級数

$$F(x) = \sum a_n x^n$$

の収束半径が 1 であるとき，大きな n に対する a_n の増大度と x が 1 に近いときの $F(x)$ の増大度との間に一般的な対応関係がある．したがって最初の段階は Euler の関数

(8.2.1) $$F(x) = \frac{1}{(1-x)(1-x^2)(1-x^3)\cdots}$$

の $0 < x < 1$ かつ $x \to 1$ のときの増大度を決定することである[1]．おおよその近似でよしとするなら，それは非常に簡単である．というのも

---

[1] ［原註］q は他の目的で使いたいから，ここでは q の代わりに x と書く．

$$\log F(x) = \sum_n \log \frac{1}{1-x^n} = \sum_{m,n} \frac{x^{mn}}{m} = \sum \frac{x^m}{m(1-x^m)}$$

で

$$mx^{m-1}(1-x) < 1 - x^m < m(1-x),$$

だから

(8.2.2) $\qquad \dfrac{1}{1-x} \sum \dfrac{x^m}{m^2} < \log F(x) < \dfrac{1}{1-x} \sum \dfrac{x}{m^2}.$

(8.2.2) の各級数は $x \to 1$ のとき極限 $\frac{1}{6}\pi^2$ を持つから

(8.2.3) $\qquad\qquad \log F(x) \sim \dfrac{\pi^2}{6(1-x)}$

あるいは

(8.2.4) $\qquad\qquad F(x) = \exp\left\{\dfrac{\frac{1}{6}\pi^2 + o(1)}{1-x}\right\}$

である.したがって $F(x)$ の増大度は,第一近似としては,

(8.2.5) $\qquad\qquad \exp \dfrac{\pi^2}{6(1-x)}$

の増大度に等しい.我々は

$$F(x) = \sum a_n x^n$$

のこの増大度に対応する a_n の増大度を知りたいのである.

もし $\alpha > -1$ に対して $a_n = n^\alpha$ であるとすると,$x = e^{-y}$ として $y \to 0$ としたとき

$$F(x) = \sum n^\alpha x^n = \sum n^\alpha e^{-ny} \sim \int_0^\infty t^\alpha e^{-ty}\, dt = \frac{\Gamma(\alpha+1)}{y^{\alpha+1}} \sim \frac{\Gamma(\alpha+1)}{(1-x)^{\alpha+1}}$$

となる.一方,もし a_n が正の δ に対して $e^{\delta n}$ くらいの大きさだったとすると,級数は x が 1 に到達する前に発散するであろう.だから明らかに a_n はこれよりは小さくなくてはならないし,かたや n のいかなる冪よりも大きくなくてはならない.正しい増大度は,0 と 1 の間の b と何らかの B に対して,おおよそ

$$e^{Bn^b}$$

であると予想するのが自然である.

$$G(x) = \sum e^{Bn^b} x^n = \sum e^{Bn^b - ny}$$

の増大度はおおよそその最大項から計算できるだろう.それは概ね $Bbn^{b-1} = y$ のところで起きる;そのとき最大項はおおよそ

$$\exp\{C(1-x)^{-\frac{b}{1-b}}\}$$

である,ここで

$$C = B^{\frac{1}{1-b}} b^{\frac{b}{1-b}} (1-b).$$

$b = \frac{1}{2}$ および $B^2 = \frac{2}{3}\pi^2$ とすれば,これは (8.2.5) と一致する;そこで我々は $p(n)$ の増大度はおおよそ

$$e^{Kn^{\frac{1}{2}}}$$

であろうと結論するのである,ここで

(8.2.6) $$K = \pi\sqrt{(\tfrac{2}{3})}.$$

8.3 実際に

(8.3.1) $$\log p(n) \sim Kn^{\frac{1}{2}}$$

あるいは

(8.3.2) $$p(n) = e^{\{K+o(1)\}n^{\frac{1}{2}}}$$

は正しいのであるが,我々はそれを非常に簡単に証明できるわけではない.しかしながら,$n > 0$ とある正の A と B に対して

(8.3.3) $$e^{An^{\frac{1}{2}}} < p(n) < e^{Bn^{\frac{1}{2}}}$$

であることを証明するのは極めて簡単である.

172   講義 VIII   分割数の漸近的理論

$x = e^{-y}$ とおくならば，$x \to 1$ のとき $y \to 0$ で

(8.3.4) $$1 - x \sim y$$

である．

(8.3.5) $$F(x) = \sum p(n) e^{-ny} = G(y)$$

とおいて

(8.3.6) $$0 < E < C = \frac{1}{6}\pi^2 < D$$

と仮定する．

(i) (8.2.3), (8.3.4) および (8.3.6) から，すべての n と小さい y に対して
$$p(n)e^{-ny} < G(y) < \exp\frac{D}{y}$$
であることが従う．よって，$y = n^{-\frac{1}{2}}$ とすれば，$B = D + 1$ として
$$p(n) < \exp\left(ny + \frac{D}{y}\right) = e^{Bn^{\frac{1}{2}}}$$
を得るが，B は $C + 1$ より大きい任意の数でよいであろう．

(ii) 一方，小さい y に対して
$$G(y) > \exp\frac{E}{y}$$
であるから，すべての m に対して
$$G_1(y) + G_2(y) = \sum_0^m p(n)e^{-ny} + \sum_{m+1}^\infty p(n)e^{-ny} > \exp\frac{E}{y}.$$
ところが $p(n)$ は n と共に増大するのだから
$$(m+1)p(m) > G_1(y) > \exp\frac{E}{y} - G_2(y).$$
さらに，(i) で証明したことから
$$G_2(y) = \sum_{m+1}^\infty p(n)e^{-ny} < \sum_{m+1}^\infty \exp(Bn^{\frac{1}{2}} - ny)$$

となる；よって

$$p(m) > \frac{1}{m+1}\left\{\exp\frac{E}{y} - \sum_{m+1}^{\infty}\exp(Bn^{\frac{1}{2}} - ny)\right\}.$$

H を $H > 2B$ となるようにとり，$y = Hm^{-\frac{1}{2}}$ とおく．そこで

$$\sum_{m+1}^{\infty}\exp(Bn^{\frac{1}{2}} - ny) \leq \sum_{m+1}^{\infty}\exp(Bn^{\frac{1}{2}} - 2Bnm^{-\frac{1}{2}}) < \sum_{0}^{\infty}e^{-Bn^{\frac{1}{2}}} < L$$

としよう．すると，大きな m に対して

$$p(m) > \frac{1}{m+1}\left(\exp\frac{E}{y} - L\right) = \frac{1}{m+1}\left(\exp\frac{E}{H}m^{\frac{1}{2}} - L\right) > \exp Am^{\frac{1}{2}}$$

となる，ここで A は E/H より小さい任意の数である．E は C より小さい任意の数であり，H は $2B = 2(1 + D)$ より大きい任意の数，すなわち，$2(1+C)$ より大きい任意の数としてよいから，A は $\frac{1}{2}C/(1+C)$ より小さい任意の数でよい．

8.4 (8.3.1) または (8.3.2) を証明するためには，いわゆる「Tauber 型」の一般的な定理を用いる必要がある．実際すべての n に対して $a_n \geq 0$ ならばいつでも正しいのだが，

$$\log \sum a_n x^n \sim \frac{C}{1-x}$$

ならば

$$\log A_n = \log(a_0 + a_1 + \cdots + a_n) \sim 2(Cn)^{\frac{1}{2}}$$

である．ここで考えているように a_n が n と共に増加する場合には，最後の等式を

$$\log a_n \sim 2(Cn)^{\frac{1}{2}}$$

で置き換えることができて，これが (8.3.1) を与える．

このようにして我々は $p(n)$ の対数の漸近公式を得るのである．しかし数論的関数の対数の漸近公式はとても粗雑な結果である；それは，例えば

174   講義 VIII　分割数の漸近的理論

$$n^{\pm 1000} e^{Kn^{\frac{1}{2}}}$$

の増大度を区別しないのである．我々は，とにかく $p(n)$ 自身の漸近公式がほしいのである．実際には

(8.4.1) $$p(n) \sim \frac{1}{4n\sqrt{3}} e^{K\sqrt{n}}$$

である；しかしここまでのような初等的で一般的な性質の議論によっては，これほどの結果を証明することは望み得ないのである．$p(n)$ に密着した特殊性を適切に尊重したもっと強力な方法を用いることが本質的である．

8.5　我々の自然な道具は Cauchy の定理である．それによれば

(8.5.1) $$p(n) = \frac{1}{2\pi i} \int_C \frac{F(x)}{x^{n+1}} dx,$$

ここで C は原点を周る閉曲線である．我々は最も都合のよい位置に C を動かして積分を直接調べなければならない．もちろんこの着想には何ら新味はない．それは解析的数論全般で支配的な考え方であり，特に素数論においてそうである；しかしながら，ここでは状況設定が大いに異なっており，二つの問題を比較してみることは有益である．

素数論においては，母関数は Dirichlet 級数 $\sum a_n n^{-s}$ であり，素数定理の証明は積分

$$\psi^*(x) = -\frac{1}{2\pi i} \int_{c-i\infty}^{c+i\infty} \frac{\zeta'(s)}{\zeta(s)} \frac{x^s}{s} ds$$

に依拠している．ここで $c > 1$ である．我々は $s = 1$ にある極を越えて積分路を左に動かして，$\psi^*(x)$ や $\psi(x)$ と極での留数 x とは，x より小さいオーダーの誤差でしか違わないと推論したのである[2]．

その結論は正しかったのだが，無限大における $\zeta(s)$ の振る舞いが非常に複雑であるがために，議論を正当化することが難しかったのである．特にその零点の位置は未だに深く神秘的である．それに引き替え主要項を生ずる特異点に関しては何ら困難は存在しない；考えられる限り最も単純な性格の

---
[2] ［原註］講義 II を見よ．

$s=1$ における極である.

8.6 我々の現下の問題の $F(x)$ の特異点は遥かに複雑である.それらは単位円 $|x|=1$ を覆っている.その円は問題の関数にとって「障壁」であって,その外側には関数は存在しないし,「C を特異点を越えて動かす」など問題外である.我々が最大望みうることは,C を特異点の**近く**へ動かしてそれぞれの部分を詳しく調べることである.

にもかかわらず,大きな慰めがある.問題の関数 $F(x)$ はよく知られた関数,楕円モジュラー関数の一つであって,その性質は集中的に研究されてきて非常に精密に解明されているのである.それらの関数はすべて $F(x)$ と同様の特性を持っていて,単位円の内部のみに存在する;しかしそれらの関数は注目すべき関数等式を満たしており,それによって我々は単位円上の任意の点の近くでの関数の振る舞いを非常に精密に決めることが可能となるのである.特に,$F(x)$ は

$$(8.6.1) \qquad F(x) = \frac{x^{\frac{1}{24}}}{(2\pi)^{\frac{1}{2}}} \left(\log \frac{1}{x}\right)^{\frac{1}{2}} \exp\left\{\frac{\pi^2}{6\log(1/x)}\right\} F(x')$$

なる等式を満たす,ここで

$$(8.6.2) \qquad \log\frac{1}{x}\log\frac{1}{x'} = 4\pi^2, \quad x' = \exp\left\{-\frac{4\pi^2}{\log(1/x)}\right\}.$$

例えば,x が正で1に近いとすると x' は極端に小さく,$F(x')$ は実質的には1である;このようにして (8.6.1) は,実効的には $F(x)$ を初等関数によって表しているのである.単位円上の

$$-1, \ e^{\frac{2}{3}\pi i}, \ e^{-\frac{2}{3}\pi i}, \ i, \ -i, \ e^{\frac{2}{5}\pi i}, \ \ldots$$

(一般には1の原始冪乗根すべて)などの他の点に付随して同様の公式がある;しかし (8.6.1) のみで我々の大きな前進を可能ならしめるには十分なのである.

特に,C をちょうどよい半径に,つまり1よりほんの少し小さくとれば,(8.6.1) を (8.5.1) に代入して $F(x')$ を1で置き換えることができる.このときの誤差は結局

$$e^{Hn^{\frac{1}{2}}}$$

程度のものであることが分かる，ここで

$$H < K = \pi\sqrt{\left(\frac{2}{3}\right)}.$$

すると積分の中は初等関数しかないから，我々はそれを非常に精確に計算することができる．

結果は公式

(8.6.3) $$p(n) = \frac{1}{2\pi\sqrt{2}}\frac{d}{dn}\left(\frac{e^{K\lambda_n}}{\lambda_n}\right) + O(e^{Hn^{\frac{1}{2}}})$$

である，ここで

(8.6.4) $$\lambda_n = \sqrt{\left(n - \frac{1}{24}\right)}, \quad H < K.$$

この公式は (8.4.1) を含んでいて，遥かに精密なものである．主要項の形は一見すると謎めいて見えるが，それはこの解析から自然に生ずるものである．特に，λ_n の中の "$-\frac{1}{24}$" は (8.6.1) における指数 $\frac{1}{24}$ から自然に生ずるのである．

8.7 しかし，これだけで話が終わったわけではない．公式 (8.6.1) は $x = 1$ の近くでの $F(x)$ を調べるのに適したものである．私が注意したように，単位円上の他の「有理点」

(8.7.1) $$x_{p,q} = e^{2p\pi i/q}$$

に付随した同様の公式がある．次のようにいってよいだろう（当然のことながら非常に大雑把にだが），それらの「有理特異点」は $F(x)$ の**最も重い**特異点である，$F(x)$ はそれらの近くでは円周上の他の点の近くでよりも大きい，そして，積分 (8.5.1) に対する寄与は他の点からの寄与を圧倒すると期待してよかろう．

しかも，それらの有理特異点の寄与は q が大きくなるにつれて減少する．

半径にそって $x \to 1$ のとき, $F(x)$ は概ね
$$\exp\left\{\frac{\pi^2}{6(1-x)}\right\}$$
のごとく振る舞う,かたや $x \to x_{p,q}$ のとき $F(x)$ は概ね
$$\exp\left\{\frac{\pi^2}{6q^2(1-|x|)}\right\}$$
のごとく振る舞う.次のように期待するのが理にかなっているであろう:

(8.7.2) $\qquad p(n) = P_1(n) + P_2(n) + \cdots + P_Q(n) + R(n),$

ここで $P_1(n)$ は (8.6.3) の主要項であり,$P_2(n), P_3(n), \ldots, P_Q(n)$ は同様の式であるが,K の代わりにもっと小さい数 $K_2, K_3, \ldots, K_Q$ を持っている,さらに $R(n)$ は誤差でそのオーダーは $e^{K_Q n^{\frac{1}{2}}}$ より小さい.

これらすべての証明はそれほど余分の困難もなくやり通すことができる.$P_q(n)$ の式は

(8.7.3) $\qquad P_q(n) = L_q(n)\phi_q(n),$

ここで

(8.7.4) $\qquad \phi_q(n) = \frac{q^{\frac{1}{2}}}{2\pi\sqrt{2}}\frac{d}{dn}\left(\frac{e^{K\lambda_n/q}}{\lambda_n}\right),$

(8.7.5) $\qquad L_q(n) = \sum_p \omega_{p,q} e^{-2np\pi i/q}$

で,p は q より小さく q と互いに素な自然数を走り[3],$\omega_{p,q}$ はある 1 の $24q$ 乗根である.だから
$$L_1(n) = 1, \quad \phi_1(n) = P_1(n), \quad K_q = \frac{K}{q}.$$
また

(8.7.6) $\qquad R(n) = O(e^{H_Q n^{\frac{1}{2}}}),$

---

[3] [原註] $q = 1$ のときは $p = 0$.

ここで

$$H_Q < K_Q$$

（したがって $Q \to \infty$ のとき $H_Q \to 0$）である．こうして我々は，任意に小さい正の δ に対して $p(n)$ の値を誤差 $O(e^{\delta n^{\frac{1}{2}}})$ で求めることができるのである．

8.8 我々ならこの地点で止まったであろうが，MacMahon 少佐の計算に対する愛情はそうではなかった．MacMahon は修練を積み，かつ情熱に溢れた計算の達人であり，$n = 200$ に至る $p(n)$ の表を我々に作ってくれた．特に，彼によれば

(8.8.1) $$p(200) = 3972999029388$$

であって，我々は自然のことながらこの値を我々の漸近公式の試験として利用した．我々は，誤差が一桁か二桁程度のよい結果が出ることは予想していたが，我々が見いだしたような結果は到底望みもしなかったのである．実際には，我々の公式の 8 項を計算して $p(200)$ の値を誤差 0.004 で得たのである．我々は避け難くも，この公式は任意の大きな n に対しても $p(n)$ を**正確**に計算するのに使えはしないか，という問いに導かれた．

明らかに，もしこれが可能ならば問題の級数の「多数の」項を用いねばならない，いいかえれば Q を n の関数として決めねばならない．我々の最終的な結果は次のようなものである．定数 α, M があって

(8.8.2) $$p(n) = \sum_{q < \alpha n^{\frac{1}{2}}} P_q(n) + R(n),$$

ここで

(8.8.3) $$|R(n)| < M n^{-\frac{1}{4}}$$

である．$p(n)$ は整数だから，(8.8.2) は十分大きな n に対して $p(n)$ の値を正確に与えるであろう．この公式は漸近的であると共に精確な値も与えるという希有な公式の一つである；それは我々が $p(n)$ のオーダーや近似式に

179

ついて知りたいと思うことをすべて語ってくれるし，正確な値が計算できるようにもしてくれそうである．実際，この公式を用いて D. H. Lehmer は $p(721)$ の値を最初に計算したのである．

8.9 しかしながら，ごく最近まではここで入念に留保しておく必要があった．$p(200)$ と $p(243)$ の値は MacMahon と Gupta が直接計算したので知られていたが，(8.8.2) に基づく計算は決定的なものではなかったのである．α と M の数値を決めるまでは，我々は $p(721)$ が特定の値を持つことを証明するのにこの公式を用いることはできないのである；Ramanujan と私は単にそれらの存在を証明したにすぎないのである．そのためには，我々の解析をすべて洗い直して，我々の「定数」にすべて数値を与え，すべての "O" つきの項を数値的な限界で置き換える必要があった．その間，問題の級数の 21 項を用いた Lehmer の計算が導いた値

$$16106175575027947763553476 2.0041$$

は $p(721)$ の値に対する非常に有力な推定値ではあるが，確実な計算ではなかったのである．

この隙間はいまや Rademacher によって埋められた；彼は（最初は単に我々の解析を単純化しようとしていて）一つの非常に幸運な形式的変更に導かれたのである．Ramanujan と私は，正確には関数

$$\phi(n) = \frac{1}{2\pi\sqrt{2}} \frac{d}{dn} \left(\frac{e^{K\lambda_n}}{\lambda_n} \right)$$

ではなくて，それと「ほとんど同等な」関数

$$\frac{1}{\pi\sqrt{2}} \frac{d}{dn} \left(\frac{\cosh K\lambda_n - 1}{\lambda_n} \right)$$

（後には関数の重要でない部分を切り捨てた関数）を取り扱ったのである．Rademacher が取り扱うのは

$$\psi(n) = \frac{1}{\pi\sqrt{2}} \frac{d}{dn} \left(\frac{\sinh K\lambda_n}{\lambda_n} \right)$$

で，これもまた「ほとんど同等」である；そしてこの一見したところ些細な変更が非常に重大な効果を及ぼすのである．というのも，それが $p(n)$ に関

する等式に導くからである．

固定した n と大きな q に対して
$$\frac{d}{dn}\left(\frac{1}{\lambda_n}\sinh\frac{K\lambda_n}{q}\right) = \frac{d}{dn}\left(\frac{K}{q} + \frac{K^3(n-\frac{1}{24})}{6q^3} + \cdots\right) = O\left(\frac{1}{q^3}\right)$$
である．よって関数

(8.9.1) $$\psi_q(n) = \frac{q^{\frac{1}{2}}}{\pi\sqrt{2}}\frac{d}{dn}\left\{\frac{\sinh(K\lambda_n/q)}{\lambda_n}\right\}$$

は，大きな q に対して $q^{\frac{1}{2}}\cdot q^{-3} = q^{-\frac{5}{2}}$ の定数倍のように振る舞う；そして

(8.9.2) $$|L_q(n)| = \left|\sum_p \omega_{p,q} e^{-2np\pi i/q}\right| \le q$$

だから

(8.9.3) $$\sum_q L_q(n)\psi_q(n)$$

は収束する．級数 $\sum L_q(n)\phi_q(n)$ は収束しない；この問題を Ramanujan と私は疑わしいまま残したのだが，その後 Lehmer によって決着がつけられた．

Rademacher は

(8.9.4) $$p(n) = \sum_{q=1}^{\infty} L_q(n)\psi_q(n)$$

で，最初の Q 項をとった剰余は

$$CQ^{-\frac{1}{2}} + D\left(\frac{Q}{n}\right)^{\frac{1}{2}}\sinh\frac{Kn^{\frac{1}{2}}}{Q}$$

より小さいことを証明した．ここで C と D は定数で，彼はその具体的な値を決めた．我々の以前の結果にあるように，Q が $n^{\frac{1}{2}}$ 程度のオーダーならば剰余項のオーダーは $n^{-\frac{1}{4}}$ 程度である．

Rademacher の等式の証明

8.10 この講義の残りの部分を使って (8.9.4) の証明にあてよう.

位数 N の Farey 数列 $\mathfrak{F}_N$ とは, 0 と 1 の間の既約分数 p/q で分母が N を超えないものをいう. 我々は 0 と 1 を $\frac{0}{1}$ と $\frac{1}{1}$ の形で含める：だから $\mathfrak{F}_5$ は

$$\frac{0}{1}, \frac{1}{5}, \frac{1}{4}, \frac{1}{3}, \frac{2}{5}, \frac{1}{2}, \frac{3}{5}, \frac{2}{3}, \frac{3}{4}, \frac{4}{5}, \frac{1}{1}$$

である.

$$x = re^{2\pi i\theta}$$

として θ を $\mathfrak{F}_N$ の値を走らせて（最初と最後の x の値は共に r となる），我々は円周 $|x| = r$ 上の「Farey 点」$re^{2p\pi i/q}$ の集合を定義する.

$q > 1$ と仮定して

$$\frac{p''}{q''}, \quad \frac{p}{q}, \quad \frac{p'}{q'}$$

を $\mathfrak{F}_N$ の引き続いた分数とする. p/q に区間 $\xi_{p,q}$ つまり

$$\frac{p}{q} - \chi''_{p,q}, \quad \frac{p}{q} + \chi'_{p,q}$$

を付随させる，ここで

$$\chi''_{p,q} = \frac{1}{q(q+q'')}, \quad \chi'_{p,q} = \frac{1}{q(q+q')}$$

である. これらの区間は区間 $(0,1)$ をちょうど覆い, p/q で $\xi_{p,q}$ が分割されたそれぞれの部分の長さは

$$\frac{1}{2Nq}, \quad \frac{1}{Nq}$$

の間にある. $q = 1$ のときにはこの定義は当然ながら修正を要する. このとき p/q は $\frac{0}{1}$ または $\frac{1}{1}$ で問題の区間は一つの部分しか持たない.

θ の同じ値によって定義される $|x| = r$ の円弧をやはり $\xi_{p,q}$ で表す；端の二つの円弧はいまや $x = r$ で隣接しているが, くっつけて一つの円弧とする. 我々はこの円弧の分割を位数 N の **Farey 分割** と呼ぶ.

我々は (8.5.1) を

講義 VIII 分割数の漸近的理論

$$|x| = r = e^{-2\pi/N^2}$$

で定義された円弧 C に適用する.

(8.10.1) $\quad p(n) = \dfrac{1}{2\pi i} \int \dfrac{F(x)}{x^{n+1}}\, dx = \sum_{p,q} \dfrac{1}{2\pi i} \int_{\xi_{p,q}} \dfrac{F(x)}{x^{n+1}}\, dx = \sum_{p,q} j_{p,q}$

と書いてそれぞれの積分を個別に検討する. 和の範囲は

(8.10.2) $\quad 0 < p < q, \quad (p, q) = 1, \quad 1 \leq q \leq N$

($q = 1$ のときは例外で, p は単独の値 0 とする) である.

8.11 $\xi_{p,q}$ 上で

(8.11.1) $\quad x = re^{2\pi i\theta}, \quad r = e^{-2\pi/N^2}, \quad \theta = \dfrac{p}{q} + \phi$

とおくと

(8.11.2) $\quad x = \exp\left\{\dfrac{2p\pi i}{q} - 2\pi\left(\dfrac{1}{N^2} - i\phi\right)\right\} = \exp\left(\dfrac{2p\pi i}{q} - \dfrac{2\pi z}{q}\right),$

ここで

(8.11.3) $\quad z = q\left(\dfrac{1}{N^2} - i\phi\right).$

したがって $\phi = 0$ は $\xi_{p,q}$ の Farey 点を与え,

(8.11.4) $\quad -\chi'' = -\chi''_{p,q} \leq \phi \leq \chi'_{p,q} = \chi'$

であり,

(8.11.5) $\quad \dfrac{1}{2qN} < \dfrac{\chi'}{\chi''} < \dfrac{1}{qN}, \quad |\phi| < \dfrac{1}{qN}$

である.

さらにここで, 後に用いるいくつかの簡単な不等式を集めておく. $|q\phi| < 1/N$ かつ $q \leq N$ だから,

(8.11.6) $\quad |z| = q(N^{-4} + \phi^2)^{\frac{1}{2}} \leq (q^2 N^{-4} + N^{-2})^{\frac{1}{2}} \leq 2^{\frac{1}{2}} N^{-1}$

（よって大きな N に対して $|z|$ は一様に小さい）；さらに

(8.11.7) $$\left|\exp\left(-\frac{\pi z}{12q}\right)\right| = \exp\left(-\frac{\pi}{12N^2}\right) < 1,$$

および

(8.11.8) $$\frac{1}{q}\Re\frac{1}{z} = \frac{N^{-2}}{q^2(N^{-4}+\phi^2)} > \frac{N^{-2}}{q^2 N^{-4}+N^{-2}} \geq \frac{1}{2}.$$

8.12 我々はここで (8.6.1) の形の，だが 1 ではなくて $e^{2p\pi i/q}$ に付随した公式を用いる．その公式は

(8.12.1) $$F(x) = \omega_{p,q} z^{\frac{1}{2}} \exp\left(\frac{\pi}{12qz} - \frac{\pi z}{12q}\right) F(x')$$

である，ここで

(8.12.2) $$x = \exp\left(\frac{2p\pi i}{q} - \frac{2\pi z}{q}\right), \quad x' = \exp\left(\frac{2p_1\pi i}{q} - \frac{2\pi}{qz}\right),$$

$\omega_{p,q}$ は §8.7 で参照した 1 の $24q$ 乗根．$z^{\frac{1}{2}}$ はその主値をとり，$pp_1 \equiv -1 \pmod{q}$ である．この公式は $q=1$ のとき (8.6.1) に帰着する．

(8.12.1) を (8.10.1) の積分 $j_{p,q}$ に代入すると，

(8.12.3) $$\Psi(z) = \Psi_q(z) = z^{\frac{1}{2}} \exp\left(\frac{\pi}{12qz} - \frac{\pi z}{12q}\right)$$

とおいて，

$$\frac{dx}{x} = 2\pi i\, d\phi, \quad x^{-n} = \exp\left(\frac{2n\pi}{N^2} - \frac{2np\pi i}{q} - 2n\pi\phi i\right)$$

に注意すると，我々は

(8.12.4) $$e^{-2n\pi/N^2} j_{p,q} = \omega_{p,q} e^{-2np\pi i/q} \int_{-\chi''}^{\chi'} \Psi(z) F(x') e^{-2n\pi\phi i}\, d\phi$$

を得る．

さらに積分変数が z であるような $j_{p,q}$ の公式があれば便利である．その公式とは，(8.12.4) の自明な変形であるが，

(8.12.5) $$j_{p,q} = \frac{i}{q} \omega_{p,q} e^{-2np\pi i/q} \int \Psi(z) F(x') e^{2n\pi z/q}\, dz$$

184 講義 VIII 分割数の漸近的理論

である．積分路は z 平面上の点

$$q\left(\frac{1}{N^2}+i\chi''\right),\quad q\left(\frac{1}{N^2}-i\chi'\right)$$

を結ぶ線分である．

8.13 z が小さくて正のとき（すなわち，x が半径上で $e^{2p\pi i/q}$ に近いとき），

$$|x'|=e^{-2\pi/qz}$$

は非常に小さくて，$F(x')$ は実質的に 1 である．我々は $\xi_{p,q}$ 全体で重大な誤差を生ずることなしに $F(x')$ を 1 で置き換え得るとしてよいであろう．したがって我々は

(8.13.1) $$j_{p,q}=J_{p,q}+J'_{p,q}$$

とし

(8.13.2) $$p(n)=\sum j_{p,q}=\sum J_{p,q}+\sum J'_{p,q}=P(n)+P'(n)$$

と書く．ここで $J_{p,q}$ と $J'_{p,q}$ は $j_{p,q}$ で $F(x')$ をそれぞれ

$$1,\quad F(x')-1$$

で置き換えて得られる積分である．もちろん $P(n)$ と $P'(n)$ は n と同時に N にも依存しており，我々は $N\to\infty$ としたときのそれらの極限を調べねばならない．

8.14 我々は最初に

(8.14.1) $$P'(n)\to 0$$

であることを証明する．

$$\Psi(z)\{F(x')-1\}=z^{\frac{1}{2}}\exp\left\{-\frac{\pi}{12q}\left(z-\frac{1}{z}\right)\right\}\sum_{1}^{\infty}p(\nu)x'^{\nu}$$

である．さて (8.11.7) より

$$|e^{-\pi z/12q}| < 1$$

である．さらに (8.11.8) より

$$|e^{\pi/12qz}x'^{\nu}| = \left|\exp\left\{\frac{\pi}{12qz} + \nu\left(\frac{2p_1\pi i}{q} - \frac{2\pi}{qz}\right)\right\}\right|$$
$$= \exp\left\{-\frac{2\pi}{q}\left(\nu - \frac{1}{24}\right)\Re\frac{1}{z}\right\} \leq e^{-(\nu-\frac{1}{24})\pi}$$

だから

$$\left|e^{\pi/12qz}\sum_{1}^{\infty}p(\nu)x'^{\nu}\right| \leq \sum_{1}^{\infty}p(\nu)e^{-(\nu-\frac{1}{24})\pi} = B$$

となる．ここで B は定数である．最後に，(8.11.6) より

$$|z|^{\frac{1}{2}} \leq 2^{\frac{1}{4}}N^{-\frac{1}{2}}$$

で，(8.11.5) より (8.12.4) で積分区間の幅は $2/qN$ より小さい．よって

$$|J'_{p,q}| < e^{2n\pi/N^2} \cdot \frac{2}{qN} \cdot 2^{\frac{1}{4}}N^{-\frac{1}{2}}B = e^{2n\pi/N^2}\frac{2^{\frac{5}{4}}B}{qN^{\frac{3}{2}}},$$

であり

$$|P'(n)| = O\left(N^{-\frac{3}{2}}\sum_{p,q}\frac{1}{q}\right) = O\left(N^{-\frac{3}{2}}\sum_{q\leq N}1\right) = O(N^{-\frac{1}{2}}).$$

(8.14.1) と (8.13.2) を組み合わせて，$p(n)$ は N にはよらないことを思い出すと

(8.14.2) $$p(n) = \lim_{N\to\infty}P(n)$$

であることが分かる．

8.15 $P(n)$ を検討するにあたって，我々は (8.12.5) で $F(x')$ を 1 で置き換えた公式を用いる．

186　講義 VIII　分割数の漸近的理論

$$z = qZ$$

として

(8.15.1) $$J_{p,q} = \omega_{p,q} e^{-2np\pi i/q} R_{p,q}$$

を得る，ここで

(8.15.2) $$R_{p,q} = \frac{q^{\frac{1}{2}}}{i} \int Z^{\frac{1}{2}} \exp\left\{ \frac{\pi}{12q^2 Z} + 2\pi \left(n - \frac{1}{24}\right) Z \right\} dZ$$

である．積分路は図 2 の線分 L である．よって

(8.15.3)
$$p(n) = \lim_{N \to \infty} P(n) = \lim_{N \to \infty} \sum_{q=1}^{N} \sum_{p} \omega_{p,q} R_{p,q} e^{-2np\pi i/q} = \lim_{N \to \infty} \sum_{q=1}^{N} T_q,$$

ここで

(8.15.4) $$T_q = \sum_{p} \omega_{p,q} R_{p,q} e^{-2np\pi i/q}.$$

さて我々は $R_{p,q}$ を変形しなければならない．我々は Cauchy の定理を図

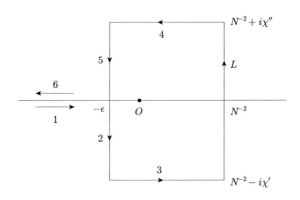

図 **2**

に示された積分路に適用する．ここで $Z^{\frac{1}{2}}$ は N^{-2} で正，半直線 (1) 上では $(-Z)^{\frac{1}{2}}$ は正として $-i(-Z)^{\frac{1}{2}}$，(6) 上では $i(-Z)^{\frac{1}{2}}$ である．さらに

$$\epsilon < N^{-2}$$

で，N を ∞ にする前に ϵ を 0 に近づけよう．

Cauchy の定理から

$$(8.15.5) \quad R_{p,q} = \frac{q^{\frac{1}{2}}}{i} \left(\int_{-\infty}^{(0+)} - \int_{(1)} - \int_{(2)} - \int_{(3)} - \int_{(4)} - \int_{(5)} - \int_{(6)} \right)$$
$$= 2q^{\frac{1}{2}} U_q + iq^{\frac{1}{2}} (I_1 + I_2 + I_3 + I_4 + I_5 + I_6),$$

ここで U_q は $-\infty$ から原点を正の向きに一周して $-\infty$ に至る積分で，p には依存しない[4]．

容易に分かるように，$\epsilon \to 0$ のとき

$$(8.15.6) \quad I_1 + I_6 \to -2iV_q$$

である．ここで

$$(8.15.7) \quad V_q = \int_0^\infty t^{\frac{1}{2}} \exp\left\{-\frac{\pi}{12q^2 t} - 2\pi \left(n - \frac{1}{24}\right)t\right\} dt$$

(だからして V_q もまた p に依存しない). とりあえずその他の積分 I_2, I_3, I_4 および I_5 が無視できるものと仮定すると，

$$p(n) = \lim_{N \to \infty} \sum_{q=1}^N T_q = \lim_{N \to \infty} \lim_{\epsilon \to 0} \sum_{q=1}^N T_q$$
$$= \lim_{N \to \infty} \lim_{\epsilon \to 0} \sum_{q=1}^N \{2q^{\frac{1}{2}} U_q + iq^{\frac{1}{2}}(I_1 + I_6)\} \sum_p \omega_{p,q} e^{-2np\pi i/q}$$
$$= \lim_{N \to \infty} \sum_{q=1}^N 2q^{\frac{1}{2}}(U_q + V_q) \sum_p \omega_{p,q} e^{-2np\pi i/q}$$

---

[4] [原註] $R_{p,q}$ は q と同時に p にも依存する．なぜなら χ' と χ'' がそうだから；また I_2, I_3, I_4, I_5 も同様である．しかしながら U_q, V_q，および §8.16 で見いだされる $I_2, \ldots, I_5$ の上界は p に依存しない．

$$= \lim_{N\to\infty} 2\sum_{q=1}^{N} q^{\frac{1}{2}} L_q(U_q + V_q) = 2\sum_{q=1}^{\infty} q^{\frac{1}{2}} L_q(U_q + V_q).$$

ここで $L_q = L_q(n)$ は (8.7.5) により定義される．さらに

(8.15.8) $$U_q + V_q = \frac{1}{2\pi\sqrt{2}} \frac{d}{dn}\left(\frac{1}{\lambda_n} \sinh\frac{K\lambda_n}{q}\right)$$

であることを証明できれば，Rademacher の等式の証明は完了するであろう．

8.16 我々は最初に §8.15 でとりあえず仮定したことを確かめねばならない．

$$\lim_{N\to\infty} \sum_{q=1}^{N} q^{\frac{1}{2}} \sum_{p} \overline{\lim_{\epsilon\to 0}} |I_2 + I_3 + I_4 + I_5| = 0,$$

あるいは

(8.16.1) $$\lim_{N\to\infty} \sum_{q=1}^{N} q^{\frac{3}{2}} \overline{\lim_{\epsilon\to 0}} \operatorname*{Max}_{p} |I_2 + I_3 + I_4 + I_5| = 0$$

を示せば十分である．

I_2 では

$$Z = -\epsilon - iY \quad (0 < Y < \chi'),$$
$$\Re(Z) < 0, \quad \Re\left(\frac{1}{Z}\right) = -\frac{\epsilon}{\epsilon^2 + Y^2} < 0,$$

であり

$$|I_2| < (\epsilon^2 + \chi'^2)^{\frac{1}{4}} \chi' < \left(\epsilon^2 + \frac{1}{q^2 N^2}\right)^{\frac{1}{4}} \frac{1}{qN}$$

である．明らかに I_5 は同じ不等式を満たし，（それぞれの p に対して）

(8.16.2) $$\overline{\lim_{\epsilon\to 0}} |I_2 + I_5| < 2(qN)^{-\frac{3}{2}}$$

となる.

I_3 では

$$Z = X - i\chi' \quad (-\epsilon < X < N^{-2}),$$

(8.11.6) より

$$|Z|^{\frac{1}{2}} < 2^{\frac{1}{4}} q^{-\frac{1}{2}} N^{-\frac{1}{2}};$$
$$\left| e^{2\pi(n - \frac{1}{24})Z} \right| < e^{2n\pi/N^2};$$

(8.11.5) より

$$\frac{1}{q^2} \Re \frac{1}{Z} = \frac{X}{q^2(X^2 + \chi'^2)} \leq \frac{N^{-2}}{q^2 \chi'^2} \leq 4;$$

よって, それぞれの p に対して

(8.16.3)

$$|I_3| < 2N^{-2} \cdot 2^{\frac{1}{4}} q^{-\frac{1}{2}} N^{-\frac{1}{2}} \cdot e^{2n\pi/N^2} \cdot e^{\frac{1}{3}\pi} < BN^{-\frac{5}{2}} q^{-\frac{1}{2}} e^{2n\pi/N^2},$$

ここで B は再び定数である（特に p に依存しない）. 明らかに I_4 も同じ不等式を満たすから,

(8.16.4) $$\overline{\lim_{\epsilon \to 0}} |I_3 + I_4| < 2BN^{-\frac{5}{2}} q^{-\frac{1}{2}} e^{2n\pi/N^2}.$$

そこで

$$\sum_{q=1}^{N} q^{\frac{3}{2}} (qN)^{-\frac{3}{2}} \to 0$$

および

$$\sum_{q=1}^{N} q^{\frac{3}{2}} \cdot N^{-\frac{5}{2}} q^{-\frac{1}{2}} \to 0$$

を証明すれば十分であるが, これらはそれぞれ $O(N^{-\frac{1}{2}})$ である.

8.17 残されているのは積分 U_q と V_q の値を求めて (8.15.8) を証明することだけである. 積分 U_q は標準的な型のものの一つであって, Watson の

Bessel functions にある公式により計算できよう.

$$U_q = \frac{1}{2i} \int_{-\infty}^{(0+)} Z^{\frac{1}{2}} \exp\left\{\frac{\pi}{12q^2 Z} + 2\pi\left(n - \frac{1}{24}\right)Z\right\} dZ$$

$$= \frac{1}{4\pi i} \frac{d}{dn} \int_{-\infty}^{(0+)} Z^{-\frac{1}{2}} \exp\left\{\frac{\pi}{12q^2 Z} + 2\pi\left(n - \frac{1}{24}\right)Z\right\} dZ$$

である.

$$Z = \frac{t}{2\pi(n - \frac{1}{24})} = \frac{t}{2\pi \lambda_n^2}$$

とおくと,

$$\frac{1}{4\pi i} \frac{d}{dn} \left\{ \frac{1}{\lambda_n \sqrt{(2\pi)}} \int_{-\infty}^{(0+)} t^{-\frac{1}{2}} \exp\left(t - \frac{\mu^2}{4t}\right) dt \right\}$$

を得る;ここで

$$\mu^2 = -\frac{2\pi^2 \lambda_n^2}{3q^2}, \quad \mu = i\pi \sqrt{\left(\frac{2}{3}\right)} \frac{\lambda_n}{q} = i\frac{K\lambda_n}{q};$$

そしてこれは

$$\frac{1}{2i}\frac{d}{dn}\left\{\frac{1}{(2\pi)^{\frac{3}{2}}\lambda_n} \cdot 2\pi i \left(\frac{1}{2}\mu\right)^{\frac{1}{2}} J_{-\frac{1}{2}}(\mu)\right\} = \frac{1}{2\pi\sqrt{2}}\frac{d}{dn}\left(\frac{1}{\lambda_n} \cosh \frac{K\lambda_n}{q}\right)$$

となるから

$$U_q = \frac{1}{2\pi\sqrt{2}}\frac{d}{dn}\left(\frac{1}{\lambda_n}\cosh\frac{K\lambda_n}{q}\right).$$

V_q に関しては,

$$V_q = \int_0^\infty t^{\frac{1}{2}} \exp\left\{-\frac{\pi}{12q^2 t} - 2\pi\left(n - \frac{1}{24}\right)t\right\} dt$$

$$= -\frac{1}{2\pi}\frac{d}{dn} \int_0^\infty t^{-\frac{1}{2}} \exp\left\{-\frac{\pi}{12q^2 t} - 2\pi\left(n - \frac{1}{24}\right)t\right\} dt$$

である. a と b が正のとき

$$\int_0^\infty e^{-a^2 t^2 - b^2/t^2} dt = \frac{\sqrt{\pi}}{2a} e^{-2ab}$$

だから，この式から
$$V_q = -\frac{1}{2\pi\sqrt{2}}\frac{d}{dn}\left(\frac{e^{-K\lambda_n/q}}{\lambda_n}\right)$$
となり
$$U_q + V_q = \frac{1}{2\pi\sqrt{2}}\frac{d}{dn}\left(\frac{1}{\lambda_n}\sinh\frac{K\lambda_n}{q}\right),$$
これが (8.15.8) である．

8.18 問題の級数の N 項のみをとったときに生ずる誤差を評価することは容易である．我々が選ぶ N の値は n に依存しており，n に関して一様に成り立つ近似を用いなければならない．まず初めに (8.9.2) より
$$|L_q(n)| \leq q$$
である．さらに，ある固定された A と大きな q に対して
$$n < Aq^2$$
ならば（そのような範囲の n に関して一様に）
$$\frac{d}{dn}\left(\frac{1}{\lambda_n}\sinh\frac{K\lambda_n}{q}\right) = \frac{d}{dn}\left(\frac{K}{q} + \frac{K^3(n-\frac{1}{24})}{6q^3} + \cdots\right) = O\left(\frac{1}{q^3}\right)$$
である．N より大きいすべての q から誤差が生ずるのだから，N は少なくとも $n^{\frac{1}{2}}$ のオーダーでなくてはならない．

というわけで $q > N$ に対して
$$\psi_q(n) = O(q^{-\frac{5}{2}})$$
となり
$$\sum_{N+1}^{\infty} L_q(n)\psi_q(n) = O\left(\sum_{N+1}^{\infty} q^{-\frac{3}{2}}\right) = O(N^{-\frac{1}{2}})$$
となる．特に N を $n^{\frac{1}{2}}$ 程度にとると，大きな n に対して $p(n)$ を誤差 $O(n^{-\frac{1}{4}})$ で得る．

数値計算のためにはもう少し精密な解析を要するが，原理的な困難はな

い．こうして Rademacher は，粗雑な評価 (8.9.2) のみを用いて，初めの N 項をとった誤差は

$$B_1 N^{-\frac{1}{2}} + B_2 \left(\frac{N}{n}\right)^{\frac{1}{2}} \sinh \frac{Kn^{\frac{1}{2}}}{N}$$

未満であることを（B_1 と B_2 のきちんとした値と共に）見いだした．Hardy–Ramanujan の公式にあるように（こちらの方がさらに便利なのだが），$\psi_q(n)$ の代わりに $\phi_q(n)$ を用いたいと思ったら，もう少し誤差が加わるが，その評価は容易である．こうして Rademacher は $n = 721$ で $N = 21$ とすると，誤差は 0.38 未満であることを示すことができたのである．$p(n)$ は整数であるから，誤差を $\frac{1}{2}$ 未満に押さえ込めれば $p(n)$ を決定するには十分よい．

特別な目的には，もっと粗い評価で十分だろう．そのような計算は，例えば Ramanujan の予想の一つに従って

$$p(721) \equiv 0 \pmod{11^3}$$

となるか否かを決定することを目的として行われた．Ramanujan が $p(721)$ は 11^2 の倍数であることを証明したので，誤差を 60.5 未満に押さえ込めればこの目的のためには十分である．

Hardy–Ramanujan の公式の最初の 21 項の値を表の形にしてみた[5]．収束の速さは非常に印象的なものであり，実際の誤差は Rademacher の解析から与えられるものより遥かに小さい．このようにして得られた $p(n)$ の値で最大のものは，最近 Lehmer により計算された

$$p(14031) = 92\ 85303\ 04759\ 09931\ 69434\ 85156\ 67127$$
$$75089\ 29160\ 56358\ 46500\ 54568\ 28164$$
$$58081\ 50403\ 46756\ 75123\ 95895\ 59113$$
$$47418\ 88383\ 22063\ 43272\ 91599\ 91345$$
$$00745$$

---

[5] ［原註］$n = 14031$ に対する同様の表は，長すぎて印刷するに不具合である．

である.その計算は問題の級数の 62 項と,$L_q(n)$ のさらに精密化された評価を必要とする;粗雑な評価 (8.9.2) では不十分なのである.しかしながら Lehmer は

(8.18.1) $$|L_q(n)| < 2q^{\frac{5}{6}}$$

を示し,この評価で十分であった.結果として,Ramanujan の予測通り

$$p(14031) \equiv 0 \pmod{11^4}$$

ということになる.

q	$P_q(721)$
1	16106175575027960182830211７.84821
2	-124192062781.96844
3	-706763.61926
4	2169.16829
5	0.00000 [6]
6	14.20724
7	6.07837
8	0.18926
9	0.04914
10	0.00000 [6]
11	0.08814
12	-0.03525
13	0.03247
14	-0.00687
15	0.00000 [6]
16	-0.01133
17	0.00000 [6]
18	-0.00553
19	0.00859
20	0.00000 [6]
21	-0.00524
	$16106175575027947763553476２.0041$

---

[6] [原註] これらの項は恒等的に消える.

講義 VIII に関する注釈

§8.1. この講義の題材のほとんどは Hardy and Ramanujan *Proc. London Math. Soc.* (2), 17 (1918), 75–115（『全集』の no. 36）と Rademacher (**2**) に見いだされるであろう.

§8.3. Hardy and Ramanujan (*l.c.* 285–287) は初等的な方法でさらに精密な不等式

$$Hn^{-1}e^{2n^{\frac{1}{2}}} < p(n) < Kn^{-1}e^{2(2n)^{\frac{1}{2}}}$$

を示している.

§8.4. Tauber 型の定理は，さらに一般的な形で Hardy and Ramanujan, *Proc. London Math. Soc.* (2), 16 (1917), 112–132（『全集』の no. 34）で証明されている．この論文の最後に Valiron やそれ以前の書き手による類似の定理への参照がある．

いわゆる Tauber 型の方法はそれがうまく働く限り，広い範囲の問題に対して自然と効果的である．例えば我々は n の素数への分割の個数は，(8.3.1) や (8.3.2) と同程度の精度で

$$\exp\left\{\frac{2\pi}{\sqrt{3}}\left(\frac{n}{\log n}\right)^{\frac{1}{2}}\right\}$$

であることを証明できるのである．

§8.6. ここと後で（特に §8.12 で）必要とされる $F(x)$ の関数等式は，Tannery と Molk の関数 $h(\tau)$ の線形変換に対する公式である．Tannery and Molk, *Fonctions elliptiques*, ii, 264–267（表 XLV–XLVI）を見よ.

公式 (8.6.3) は独立に Uspensky, *Bull. de l'acad. des sciences de l'URSS* (6), 14 (1920), 199–218 により発見された．Uspensky の論文は我々の論文の少し後に出版され，我々がその解答をさらに発展させたこともあって，彼の (8.6.3) の証明——それは我々のものより単純なものなのだが——は当然されるべきほどには注目されてこなかったのである．

§8.7. 1917 年に *Comptes rendus* に出た no. 36 の要約（『全集』の no. 31）はこの段階より先には進んでいない.

その各項が母級数の収束円周上の「有理点」に対応するような「特異級数」によって数論的関数を近似するという着想は，Warning の問題に関する Hardy と Littlewood の仕事において支配的なものの一つである．

$\omega_{p,q}$ の様々な表示が Hermite, Tannery と Molk, Hardy と Ramanujan, そして Rademacher (**1**) によって与えられてきた．Rademacher の表示は

$$\omega_{p,q} = e^{\pi i s_{p,q}},$$

ただし

$$s_{p,q} = \frac{1}{q}\sum_{\mu=1}^{q-1}\mu\left(\frac{\mu p}{q} - \left[\frac{\mu p}{q}\right] - \frac{1}{2}\right).$$

D. H. Lehmer (**4**) が証明したごとく，$L_q(n)$ には「乗法的な」性質があり，それによって計算を q が素数か素数の冪の場合に帰着させることが可能となり，それらの場合には，それは $q^{\frac{1}{2}}$，2 の冪，平方剰余記号，および π の有理数倍の余弦の積となるのである．

§§8.8–9. MacMahon は，恒等式

$$(1 - x - x^2 + x^5 + \cdots)\sum p(n)x^n = 1$$

の係数が等しいとして得られる漸化式

$$p(n) - p(n-1) - p(n-2) + p(n-5) + \cdots = 0$$

を調べた．Gupta (**1, 2**) は加うるに別の仕掛けを用いた．

Lehmer は彼の論文 **1** で Hardy–Ramanujan の公式から $p(721)$ を計算したのだが，Rademacher (**2**) によって初めてその結果が確定的なものとされた．Lehmer と Rademacher は共に $p(599)$ も計算した，5^4 を法とした Ramanujan の予想 (§6.6) を試験せんがためである（結果は再び肯定的である）．とかくするうちに Gupta (**2**) は直接計算で $p(599)$ の値を確かめた．

彼の論文 **3** で Lehmer は

$$n = 1224,\ 2052,\ 2474,\ 14031$$

に対する $p(n)$ の値を求め，それらがそれぞれ

$$5^4,\ 11^3,\ 5^5,\ 11^4$$

で割り切れることを確かめている．

Rademacher and Zuckermann (**1**) と Zuckermann (**3**) は他の保形関数の係数に関する等式を見つけている．それらの関数のいくつかは $F(x)$ と同様のものであり，その他のものはやはり Hardy と Ramanujan により考察された別の型のものである [*Proc. Royal Soc.* (A), 95 (1919), 144–155（『全集』の no. 37）]．

Hardy–Ramanujan 級数の発散に関しては Lehmer (**2, 4, 5**) を見よ．それらの論文の最初の論文で発散の問題に決着をつけ，後の二つで彼はさらに精密な結果を証明している．

§8.10. Farey 数列の関連した性質については，例えば Hardy and Write, ch.

III または Landau, *Vorlesungen*, i, 98–100 を見よ.
§8.17. Watson, *Bessel functions*, ch. VI, 特に p.176 を見よ.
§8.18. (8.18.1) に関しては Lehmer (**4**), 292 を見よ.

講義 IX　数を平方数の和として表すこと

9.1　整数 n を与えられた k 個の平方数の和として表すという問題は，整数論における最も名高いものの一つである．その歴史は Diophantus まで遡ることができるだろうが，実質的に始まるのは，素数 $4m+1$ は二つの平方数の和であるという Girard の（あるいは Fermat の）定理による．Fermat 以来のほとんどすべての名のある数論家がこの問題の解決に寄与してきたが，それでもなお我々に残された難問がある．

n を k 個の平方数で表示する数，すなわち

$$x_1^2 + x_2^2 + \cdots + x_k^2 = n$$

の整数解の個数を $r_k(n)$ で表す．$x_1, x_2, \ldots, x_k$ の符号と順序を考慮する．したがって

$$1 = (\pm 1)^2 + 0^2 = 0^2 + (\pm 1)^2, \quad 5 = (\pm 2)^2 + (\pm 1)^2 = (\pm 1)^2 + (\pm 2)^2$$

であり

$$r_2(1) = 4, \quad r_2(5) = 8.$$

問題は $r_k(n)$ を，n の約数の個数あるいは和といった，n のより簡単な数論的関数を用いて決定することである．k が**偶数** $2s$ ならば問題はずっとやさしくなり，この講義を通してこれを仮定する．

Jacobi は $2s = 2, 4, 6$ および 8 に対して問題を解決した．つまり彼は

講義 IX　数を平方数の和として表すこと

(9.1.1) $$r_2(n) = 4 \sum_{d \text{ 奇数}, d|n} (-1)^{\frac{1}{2}(d-1)} = 4\{d_1(n) - d_3(n)\};$$

および，n が偶数か奇数かに従って

(9.1.2) $$r_4(n) = 8 \sum_{d|n} d = 8\sigma(n),$$

あるいは

(9.1.3) $$r_4(n) = 24 \sum_{d \text{ 奇数}, d|n} d = 24\sigma^o(n),$$

である．ここで和は n のすべての約数，あるいはすべての奇約数をわたる；$d_1(n)$ および $d_3(n)$ はそれぞれ $4m+1$ および $4m+3$ の形の n の約数の個数である；$\sigma(n)$ は n の約数の和，$\sigma^o(n)$ はその奇約数の和である．$r_6(n)$ の公式はもう少し複雑だが一般的な性格は同じであり，$r_8(n)$ のものは後に現れるであろう．

9.2　Jacobi は彼の公式を楕円テータ関数の理論から発見した．

(9.2.1) $$\vartheta(x) = 1 + 2x + 2x^4 + \cdots = \sum_{-\infty}^{\infty} x^{n^2}$$

とするならば

(9.2.2) $$\vartheta^2(x) = 1 + 4\left(\frac{x}{1-x} - \frac{x^3}{1-x^3} + \frac{x^5}{1-x^5} - \frac{x^7}{1-x^7} + \cdots\right)$$

および

(9.2.3) $$\vartheta^4(x) = 1 + 8\left(\frac{x}{1-x} + \frac{2x^2}{1+x^2} + \frac{3x^3}{1-x^3} + \frac{4x^4}{1+x^4} + \cdots\right)$$

となり，(9.1.1), (9.1.2) および (9.1.3) は係数を等しいとした結果である．例えば (9.2.2) の右辺は（1 を無視して）

$$4\sum_{d:\text{奇数}}(-1)^{\frac{1}{2}(d-1)}\frac{x^d}{1-x^d} = 4\sum_{d:\text{奇数}}\sum_{i=1}^{\infty}(-1)^{\frac{1}{2}(d-1)}x^{id}$$

である；そして x^n の係数は

$$4\sum_{d:\text{奇数},\,d|n}(-1)^{\frac{1}{2}(d-1)}$$

である．このようにして $r_2(n)$ と $r_4(n)$ の公式は解析的な理論の系として現れるのである．

この過程を逆にすることができて，数論的な公式を直接証明して解析的な恒等式を導くこともできる；ここで $r_2(n)$ と $r_4(n)$ の間で多少違いがある．(9.1.1) を Gauss の複素整数の理論から導くことは容易であるが，(9.1.2) と (9.1.3) はより大きな困難が生ずる．この理由から，(9.2.3) の (9.2.2) からの初等的導出を得ることは興味深く，Ramanujan がその一つを発見した．私はそれをここで再現するが，その理由は，それが私の講義の内容とはほとんど関連がないものの Ramnujan の業績の非常に特徴的な実例だからである．

$$\frac{x}{1-x}+\frac{2x^2}{1+x^2}+\frac{3x^3}{1-x^3}+\frac{4x^4}{1+x^4}+\cdots$$
$$=\frac{x}{1-x}+\frac{2x^2}{1-x^2}+\frac{3x^3}{1-x^3}+\frac{5x^5}{1-x^5}+\cdots=\sum{}' m u_m$$

を確かめることはたやすい，ここで

$$u_m=\frac{x^m}{1-x^m}$$

であり，ダッシュは 4 の倍数を除外することを示す．したがって我々は

(9.2.4) $$\left(\frac{1}{4}+u_1-u_3+u_5-\cdots\right)^2=\frac{1}{16}+\frac{1}{2}\sum{}' mu_m$$

を示さねばならない．

Ramanujan は，さらに一般に

(9.2.5) $$S^2 = T_1 + T_2$$

を証明する，ここで
$$S = \frac{1}{4}\cot\frac{1}{2}\theta + u_1\sin\theta + u_2\sin 2\theta + \cdots,$$
$$T_1 = \left(\frac{1}{4}\cot\frac{1}{2}\theta\right)^2 + u_1(1+u_1)\cos\theta + u_2(1+u_2)\cos 2\theta + \cdots,$$
$$T_2 = \frac{1}{2}\{u_1(1-\cos\theta) + 2u_2(1-\cos 2\theta) + 3u_3(1-\cos 3\theta) + \cdots\}.$$

これは $\theta = \frac{1}{2}\pi$ のとき (9.2.4) に帰着する．というのはこのとき
$$S = \frac{1}{4} + u_1 - u_3 + u_5 - \cdots,$$
$$T_1 = \frac{1}{16} + \sum_1^\infty (-1)^m u_{2m}(1+u_{2m})$$
$$= \frac{1}{16} + \sum_1^\infty (-1)^m \frac{x^{2m}}{(1-x^{2m})^2} = \frac{1}{16} + \sum_1^\infty (-1)^m \sum_1^\infty n x^{2mn}$$
$$= \frac{1}{16} - \sum_1^\infty \frac{nx^{2n}}{1+x^{2n}} = \frac{1}{16} - \sum_1^\infty \left(\frac{nx^{2n}}{1-x^{2n}} - \frac{2nx^{4n}}{1-x^{4n}}\right)$$
$$= \frac{1}{16} - u_2 - 3u_6 - 5u_{10} - \cdots$$

および
$$T_2 = \frac{1}{2}(u_1 + 3u_3 + 5u_5 + \cdots) + 2u_2 + 6u_6 + 10u_{10} + \cdots$$

であるから
$$T_1 + T_2 = \frac{1}{16} + \frac{1}{2}{\sum}' mu_m.$$

(9.2.5) を証明するために，とりあえず
$$S^2 = \left(\frac{1}{4}\cot\frac{1}{2}\theta + \sum_1^\infty u_m\sin m\theta\right)^2$$
$$= \left(\frac{1}{4}\cot\frac{1}{2}\theta\right)^2 + \frac{1}{2}\cot\frac{1}{2}\theta \sum_1^\infty u_m\sin m\theta + \left(\sum_1^\infty u_m\sin m\theta\right)^2$$

$$= \left(\frac{1}{4}\cot\frac{1}{2}\theta\right)^2 + S_1 + S_2$$

と書く．S_1 と S_2 を

$$S_1 = \sum_1^\infty \left\{\frac{1}{2} + \cos\theta + \cos 2\theta + \cdots + \cos(m-1)\theta + \frac{1}{2}\cos m\theta\right\} u_m,$$

$$S_2 = \sum_1^\infty u_m \sin m\theta \sum_1^\infty u_n \sin n\theta$$
$$= \frac{1}{2}\sum_1^\infty \sum_1^\infty \{\cos(m-n)\theta - \cos(m+n)\theta\} u_m u_n$$

の形に書いて，$S_1 + S_2$ を

$$S_1 + S_2 = \sum_{k=0}^\infty C_k \cos k\theta$$

とまとめ直す．

(i) S_1 の C_0 への寄与は $\frac{1}{2}\sum u_m$ であり，S_2 のは $\frac{1}{2}\sum u_m^2$ である．よって

$$C_0 = \frac{1}{2}\sum_1^\infty u_m(1+u_m) = \frac{1}{2}\sum_1^\infty \frac{x^m}{(1-x^m)^2} = \frac{1}{2}\sum_1^\infty \sum_1^\infty n x^{mn}$$
$$= \frac{1}{2}\sum_1^\infty \frac{nx^n}{1-x^n} = \frac{1}{2}\sum_1^\infty n u_n.$$

(ii) $k > 0$ ならば，S_1 の C_k への寄与は

$$\frac{1}{2}u_k + \sum_{k+1}^\infty u_m = \frac{1}{2}u_k + \sum_{l=1}^\infty u_{k+l}$$

である．S_2 の寄与は

$$\frac{1}{2}\sum_{m-n=k}u_m u_n + \frac{1}{2}\sum_{n-m=k}u_m u_n - \frac{1}{2}\sum_{m+n=k}u_m u_n$$
$$= \sum_{l=1}^{\infty} u_l k_{k+l} - \frac{1}{2}\sum_{l=1}^{k-1} u_l u_{k-l}$$

である[1]. よって

$$C_k = \frac{1}{2}u_k + \sum_{l=1}^{\infty} u_{k+l} + \sum_{l=1}^{\infty} u_l u_{k+l} - \frac{1}{2}\sum_{l=1}^{k-1} u_l u_{k-l}$$

である.

$$u_{k+l}(1+u_l) = u_k(u_l - u_{k+l}), \quad u_l u_{k-l} = u_k(1+u_l+u_{k-l})$$

は容易に確かめられるから

$$C_k = u_k\left\{\frac{1}{2} + \sum_{l=1}^{\infty}(u_l - u_{k+l}) - \frac{1}{2}\sum_{l=1}^{k-l}(1+u_l+u_{k-l})\right\}$$
$$= u_k\left\{\frac{1}{2} + u_1 + u_2 + \cdots + u_k - \frac{1}{2}(k-1) - (u_1+u_2+\cdots+u_{k-1})\right\}$$
$$= u_k(1+u_k-\frac{1}{2}k)$$

となる. よって最終的に

$$S^2 = \left(\frac{1}{4}\cot\frac{1}{2}\theta\right)^2 + \frac{1}{2}\sum_{n=1}^{\infty} n u_n + \sum_{k=1}^{\infty} u_k(1+u_k-\frac{1}{2}k)\cos k\theta$$
$$= \left(\frac{1}{4}\cot\frac{1}{2}\theta\right)^2 + \sum_{m=1}^{\infty} u_m(1+u_m)\cos m\theta + \frac{1}{2}\sum_{m=1}^{\infty} m u_m(1-\cos m\theta)$$
$$= T_1 + T_2.$$

この恒等式は通常の楕円関数の記号で

---

[1] [訳註] k_{k+l} は u_{k+l} の間違い.

$$\left\{\zeta(u) - \frac{\eta_1 u}{\omega_1}\right\}^2 - \wp(u) = \left(\frac{2\pi}{\omega_1}\right)^2 \left\{-\frac{1}{24} + \sum_1^\infty \frac{q^{2m}}{(1-q^{2m})^2} \cos\frac{m\pi u}{\omega_1}\right\}$$

と同値である．

9.3 Jacobi は $2s$ が 8 を超える場合の $r_{2s}(n)$ の決定を試みることはなかったが，この方向での最初の結果は $2s = 10$ と $2s = 12$ に対して Liouville と Eisenstein により得られた．それらの場合に $r_{2s}(n)$ はいつでも n の簡単な「約数関数」で表せるわけではない．例えば，Glaisher の記号で

$$r_{10}(n) = \frac{4}{5}\{E_4(n) + 16E_4'(n) + 8\chi_4(n)\},$$

ここで

$$E_4(n) = \sum_{d\ 奇数,\ d|n} (-1)^{\frac{1}{2}(d-1)} d^4,$$

$$E_4'(n) = \sum_{d'\ 奇数,\ d|n} (-1)^{\frac{1}{2}(d'-1)} d^4$$

(d' は n/d，つまり d の「共役」となる n の約数）であり，

$$\chi_4(n) = \frac{1}{4} \sum_{a^2+b^2=n} (a+bi)^4$$

(n の Gauss の複素約数上の和）である．類似した公式が $2s = 12, 14, \ldots$ に対してあって，それぞれの場合に $r_{2s}(n)$ は一つの「約数関数」と，一つまたはそれ以上の補助的な関数の和である．それらの補助的な関数は s と共に複雑さを増し，明快な整数論的な具合に定義できるのは，$\chi_4(n)$ のように最も簡単な場合だけである．大多数はモジュラー関数の展開の係数として認識できるのみである．

しかしながら，いつでも $r_{2s}(n)$ を「支配している」一つの約数関数があることが見て取れよう．すべての場合に

$$r_{2s}(n) = \delta_{2s}(n) + e_{2s}(n),$$

ここで $\delta_{2s}(n)$ は約数関数であり $e_{2s}(n)$ は大きな n に対しては $\delta_{2s}(n)$ より

ずっと小さく，n が無限大に行くと

$$r_{2s}(n) \sim \delta_{2s}(n)$$

となる．

9.4 ここでは，$2s = 8$ と $2s = 24$ の二つの特殊な場合を詳しく調べることにしたい．解析は $2s$ が 8 の倍数のときには通常より少し簡単になるが，これら二つの場合は一般論の著しく典型的な場合である．第一の場合には Jacobi の古典的な公式を得るし，第二の場合には Ramanujan の新しい定理で最も特徴的なものを得る．これの完全な証明はかつて公表されたことがないと私は思う．

私は Jacobi や Ramanujan の方法ではなく，後に Mordell と私自身により考案された「関数論的な」方法を用いるが，これは理論の基礎をより明確にするものである．しかしながら，この主題に対する Ramanujan の数々の寄与についてのいくつかの一般的な注意から始めねばならない，それらは *Transaction of the Cambridge Philosophical Society* にある二つの重要な論文で説明されている[2]．

Ramanujan がどの程度に他の書き手に依拠しているかをいうのはいつでも困難なことであり，彼が英国に来る以前に始めた仕事を展開するとき，そしてここでもそうであるように，彼が楕円関数論の一端に関わっているときには，その困難はその最大のものとなる．楕円関数に関する本で彼がインドで目にすることができて，その理論の整数論的な応用について述べているものはない．したがって私は Ramanujan は Jacobi の公式を再発見したのだと信じている，それは間違いなく彼の力量の内にある．

それらの論文を公表するまでに Ramanujan はそれ以上に相当多くのことを読んでおり，Jacobi やずっと後の仕事についてすべて知っていた．特に彼は Glaisher の論文を読んでおり，その内容を既知のこととして扱う；そして彼の謝辞を額面通りに取る読者は彼の独創性を過小評価しがちである．どのように割り引いてみても，論文はすべて高度に独創的である：それら

---

[2] ［原註］『全集』の Nos. 18 と 21 である．

は彼の最良のときの典型的なものである．それが含む多数の注目すべき定理は紛れもなく新しいものであり，予想はそれにも増して注目すべきものだが，後に Mordell により確認された；さらに全般的に解析の程度は瞠目するほどに高い．特に第二の論文は，私のここでの目的のためには基本的である「Ramanujan の和」に関する整然とした理論の全体を含んでいる．私は彼のものとは全く異なった路線で理論を展開しようとしているにしても，Ramanujan の公式から始めねばならない．

Ramanujan の和 $c_q(n)$

9.5 Ramanujan の和とは

$$c_q(n) = \sum_{p(q)} e^{-2np\pi i/q},$$

ここで記号は q 未満かつ q と素なる p 上の和を表す[3]．それを

$$c_q(n) = \sum_{p(q)} \cos \frac{2np\pi}{q}$$

(それが実数であることを示す形) とも，あるいはまた，ρ_q を 1 の原始 q 乗根として

$$c_q(n) = \sum \rho_q^n$$

と書くこともできるだろう．

$c_q(n)$ の値を Möbius 関数 $\mu(n)$ を用いて表すことは容易である．この関数は

(i) $$\mu(1) = 1,$$

$n = p_1 p_2 \cdots p_\nu$ が ν 個の異なる素因子の積ならば

---

[3] ［原註］あるいは q と素な任意の完全剰余系．

(ii)
$$\mu(n) = (-1)^\nu,$$

さらに n に因子の繰り返しがあれば

(iii)
$$\mu(n) = 0$$

である[4]. $\mu(n)$ の主たる性質は (a) すべての $q > 1$ に対して

$$\sum_{d|q} \mu(d) = 0,$$

および (b) 恒等式

(9.5.1) $$g(q) = \sum_{d|q} f(d)$$

と

(9.5.2) $$f(q) = \sum_{d|q} \mu\left(\frac{q}{d}\right) g(d)$$

は互いに同値である．最後の定理は通常「Möbius 反転公式」と称される．

Ramanujan は

(9.5.3) $$c_q(n) = \sum_{d|q, d|n} \mu\left(\frac{q}{d}\right) d$$

(q と n の公約数すべての上をわたる和) ということを証明した．これを証明するために，彼は

$$\eta_q(n) = \sum_{h=0}^{q-1} e^{-2nh\pi i/q}$$

は，$q|n$ ならば q さもなくば 0 であることに注目する．しかし明らかに

---

[4] [原註] $\mu(n)$ は講義 II と講義 IV に既に登場していた．33 ページの脚注を見よ．

$$\eta_q(n) = \sum_{d|q} c_d(n)$$

だから，したがって Möbius の公式により

$$c_q(n) = \sum_{d|q} \mu\left(\frac{q}{d}\right) \eta_d(n)$$

となり，これは (9.5.3) である．

少し長くなるものの，後で有用になる諸原理に依拠する別の証明がある．もし $(q, q') = 1$ ならばいつでも

(9.5.4) $$f(qq') = f(q)f(q')$$

となるとき，$f(q)$ は**乗法的**であるという．特にこれは $f(1) = 1$ であることを意味する．もし

(9.5.5) $$f(q) = F(q)$$

を証明したいとして，$f(q)$ と $F(q)$ が共に乗法的であると分かっているならば，q が一つの素数の冪の場合に結果を証明すれば十分なことは明らかである．

さて，$(q, q') = 1$ ならば

$$c_q(n)c_{q'}(n) = \sum_{p(q)} e^{-2np\pi i/q} \sum_{p'(q')} e^{-2np'\pi i/q'}$$
$$= \sum_{p(q), p'(q')} e^{-2nP\pi i/qq'}$$

である．ここで

$$P = pq' + p'q$$

であり，p と p' が $p(q)$ と $p'(q')$ の範囲を走るときに P は $P(qq')$ の範囲を走る．よって

$$\sum_{p(q),p'(q')} e^{-2nP\pi i/qq'} = \sum_{P(qq')} e^{-2nP\pi i/qq'} = c_{qq'}(n)$$

となり，Ramanujan の和は乗法的である．

さらにまた，(9.5.3) の右辺を $C_q(n)$ とするならば，

$$(9.5.6) \quad C_q(n)C_{q'}(n) = \sum \mu\left(\frac{q}{d}\right)\mu\left(\frac{q'}{d'}\right)dd' = \sum \mu\left(\frac{qq'}{dd'}\right)dd'.$$

ここで $d|q$, $d|n$, $d'|q'$, $d'|n$ で，これらの関係は

$$dd'|qq', \quad dd'|n$$

と同値である（なぜなら q と q' は互いに素だから）．よって (9.5.6) の右辺は $C_{qq'}(n)$ となり，$C_q(n)$ も乗法的である．

したがって我々がすべきは，ϖ が素数のときに

$$c_{\varpi^k}(n) = C_{\varpi^k}(n)$$

を証明することだけである．$p(\varpi^k)$ における p の値は

$$p = \varpi^{k-1}z + p_1,$$

ここで $z = 0, 1, 2, \ldots, \varpi - 1$ であり p_1 は $p_1(\varpi^{k-1})$ を走る．よって

$$c_{\varpi^k}(n) = \sum_{p_1(\varpi^{k-1})} e^{-2np_1\pi i/\varpi^k} \sum_{z=0}^{\varpi-1} e^{-2nz\pi i/\varpi}$$

であり，内側の和は $\varpi|n$ のときは ϖ，さもなくば零である．したがって，$\varpi|n$ で $n = \varpi n_1$ ならば

$$(9.5.7) \quad c_{\varpi^k}(n) = \varpi \sum_{p_1(\varpi^{k-1})} e^{-2n_1 p_1 \pi i/\varpi^{k-1}} = \varpi c_{\varpi^{k-1}}(n_1)$$

であり，さもなくば $c_{\varpi^k}(n) = 0$ である．

さて

$$c_\varpi(n) = \sum_1^{\varpi-1} e^{-2np\pi i/\varpi}$$

だから

(9.5.8) $\qquad c_\varpi(n) = -1\ (\varpi \nmid n), \quad c_\varpi(n) = \varpi - 1\ (\varpi | n);$

よって (9.5.7) によりすべての k に対して $c_{\varpi^k}(n)$ を計算することができる.

(9.5.9) $\quad c_{\varpi^2}(n) = 0\ (\varpi \nmid n),\quad -\varpi\ (\varpi | n, \varpi^2 \nmid n),\quad \varpi(\varpi - 1)\ (\varpi^2 | n)$

であり,一般には

(9.5.10)
$c_{\varpi^k}(n) = 0\ (\varpi^{k-1} \nmid n),\quad -\varpi^{k-1}\ (\varpi^{k-1} | n, \varpi^k \nmid n),\quad \varpi^{k-1}(\varpi - 1)\ (\varpi^k | n);$

さらに,それらは $C_{\varpi^k}(n)$ の値でもあることは直ちに確かめることができる.よって $q = \varpi^k$ ならばいつでも $c_q(n) = C_q(n)$ であり,したがってすべての q に対して成り立つ.

級数 $\sum q^{-s} c_q(n)$

9.6 Ramanujan は $\sum a_q c_q(n)$ の形の多数の級数の和を求めた.最も簡単なものは

(9.6.1) $$U(n) = \sum_{q=1}^\infty \frac{c_q(n)}{q^s}$$

である.この級数の興味深い求め方が幾通りかある.$s > 1$ のときそれは絶対収束する,というのはすべての q に対して $|c_q(n)| \leq \sigma(n)$ だから.

(i) 最も短い求め方は Estermann によるものである. $c_q(n)$ を

$$c_q(n) = \sum_{lm=q, m|n} \mu(l) m$$

の形に書けるから

$$\frac{c_q(n)}{q^s} = \sum_{lm=q, m|n} \mu(l) l^{-s} m^{1-s}.$$

q について和をとって l に対する制限を除くと，l はすべての正の整数値をとることになる；であるから

(9.6.2) $\quad U(n) = \sum_{l, m|n} \mu(l) l^{-s} m^{1-s}$

$$= \sum_{m|n} m^{1-s} \sum_{l=1}^{\infty} \frac{\mu(l)}{l^s} = \frac{\sigma_{1-s}(n)}{\zeta(s)} = \frac{n^{1-s} \sigma_{s-1}(n)}{\zeta(s)},$$

ここで $\sigma_\nu(n)$ は n の約数の ν 乗の和である．

(ii) Ramanujan は次のような議論をした．$F(x, y)$ を二つの変数 x と y の任意の関数として

$$D(n) = \sum_{d|n} F\left(d, \frac{n}{d}\right)$$

とおき，$\eta_\nu(n)$ を §9.5 のように定義する，つまり ν が n の約数か否かに従って $\eta_\nu(n)$ は ν か 0 である．すると n 未満でないいかなる t の値に対しても

$$D(n) = \sum_{\nu=1}^{t} \frac{\eta_\nu(n)}{\nu} F\left(\nu, \frac{n}{\nu}\right);$$

であるから

$$D(n) = \sum_{\nu=1}^{t} \frac{1}{\nu} F\left(\nu, \frac{n}{\nu}\right) \sum_{d|\nu} c_d(n).$$

さて $c_j(n)$ がこの級数に現れるのは $j|\nu$，つまり $\nu = j\mu$ のときで，その場合 $\mu \leq t/j$ である；したがって

$$(9.6.3) \quad D(n) = c_1(n) \sum_1^t \frac{1}{\mu} F\left(\mu, \frac{n}{\mu}\right) + c_2(n) \sum_1^{\frac{1}{2}t} \frac{1}{2\mu} F\left(2\mu, \frac{n}{2\mu}\right)$$
$$+ c_3(n) \sum_1^{\frac{1}{3}t} \frac{1}{3\mu} F\left(3\mu, \frac{n}{3\mu}\right) + \cdots.$$

特に $F(x, y) = x^{1-s}$ とする. すると

$$D(n) = \sum_{d|n} d^{1-s} = \sigma_{1-s}(n)$$

であり

$$\sigma_{1-s}(n) = \frac{c_1(n)}{1^s} \sum_1^t \mu^{-s} + \frac{c_2(n)}{2^s} \sum_1^{\frac{1}{2}t} \mu^{-s} + \frac{c_3(n)}{3^s} \sum_1^{\frac{1}{3}t} \mu^{-s} + \cdots.$$

最後に, $s > 1$ ならば, $t \to \infty$ として (9.6.2) を得る.

(iii) 第三の証明は §9.5 の第二の証明に似た方針で進行する. 恒等式

$$\sum_{q=1}^\infty \frac{f(q)}{q^s} = \prod_\varpi \left\{ 1 + \frac{f(\varpi)}{\varpi^s} + \frac{f(\varpi^2)}{\varpi^{2s}} + \cdots \right\} = \prod_\varpi \chi_\varpi$$

から始める. ここで $f(q)$ は任意の乗法的な関数であり, ϖ は素数全体を走る. $f(q) = 1$ のときにはこの恒等式は「Euler の積」に帰着する.

ここでは

$$\chi_\varpi = 1 + \frac{c_\varpi(n)}{\varpi^s} + \frac{c_{\varpi^2}(n)}{\varpi^{2s}} + \cdots$$

で, 公式 (9.5.10) を引き合いに出すことができる. ϖ^a が n を割り切る ϖ の最大冪だとする. すると, $a = 0$ ならば

$$\chi_\varpi = 1 - \varpi^{-s}$$

であり, 一般に

$$\chi_\varpi = 1 + \frac{\varpi - 1}{\varpi^s} + \frac{\varpi(\varpi - 1)}{\varpi^{2s}} + \cdots + \frac{\varpi^{a-1}(\varpi - 1)}{\varpi^{as}} - \frac{\varpi^a}{\varpi^{(a+1)s}}$$
$$= (1 - \varpi^{-s})\frac{1 - \varpi^{(a+1)(1-s)}}{1 - \varpi^{1-s}}.$$

よって，通常の n の約数の冪の和の公式から

$$\sum_q \frac{c_q(n)}{q^s} = \prod_\varpi (1 - \varpi^{-s}) \prod_{\varpi | n} \frac{1 - \varpi^{(a+1)(1-s)}}{1 - \varpi^{1-s}} = \frac{\sigma_{1-s}(n)}{\zeta(s)}$$

となる．

特に，$s = 2$ のとき，n の約数の和の公式

$$\sigma(n) = \frac{1}{6}\pi^2 n \Big\{ 1 + \frac{(-1)^n}{2^2} + \frac{2\cos\frac{2}{3}n\pi}{3^2} + \frac{2\cos\frac{1}{2}n\pi}{4^2}$$
$$+ \frac{2(\cos\frac{2}{5}n\pi + \cos\frac{4}{5}n\pi)}{5^2} + \cdots \Big\}$$

を得る．この公式は $\sigma(n)$ がその「平均」$\frac{1}{6}\pi^2 n$ 周辺で振動する様子を鮮やかに示している．

我々は $s > 1$ と仮定していたが，このとき我々の級数は絶対収束している．(9.6.2) を

(9.6.4) $$\sum_q \frac{c_q(n)}{q^s} = \sum_{d|n} \frac{d}{d^s} \sum_m \frac{\mu(m)}{m^s}$$

と書くことができる．右辺の第一の因子は有限の，したがって絶対収束する Dirichlet 級数であり，第二の因子は $s \geq 1$ で収束する Dirichlet 級数である；それゆえに，Dirichlet 級数の積に関するお馴染みの定理により左辺の級数は収束し，(9.6.4) は $s \geq 1$ に対して正しい．$s = 1$ として我々は

$$c_1(n) + \frac{c_2(n)}{2} + \frac{c_3(n)}{3} + \cdots = 0$$

を得る（素数定理と同じ深さの定理）．

Ramanujan はいくつかの同様な和の計算を行ったが，その内で

$$c_1(n)\log 1 + \frac{c_2(n)}{2}\log 2 + \frac{c_3(n)}{3}\log 3 + \cdots = -d(n)$$

と
$$\pi\left\{c_1(n) - \frac{c_3(n)}{3} + \frac{c_5(n)}{5} - \cdots\right\} = r_2(n)$$
は最も鮮やかな二つである．

級数 $\sum \epsilon_q q^{-s} c_q(n)$

9.7 我々の目下の問題のために重要な級数は (9.6.1) ではなくて

(9.7.1) $$V(n) = \sum_{q=1}^{\infty} \epsilon_q \frac{c_q(n)}{q^s}$$

である，ここで

$$\epsilon_q = 1 \ (q \equiv 1, 3), \quad 0 \ (q \equiv 2), \quad 2^s \ (q \equiv 0)$$

で，合同は 4 を法とする．この級数の和は §9.6 にあるどの方法によっても求められるだろう；私は最短ということから第一のものを選ぶ．$\sigma_\nu^*(n)$ を

$$\sigma_\nu^*(n) = \sigma_\nu(n) \quad (n \text{ は奇数}),$$
$$\sigma_\nu^*(n) = \sigma_\nu^e(n) - \sigma_\nu^o(n) \quad (n \text{ は偶数})$$

により定義する．ただし $\sigma_\nu^e(n)$ と $\sigma_\nu^o(n)$ は偶および奇なる n の約数の ν-乗の和である；そこで次を証明する[5]

(9.7.2) $$V(n) = \frac{n^{1-s}}{(1 - 2^{1-s})\zeta(s)} \sigma_{s-1}^*(n).$$

とりあえず
$$V(n) = \sum_{q=1,3,\ldots} q^{-s} c_q(n) + 2^s \sum_{q=4,8,\ldots} q^{-s} c_q(n) = V_1(n) + V_2(n)$$

である．ここで，まず

---

[5] ［原註］ここでは (9.6.2) のような二通りの書き方は成り立たない，というのは n が偶数のとき
$$n^{1-s} \sigma_{s-1}^*(n) \neq \sigma_{1-s}^*(n)$$
だから．

講義 IX 数を平方数の和として表すこと

$$V_1(n) = \sum_{q=1,3,\ldots} q^{-s} \sum_{lm=q, m|n} \mu(l)m$$

$$= \sum_{lm=1,3,\ldots, m|n} \mu(l)l^{-s}m^{1-s} = \sigma^o_{1-s}(n) \sum_{l=1,3,\ldots} \frac{\mu(l)}{l^s}$$

$$= \sigma^o_{1-s}(n) \prod_{\varpi>2}\left(1 - \frac{1}{\varpi^s}\right) = \frac{\sigma^o_{1-s}(n)}{(1-2^{-s})\zeta(s)}.$$

次に[6]

$$V_2(n) = 2^s \sum_{q=4,8,\ldots} q^{-s} \sum_{lm=q, m|n} \mu(l)m = 2^s \sum_{lm=4,8,\ldots} \mu(l)l^{-s}m^{1-s}.$$

もし $4|l$ ならば $\mu(l) = 0$. よって (i) l が奇数かつ $4|m$, あるいは (ii) $l = 2l_1$ (ここで l_1 は奇数) かつ $2|m$, のいずれかを仮定してよい. (i) の型の項は

$$2^s \sum_{l=1,3,\ldots} \frac{\mu(l)}{l^s} \sum_{4|m, m|n} m^{1-s} = \frac{2^s \sigma^{ee}_{1-s}(n)}{(1-2^{-s})\zeta(s)}$$

を与える, ここで二重の指標は二重に偶数なる約数[7]の和を示す; (ii) の型の項は

$$-\sum_{l_1=1,3,\ldots} \frac{\mu(l_1)}{l_1^s} \sum_{2|m, m|n} m^{1-s} = -\frac{\sigma^e_{1-s}(n)}{(1-2^{-s})\zeta(s)}$$

を与える.

これらの結果を集めると

$$(1-2^{-s})\zeta(s)V(n) = \sigma^o_{1-s}(n) - \sigma^e_{1-s}(n) + 2^s \sigma^{ee}_{1-s}(n)$$

となる；そこで

(9.7.3) $\qquad \sigma^o_{1-s}(n) - \sigma^e_{1-s}(n) + 2^s\sigma^{ee}_{1-s}(n) = n^{1-s}\sigma^*_{s-1}(n)$

---

[6] ［訳註］最後の和 $\sum_{lm=4,8,\ldots}$ は $\sum_{lm=4,8,\ldots, m|n}$ の間違い.

[7] ［訳註］4 の倍数なる約数.

を示しさえすればよい．n が奇数ならば，これは明らかである．N が奇数で $n = 2N$ ならば，δ が N の約数を走るとき，(9.7.3) の左辺は

$$\sum \delta^{1-s} - \sum (2\delta)^{1-s} = (1 - 2^{1-s}) \sum \delta^{1-s} = (1 - 2^{1-s})N^{1-s} \sum \delta^{s-1}$$
$$= (2^{s-1} - 1)n^{1-s} \sum \delta^{s-1} = n^{1-s}\{\sum (2\delta)^{s-1} - \sum \delta^{s-1}\} = n^{1-s}\sigma_{s-1}^*(n)$$

となる．最後に $n = 2^\alpha N$（ただし $\alpha > 1$）ならばそれは

$$\sum \delta^{1-s} - \{2^{1-s} + 4^{1-s} + \cdots + 2^{\alpha(1-s)}\} \sum \delta^{1-s}$$
$$+ 2^s\{4^{1-s} + 8^{1-s} + \cdots + 2^{\alpha(1-s)}\} \sum \delta^{1-s}$$
$$= \{1 + 2^{1-s} + 4^{1-s} + \cdots + 2^{(\alpha-1)(1-s)} - 2^{\alpha(1-s)}\} \sum \delta^{1-s}$$
$$= N^{1-s}\{1 + 2^{1-s} + 4^{1-s} + \cdots + 2^{(\alpha-1)(1-s)} - 2^{\alpha(1-s)}\} \sum \delta^{s-1}$$
$$= n^{1-s}\{2^{\alpha(s-1)} + 2^{(\alpha-1)(s-1)} + \cdots + 2^{s-1} - 1\} \sum \delta^{s-1}$$
$$= n^{1-s}\{\sigma_{s-1}^e(n) - \sigma_{s-1}^o(n)\} = n^{1-s}\sigma_{s-1}^*(n)$$

となる．これで (9.7.2) の証明が完了する．

$2s$ 平方数問題の特異級数

9.8 ここで Ramanujan の仕事には（少なくとも明示的には）見ることのできない[8]着想を導入せねばならない．その着想から Littlewood と私は Warning の問題に関する我々の研究を始めたのである．

x が単位円周上の「有理点」$e^{2p\pi i/q}$ に半径方向に近づくときの

$$f(s) = \vartheta^{2s}(x) = (1 + 2x + 2x^4 + \cdots)^{2s}$$

の振る舞いに対する漸近公式を見つけることは容易である[9]．$q = 1, p = 0$ あるいは $q > 1, 0 < p < q$ かつ $(p, q) = 1$ と仮定してよい．

$$x = re^{2p\pi i/q}$$

として $r \to 1$ とするならば

---

[8] ［原註］我々の分割数に関する共同研究を除いて．
[9] ［訳註］$f(s)$ は $f(x)$ とすべき．

$$\vartheta(x) = 1 + 2\sum_{1}^{\infty} r^{n^2} e^{2n^2 p\pi i/q}$$
$$= 1 + 2\sum_{j=1}^{q}\sum_{l=0}^{\infty} r^{(lq+j)^2} e^{2(lq+j)^2 p\pi i/q}$$
$$= 1 + 2\sum_{j=1}^{q} e^{2j^2 p\pi i/q} \sum_{l=0}^{\infty} r^{(lq+j)^2}.$$

$r = e^{-\delta}$ として，$\delta \to 0$ だから

$$\sum_{l=0}^{\infty} r^{(lq+j)^2} = \sum_{l=0}^{\infty} e^{-\delta(lq+j)^2} \sim \int_0^{\infty} e^{-\delta(xq+j)^2}\,dx$$
$$\sim \int_0^{\infty} e^{-\delta x^2 q^2}\,dx = \frac{1}{2q}\sqrt{\left(\frac{\pi}{\delta}\right)} = \frac{\sqrt{\pi}}{2q}\left(\log\frac{1}{r}\right)^{-\frac{1}{2}};$$

したがって

(9.8.1) $$\vartheta(x) \sim \frac{\sqrt{\pi}}{q} S_{p,q} \left(\log\frac{1}{r}\right)^{-\frac{1}{2}},$$

ここで

(9.8.2) $$S_{p,q} = \sum_{j=1}^{q} e^{2j^2 p\pi i/q}$$

は「Gauss 和」の一つである．$q \equiv 2 \pmod 4$ のとき起きるように，$S_{p,q} = 0$ ならば (9.8.1) は

$$\vartheta(x) = o\left\{\left(\log\frac{1}{r}\right)^{-\frac{1}{2}}\right\}$$

と解釈するものとする．したがって[10]

---

[10] ［訳註］π^{-s} は π^s とすべき．

(9.8.3)
$$f(x) \sim \pi^{-s} \left(\frac{S_{p,q}}{q}\right)^{2s} \left(\log \frac{1}{r}\right)^{-s}.$$

さて，x が単位円周にこのように近づいたときの $f(x)$ の振る舞いを模倣するような補助的な関数をこしらえる．

$$F_s(x) = \sum_1^\infty n^{s-1} x^n$$

とおくと

$$F_s(x) - \Gamma(s) \left(\log \frac{1}{x}\right)^{-s}$$

は $x = 1$ で正則であることが知られている．よって

$$f_{p,q}(x) = \frac{\pi^s}{\Gamma(s)} \left(\frac{S_{p,q}}{q}\right)^{2s} F_s(x e^{-2p\pi i/q})$$

とすると，x が $e^{2p\pi i/q}$ に行ったときに

$$f_{p,q}(x) \sim \pi^s \left(\frac{S_{p,q}}{q}\right)^{2s} \left(\log \frac{1}{r}\right)^{-s} \sim f(x)$$

となる．すなわち $f_{p,q}(x)$ はこの点の近くで $f(x)$ を「模倣」する；そこで

$$\Theta_{2s}(x) = 1 + \sum_{p,q} f_{p,q}(x)$$

と書くならば，$\Theta_{2s}(x)$ はすべての有理点 $e^{2p\pi i/q}$ の近くで $f(x)$ を模倣するであろうと期待してよいだろう．ということは $\Theta_{2s}(x)$ は $f(x)$ をとても包括的に模倣しており，包括的に模倣しているがために，その二つの関数の係数の間にはとても密接な関係があるに違いないということである．もしその通りならば，$r_{2s}(n)$ を近似的に決定することに何らかの道筋が開けるであろう．

さて

$$\Theta_{2s}(x) = 1 + \frac{\pi^s}{\Gamma(s)} \sum_{p,q} \left(\frac{S_{p,q}}{q}\right)^{2s} \sum_{n=1}^{\infty} n^{s-1} e^{-2np\pi i/q} x^n$$
$$= 1 + \sum_{n=1}^{\infty} \rho_{2s}(n) x^n,$$

ここで

$$\rho_{2s}(n) = \frac{\pi^s}{\Gamma(s)} n^{s-1} \sum_{p,q} \left(\frac{S_{p,q}}{q}\right)^{2s} e^{-2np\pi i/q}$$

である．これを

(9.8.4) $$\rho_{2s}(n) = \frac{\pi^s}{\Gamma(s)} n^{s-1} \sum_{q=1}^{\infty} A_q(n)$$

と書くことができる．ここで $A_1(n) = 1$ であり，$q > 1$ のときは

(9.8.5) $$A_q(n) = q^{-2s} \sum_{p(q)} S_{p,q}^{2s} e^{-2np\pi i/q}$$

である．我々は $r_{2s}(n)$ と $\rho_{2s}(n)$ の間に相当密接な関係があるものと期待する資格がある．それはただの期待に過ぎない，というのは我々の解析は全く「発見的」なものであるから；しかしながら，それは明らかに追及する価値があるものである．

(9.8.4) を**特異級数**と呼ぶ．我々の構成は一般の Waring の問題における「特異級数」の構成で典型的なものである．

$2s \equiv 0 \pmod{8}$ のときに特異級数の和を求めること

9.9 特異級数はすべての s に対して和を求めることができる．その解析は $2s \equiv 0 \pmod{8}$ のときが最も簡単で，それを仮定する．

Gauss 和 $S_{p,q}$（あるいは p を明示的に考慮しないときは，簡単に S_q）は，すべての p, q に対して，公式

$$S_{p,qq'} = S_{pq',q}S_{pq,q'},$$
$$S_1 = 1, \quad S_2 = 0, \quad S_{2^{2\mu}} = 2^\mu(1+i^p), \quad S_{2^{2\mu+1}} = 2^{\mu+1}e^{\frac{1}{4}p\pi i},$$
$$S_\varpi = \left(\frac{p}{\varpi}\right)i^{\frac{1}{4}(\varpi-1)^2}\sqrt{\varpi}, \quad S_{\varpi^{2\mu}} = \varpi^\mu, \quad S_{\varpi^{2\mu+1}} = \varpi^\mu S_\varpi$$

から計算することができる．ここで q と q' は互いに素であり，ϖ は奇素数である．8 乗の公式はずっと簡単になって，$2s \equiv 0 \pmod 8$ のとき

$$S_{p,q}^{2s} = \epsilon_q q^s$$

であることが分かる．ただし ϵ_q は §9.7 の記号である．したがって

$$A_q = \epsilon_q q^{-s} \sum_{p(q)} e^{-2np\pi i/q} = \epsilon_q q^{-s} c_q(n)$$

であり，§9.7 の記号で

(9.9.1) $$\rho_{2s}(n) = \frac{\pi^s n^{s-1}}{\Gamma(s)}V(n)$$

である．よって特異級数は（外部の因子を除いて）Ramanujan の級数 (9.7.1) であり，だから

(9.9.2) $$\rho_{2s}(n) = \frac{\pi^s}{\Gamma(s)(1-2^{-s})\zeta(s)}\sigma^*_{s-1}(n)$$

である．

特に，$2s = 8$ ならば

$$(1-2^{-s})\zeta(s) = \frac{\pi^4}{96},$$
(9.9.3) $$\rho_8(n) = 16\sigma^*_3(n)$$

である．$2s = 24$ ならば

$$(1-2^{-12})\zeta(12) = (1-2^{-12})2^{11}\pi^{12}\frac{B_6}{12!}, \quad B_6 = \frac{691}{2730}$$

であり

(9.9.4) $$\rho_{24}(n) = \frac{16}{691}\sigma_{11}^{*}(n)$$

である.

モジュラー関数

9.10 我々には $r_{2s}(n)$ と $\rho_{2s}(n)$ の間に相当密接な関係が見られると期待する強い理由があるのだが,さらなる解析は我々の望みを正当化するに余りあるものをなし,その対応はとてつもなく近いものなのである.実際,$2s \leq 8$ のときには,その二つの関数は同じものである;特に

$$r_8(n) = \rho_8(n).$$

このことの証明は全く異なった性格の議論に依拠していて,Mordell により初めてこの問題に応用されたものである.

9.11 モジュラー群とそれに付随する関数の理論から若干のものを必要とする.モジュラー群 Γ は二つの形式をとる.同次的な形式では,それは置換

(9.11.1) $$\omega_1' = a\omega_1 + b\omega_2, \quad \omega_2' = c\omega_1 + d\omega_2$$

のなす群である,ここで a, b, c, d は整数で

(9.11.2) $$ad - bc = 1.$$

非同次的な形式では

(9.11.3) $$\tau = \frac{\omega_2}{\omega_1}$$

と書いて[11],群は置換

$$\tau' = \frac{c + d\tau}{a + b\tau}$$

---

[11] [訳註] 数式番号 (9.11.3) は $\tau' = \dfrac{c+d\tau}{a+b\tau}$ につけるべき.

により定義される．

置換 (9.11.1) あるいは (9.11.3) を表すのに

$$S, \quad \begin{pmatrix} a & b \\ c & d \end{pmatrix}, \quad \left(\frac{c+d\tau}{a+b\tau}\right)$$

のいずれの記号をも使うことにする．Γ は二つの置換

$$\begin{pmatrix} 1 & 0 \\ 1 & 1 \end{pmatrix}, \quad \begin{pmatrix} 0 & -1 \\ 1 & 0 \end{pmatrix}$$

あるいは

(9.11.4) $$\tau' = \tau + 1, \quad \tau' = -\frac{1}{\tau}$$

を繰り返し適用することにより生成される．

以下では常に

(9.11.5) $$\Im(\tau) > 0$$

と仮定する．したがって

(9.11.6) $$|x| = |e^{\pi i \tau}| < 1$$

である[12]．$\tau = u + iv$, $\tau' = u' + iv'$ とするならば

$$v' = \frac{(ad-bc)v}{(a+bu)^2 + b^2 v^2} > 0$$

だから，上半平面の点は別の点に変換され，そのような点のみが妥当である．

$$-\frac{1}{2} < v < \frac{1}{2}, \quad u^2 + v^2 > 1$$

により定義された領域 D を Γ の**基本領域**と呼ぶ．Γ の各置換は D を辺が曲線の三

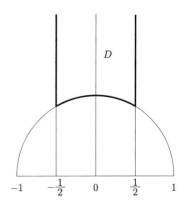

図 3

---
[12] ［原註］q は別の目的のために必要だから，通常，講義 VIII でのように q とするところに x を用いる．

角形に変換し，その辺は円周であり，その角は $(\frac{1}{3}\pi, \frac{1}{3}\pi, 0)$ である．それらの三角形は半平面を重なることなく覆い尽くす．

モジュラー群に付随する基本的な関数は Klein の「絶対不変量」$J(\tau)$ で，次のように定義される．

$$g_2 = g_2(\omega_1, \omega_2) = \frac{1}{12}\left(\frac{\pi}{\omega_1}\right)^4\left\{1 + 240\left(\frac{1^3 x^2}{1-x^2} + \frac{2^3 x^4}{1-x^4} + \cdots\right)\right\},$$

$$g_3 = g_3(\omega_1, \omega_2) = \frac{1}{216}\left(\frac{\pi}{\omega_1}\right)^6\left\{1 - 504\left(\frac{1^5 x^2}{1-x^2} + \frac{2^5 x^4}{1-x^4} + \cdots\right)\right\}$$

（これらは Weierstrass の理論における通常の不変量である），

$$\Delta = \Delta(\omega_1, \omega_2) = g_2^3 - 27 g_3^2 = \left(\frac{\pi}{\omega_1}\right)^{12} x^2 \{(1-x^2)(1-x^4)\cdots\}^{24}$$

と書いて

$$J(\tau) = \frac{g_2^3}{\Delta}$$

である．すると $J(\tau)$ は τ のみの関数であり，Γ の置換に対して不変となる．それは（D の境界について適切な慣行を施したならば）D 上ですべての値をちょうど一度とり，D を全複素平面上に（$0, 1$ および ∞ を境界とすると見なして）等角的に写す．

$J(\tau)$ のように，Γ に対して不変な関数を**モジュラー不変量**と呼ぶ：「モジュラー関数」という言い回しはもっと漠然とした具合に用いる．関数

$$J = J(\tau)$$

は，一価関数 $f(z)$ の通常の理論において z により果たされる役割を，モジュラー不変量に対して果たす．したがって，適宜制限された特異性を持つモジュラー関数は J の一価関数である．特に，**モジュラー不変量が D で正則かつ有界ならば**，それは J の一価関数で J 平面全体で有界となり，したがってそれは定数である．

部分群 Γ_3 に付随する関数

9.12 さて，ちょうど定義した完全な意味でのモジュラー不変ではなくて，Γ のある部分群の置換に対して不変，あるいは「ほとんど」不変な関数を考えることにする．

合同条件[13]

$$\begin{pmatrix} a & b \\ c & d \end{pmatrix} \equiv \begin{pmatrix} 1 & 0 \\ 0 & 1 \end{pmatrix} \quad \text{または} \quad \begin{pmatrix} 0 & 1 \\ 1 & 0 \end{pmatrix} \pmod{2}$$

を満たす Γ の置換は群をなすことを確かめることはたやすい，Γ の部分群でそれを Γ_3 と呼ぶ．Γ_3 は

(9.12.1) $$\tau' = \tau + 2, \quad \tau' = -\frac{1}{\tau}$$

により生成される．それは

$$-1 < u < 1, \quad u^2 + v^2 > 1$$

により定義される「基本領域」D_3 を持ち，Γ_3 の置換は D_3 を三角形の系に変換し，それらすべての角は 0 であり，半平面をぴったり埋め尽くす[14]．

Γ_3 の主不変量 $J_3(\tau)$ があり，それは $J(\tau)$ が Γ に対するように Γ_3 と関係している（その表示式を我々は必要としないが）．Γ_3 に対して不変な一価関数は J_3 の一価関数であり，J の三価関数である．最後に **Γ_3 に対して不変で，D_3 で正則かつ有界な関数は定数である．**

---

[13] ［原註］a と d はどちらも奇数で b と c は偶数，あるいはその反対．

[14] ［原註］大まかには D_3 は D と合同な領域（すなわち，Γ の置換に対する D の変換）を寄せ集めて形づくられるものと述べることができるだろう．より厳密には，それは D と四つの領域

$$D(\tau+1), \quad D(\tau-1), \quad D\left(-\frac{1}{\tau}+1\right), \quad D\left(-\frac{1}{\tau}-1\right)$$

（$\tau' = \tau + 1$ による D の変換，等々）の半分から形づくられる．図 4 では，D_3 は太線で囲まれている．

224 講義 IX 数を平方数の和として表すこと

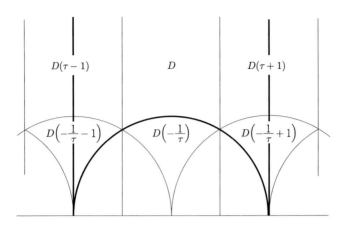

図 4

$r_8(n) = \rho_8(n)$ であることの証明

9.13 $x = e^{\pi i \tau}$ として，関数

$$\vartheta^8 = \vartheta^8(x) = \vartheta^8(0, \tau) = (1 + 2x + 2x^4 + \cdots)^8$$

と

$$\Theta_8 = \Theta_8(x) = 1 + \sum_1^\infty \rho_8(n) x^n$$

は τ の一価関数である．もし

(A) $\vartheta^{-8}\Theta_8$ は $\varGamma_3$ に対して不変，
(B) $\vartheta^{-8}\Theta_8$ は D_3 で正則かつ有界

を証明することができたら，§9.12 の一般的な定理から $\vartheta^{-8}\Theta_8$ が定数なることが従い，それは明らかに 1 である；そしてこのことから

$$r_8(n) = \rho_8(n) = 16\sigma_3^*(n)$$

であることが従うであろう．

(A) の証明

9.14 Γ_3 を生成する二つの置換

$$S_1(\tau+2), \quad S_2\left(-\frac{1}{\tau}\right)$$

に対して $\vartheta^{-8}\Theta_8$ が不変であることを証明すれば十分である．全く一般的に $\vartheta^{-2s}\Theta_{2s}$ が不変であることを証明できる[15]．

まず第一に，線形変換に対する ϑ-関数のお馴染みの公式[16]により

(9.14.1) $$\vartheta^{2s}(0,\tau+2) = \vartheta^{2s}(0,\tau),$$

(9.14.2) $$\vartheta^{2s}\left(0,-\frac{1}{\tau}\right) = \tau^s \vartheta^{2s}(0,\tau)$$

である．Θ_{2s} の振る舞いを決めることが残されている．x が S_1 に対して不変だから，Θ_{2s} が S_1 に対して不変であることは明らかである（そうだから $\vartheta^{-2s}\Theta_{2s}$ は不変である）．このことは以下の解析に付随しても現れる．

§9.8 の関数 $F_s(x)$ は初等的である．実際，$x = e^{-y}$ とすると，$y = -\pi i \tau$ で

$$F_s(x) = \sum n^{s-1} x^n = \sum n^{s-1} e^{-ny} = \left(\frac{d}{dy}\right)^{s-2} \sum n e^{-ny}$$

$$= \left(\frac{d}{dy}\right)^{s-2} \frac{e^{-y}}{(1-e^{-y})^2} = \left(\frac{d}{dy}\right)^{s-2} \frac{1}{4}\text{cosech}^2 \frac{1}{2}y$$

---

[15] ［原註］我々は $2s \equiv 0 \pmod{8}$ と仮定しているが，他の場合にも証明は全く同じである．

[16] ［原註］関数

$$\vartheta_2(0,\tau) = 2x^{\frac{1}{4}} + 2x^{\frac{9}{4}} + 2x^{\frac{25}{4}} + \cdots,$$
$$\vartheta_3(0,\tau) = 1 + 2x + 2x^4 + 2x^9 + \cdots,$$
$$\vartheta_4(0,\tau) = 1 - 2x + 2x^4 - 2x^9 + \cdots$$

に関する完全な表が必要で，それは

$$\vartheta_2(0,\tau+1) = \sqrt{i}\vartheta_2(0,\tau), \quad \vartheta_3(0,\tau+1) = \vartheta_4(0,\tau), \quad \vartheta_4(0,\tau+1) = \vartheta_3(0,\tau),$$

$$\vartheta_2\left(0,-\frac{1}{\tau}\right) = \frac{\sqrt{\tau}}{\sqrt{i}}\vartheta_4(0,\tau), \quad \vartheta_3\left(0,-\frac{1}{\tau}\right) = \frac{\sqrt{\tau}}{\sqrt{i}}\vartheta_3(0,\tau), \quad \vartheta_4\left(0,-\frac{1}{\tau}\right) = \frac{\sqrt{\tau}}{\sqrt{i}}\vartheta_2(0,\tau)$$

である．ここで $\sqrt{i} = e^{\frac{1}{4}\pi i}$ で $\sqrt{\tau}$ の実部および虚部は正である．記号は Tannery と Molk のもので，$\vartheta_3(0,\tau) = \vartheta(0,\tau)$ である．

$$= \left(\frac{d}{dy}\right)^{s-2} \sum_{-\infty}^{\infty} \frac{1}{(y+2n\pi i)^2} = \Gamma(s) \sum_{-\infty}^{\infty} \frac{1}{(y+2n\pi i)^s}$$
$$= \frac{\Gamma(s)}{\pi^s} \sum_{-\infty}^{\infty} \frac{1}{(2n-\tau)^s}.$$

さらに

$$xe^{-2p\pi i/q} = e^{\pi i\{\tau-(2p/q)\}},$$

だから

$$F_s(xe^{-2p\pi i/q}) = \frac{\Gamma(s)}{\pi^s} \sum_{-\infty}^{\infty} \frac{1}{\{2n-\tau+(2p/q)\}^s},$$

$$f_{p,q}(x) = \frac{\pi^s}{\Gamma(s)} \left(\frac{S_{p,q}}{q}\right)^{2s} F_s(xe^{-2p\pi i/q})$$
$$= \frac{\pi^s}{\Gamma(s)} \frac{\epsilon_q}{q^s} F_s(xe^{-2p\pi i/q}) = \epsilon_q \sum_{-\infty}^{\infty} \frac{1}{\{2(nq+p)-q\tau\}^s}.$$

よって

(9.14.3) $\quad \Theta_{2s}(x) = 1 + \sum_{p,q} f_{p,q}(x) = 1 + \sum_{p,q,n} \frac{\epsilon_q}{\{2(nq+p)-q\tau\}^s}$

となる，ここで和の範囲は

$$q = 1, 2, 3, \ldots; \quad 0 < p < q, \ (p,q) = 1; \quad -\infty < n < \infty$$

により定義される（ただし $q=1$ のときは $p=0$）.

(9.14.3) を

(9.14.4) $\quad \Theta_{2s}(x) = 1 + \sum_{p,q} \frac{\epsilon_q}{(2p-q\tau)^s}$

の形に書くことができる，ここで $q=1,2,\ldots$ で p は q と素なすべての値（正あるいは負）を走る；そしてこれは

(9.14.5) $$\Theta_{2s}(x) = 1 + \sum_{q=1,3,\ldots} \frac{1}{(2p-q\tau)^s} + \sum_{q=4,8,\ldots} \frac{2^s}{(2p-q\tau)^s}$$
$$= 1 + \sum_{q=1,3,\ldots} \frac{1}{(2p-q\tau)^s} + \sum_{q=2,4,\ldots} \frac{1}{(p-q\tau)^s}$$
$$= 1 + \sum_{p,q} \frac{1}{(p-q\tau)^s}$$

となる，ここで $q = 1, 2, \ldots$ で p は q と素かつ反対の偶奇であるすべての値を走る．

p が q と素であるべきとの制限を取り除きたい．(9.14.5) の両辺に

$$\eta(s) = (1 - 2^{-s})\zeta(s) = 1 + 3^{-s} + 5^{-s} + \cdots$$

を掛けることにより，それができる．こうして

(9.14.6) $$\eta(s)\Theta_{2s} = \eta(s) + \sum_{p,q} \frac{1}{(p-q\tau)^s}$$

を得る[17,18]．ここで $q = 1, 2, 3, \ldots$ で p は q と偶奇が逆のすべての値をとる．これを

(9.14.7) $$\eta(s)\Theta_{2s} = -\eta(s) + \sum_{p,q} \frac{1}{(p-q\tau)^s} \quad (q=0,1,2,\ldots;\ p+q \equiv 1)$$

(9.14.8) $$\eta(s)\Theta_{2s} = \frac{1}{2} \sum \frac{1}{(p-q\tau)^s} \quad (p+q \equiv 1)$$

のどちらの形にも書いてよいだろう．ここで合同は 2 を法とし，(9.14.8) における q はすべての整数値を走る．

$$\eta(s)\Theta_{2s} = \chi(\tau)$$

と書くならば，(9.14.5)–(9.14.8) のいずれからも直ちに

$$\chi(\tau + 2) = \chi(\tau)$$

---

[17] ［原註］偶奇が反対の対 (p,q) は (P,Q), $(3P, 3Q, \ldots)$ の形の内の一つである．ここで P と Q は互いに素かつ偶奇が反対である．
[18] ［訳註］$(3P, 3Q, \ldots)$ は $(3P, 3Q), \ldots$ の間違い．

が従う．これは私が指摘したように，初めから明らかなことである（しかし我々の解析の効果的なチェックである）．

置換 S_2 の作用を調べるのに (9.14.8) を用いる．p, q を $-q, p$ に置き換えることにより，それは

$$\chi\left(-\frac{1}{\tau}\right) = \frac{1}{2}\tau^s \sum_{p+q \equiv 1} \frac{1}{(p\tau+q)^s}$$
$$= \frac{1}{2}\tau^s \sum_{p+q \equiv 1} \frac{1}{(p-q\tau)^s} = \tau^s \chi(\tau)$$

を与える．

したがって $\chi(\tau)$ は S_1 と S_2 により ϑ^{2s} とちょうど同じような作用を受ける；よって $\vartheta^{-2s}\Theta_{2s}$ は S_1 と S_2 に対して，したがって Γ_3 に対して不変である．

すなわち (A) が証明できた．さらに一般に，$2s \equiv 0 \pmod{8}$ ならばいつでも $\vartheta^{-2s}\Theta_{2s}$ が不変であることを証明した．

(B) の証明

9.15 関数 ϑ^8 と Θ_8 は $x = e^{\pi i \tau}$ の冪級数として定義されていて，円内 $|x| < 1$ あるいは半平面 $v > 0$ で収束する．さらに

$$\vartheta(x) = \prod_1^\infty \{(1-x^{2n})(1+x^{2n-1})^2\}$$

はその円内に零点を持たない．よって $\vartheta^{-8}\Theta_8$ は $|x| < 1$ あるいは $v > 0$ で正則である．それは，D_3 が実軸に接触する二点を除いて，D_3 の任意の閉じた部分で有界である；したがって二点 $\tau = \pm 1$ の近傍で有界ならば，D_3 で有界である．点 $\tau = 1$ のみ考慮すればよいことは明らかである．

(9.15.1) $$\tau = 1 - \frac{1}{T}, \quad T = \frac{1}{1-\tau}$$

と書き，D_3 の内部で $\tau \to 1$ と仮定する．よって $0 < u < 1$ かつ $u^2 + v^2 > 1$ である．$T = U + iV$ とするならば

$$U = \frac{1-u}{(1-u)^2+v^2}, \quad V = \frac{v}{(1-u)^2+v^2}$$

で，$0 < U < 1$ かつ $V \to \infty$ である．よって D_3 の内部で $\mathrm{T} \to \infty$ であり

$$X = e^{\pi i \mathrm{T}} \to 0$$

である．さて

$$\vartheta^8(x) = \vartheta_3^8(0,\tau) = \vartheta_3^8\left(0, 1 - \frac{1}{\mathrm{T}}\right) = \mathrm{T}^4 \vartheta_2^8(0, \mathrm{T})$$
$$= \mathrm{T}^4 (2X^{\frac{1}{4}} + 2X^{\frac{9}{4}} + \cdots)^8$$

だから，$\mathrm{T} \to \infty$ で $X \to 0$ のとき

(9.15.2) $$\vartheta^8 \sim 256 \mathrm{T}^4 X^2$$

である．我々は Θ_8 に対して同様の公式を必要とする．

(9.14.8) から

(9.15.3) $$\frac{\pi^4}{96}\Theta_8 = \chi(\tau) = \chi\left(1 - \frac{1}{\mathrm{T}}\right)$$
$$= \frac{1}{2}\mathrm{T}^4 \sum \frac{1}{\{q+(p-q)\mathrm{T}\}^4} \quad (p+q \equiv 1)$$
$$= \frac{1}{2}\mathrm{T}^4 \sum \frac{1}{(Q+P\mathrm{T})^4}$$

を得る．ここで Q はすべての整数を走り P はすべての奇整数を走る．

$$|P|\mathrm{T} = \zeta, \quad \xi = e^{\pi i \zeta} = X^{|P|}$$

とするならば

$$\sum_Q \frac{1}{(Q+P\mathrm{T})^4} = \sum_Q \frac{1}{(Q+\zeta)^4} = \frac{1}{6}\left(\frac{d}{d\zeta}\right)^2 \sum \frac{1}{(Q+\zeta)^2}$$
$$= \frac{1}{6}\left(\frac{d}{d\zeta}\right)^2 \pi^2 \operatorname{cosec}^2 \pi\zeta = -\frac{1}{6}\left(\frac{d}{d\zeta}\right)^2 \frac{4\pi^2 e^{2\pi i \zeta}}{(1-e^{2\pi i \zeta})^2}$$
$$= -\frac{2}{3}\pi^2 \left(\frac{d}{d\zeta}\right)^2 (e^{2\pi i \zeta} + 2e^{4\pi i \zeta} + 3e^{6\pi i \zeta} + \cdots)$$

$$= \frac{8}{3}\pi^4(e^{2\pi i\zeta} + 2^3 e^{4\pi i\zeta} + 3^3 e^{6\pi i\zeta} + \cdots)$$

$$= \frac{8}{3}\pi^4(X^{2|P|} + 2^3 X^{4|P|} + 3^3 X^{6|P|} + \cdots)$$

となる．これを P に関して足さねばならないが，我々に必要なのは X の最低冪だけであって，X^2 が現れるのは $P = \pm 1$ に対してのみである．よって (9.15.3) は

$$\frac{\pi^4}{96}\Theta_8 \sim \frac{1}{2} \cdot 2 \cdot \frac{8}{3}\pi^4 \mathrm{T}^4 X^2,$$

すなわち

(9.15.4) $$\Theta_8 \sim 256 \mathrm{T}^4 X^2$$

を与える．最後に (9.15.2) と (9.15.4) から $\vartheta^{-8}\Theta_8$ が $\tau \to 1$ のとき有界であることが分かり，ゆえに D_3 で有界である．

したがって $\vartheta^{-8}\Theta_8$ は定数であり，それは 1 でなくてはならず，$r_8(n) = \rho_8(n)$ である．

24個の平方数

9.16 §9.14 で $2s \equiv 0 \pmod{8}$ ならばいつでも $\vartheta^{-2s}\Theta_{2s}$ は $\varGamma_3$ に対して不変であることを証明したが，これは特に $2s = 24$ のときに正しい．もし $\vartheta^{-24}\Theta_{24}$ が D_3 で有界だとしたら，$\vartheta^{24} = \Theta_{24}$ および $r_{24}(n) = \rho_{24}(n)$ が従うであろう；しかしこれは事実に反する．正しい公式，それは Ramanujan により最初に発見され，私がこれから証明しようとするものだが，それは

(9.16.1) $$\vartheta^{24}(x) = \Theta_{24}(x) - \frac{33152}{691}g(-x) - \frac{65536}{691}g(x^2)$$

である，ここで

(9.16.2) $$g(x) = x\{(1-x)(1-x^2)(1-x^3)\cdots\}^{24},$$

であり，Tannery と Molk の記号で

$$g(x^2) = x^2\{(1-x^2)(1-x^4)(1-x^6)\cdots\}^{24} = h^{24}(\tau)$$

である．この最後の関数は，同次な因子を除いて判別式 $\Delta(\omega_1, \omega_2)$ である．

$h(\tau)$ の線形変換に対する公式を必要とする．それらは

(9.16.3) $$h(\tau + 1) = e^{\frac{1}{12}\pi i} h(\tau),$$

(9.16.4) $$h\left(-\frac{1}{\tau}\right) = e^{-\frac{1}{4}\pi i} \sqrt{\tau} h(\tau)$$

である．我々はさらにもう一つ別の公式を用いる，すなわち

(9.16.5) $$h^2\left(\frac{\tau+1}{2}\right) = e^{\frac{1}{12}\pi i} h(\tau) \vartheta_3(0, \tau).$$

これは**二次変換**の理論に属するものだが，$h(\tau)$ と $\vartheta_3(0, \tau)$ の積公式の簡単な系である．

三つの関数

(9.16.6) $$\vartheta^{-24}\Theta_{24}, \quad \vartheta^{-24}g(-x), \quad \vartheta^{-24}g(x^2)$$

はすべて $\varGamma_3$ に対して不変である．我々は既に第一のものが不変であることを証明した．第三のものの不変性は公式

$$g(x^2) = h^{24}(\tau), \quad h^{24}(\tau + 2) = h^{24}(\tau), \quad h^{24}\left(-\frac{1}{\tau}\right) = \tau^{12} h^{24}(\tau)$$

から従う．最後に (9.16.5) より

$$g(-x) = h^{24}\left(\frac{\tau+1}{2}\right) = -h^{12}(\tau)\vartheta_3^{12}(0, \tau)$$

で，(9.16.6) の関数の第二のものの不変性は公式 (9.14.2) と (9.16.4) から従う．

よって，任意の α と β に対して

$$\vartheta^{-24}\Theta_{24}^* = \vartheta^{-24}\{\Theta_{24} + \alpha g(-x) + \beta g(x^2)\}$$

は不変である．$\vartheta^{-24}\Theta_{24}^*$ が D_3 で有界となるように α と β を選ぶことが可能であることを証明する．そのために，§9.15 の置換 (9.15.1) を用いて関係するすべての関数の $\mathrm{T} \to \infty$ としたときの振る舞いを調べる．

(i) 第一に (9.15.2) より

(9.16.7) $$\vartheta^{24}\left(0, 1-\frac{1}{\mathrm{T}}\right) \sim 2^{24}\mathrm{T}^{12}X^6.$$

(ii) 第二に

$$g(-x) = -h^{12}(\tau)\vartheta^{12}(0,\tau) = -h^{12}\left(1-\frac{1}{\mathrm{T}}\right)\vartheta_3^{12}\left(0, 1-\frac{1}{\mathrm{T}}\right)$$

$$= h^{12}\left(-\frac{1}{\mathrm{T}}\right)\vartheta_4^{12}\left(0, -\frac{1}{\mathrm{T}}\right) = \left(\frac{\mathrm{T}}{i}\right)^{12} h^{12}(\mathrm{T})\vartheta_2^{12}(0,\mathrm{T})$$

$$= \mathrm{T}^{12}X\{(1-X^2)(1-X^4)\cdots\}^{12}(2X^{\frac{1}{4}} + 2X^{\frac{9}{4}} + \cdots)^{12}.$$

よって

(9.16.8) $$g(-x) = 2^{12}\mathrm{T}^{12}\{X^4 + O(X^6)\}.$$

(iii) 第三に

$$g(x^2) = h^{24}(\tau) = h^{24}\left(1-\frac{1}{\mathrm{T}}\right) = h^{24}\left(-\frac{1}{\mathrm{T}}\right)$$

$$= \mathrm{T}^{12}h^{24}(\mathrm{T}) = \mathrm{T}^{12}X^2\{(1-X^2)(1-X^4)\cdots\}^{24},$$

(9.16.9) $$g(x^2) = \mathrm{T}^{12}\{X^2 - 24X^4 + O(X^6)\}.$$

(iv) 最後に Θ_{24} の振る舞いを決定せねばならないが,それは §9.15 におけるような計算によりなされる. さて

$$\eta(12)\Theta_{24} = \frac{1}{2}\mathrm{T}^{12}\sum_Q\sum_P \frac{1}{(Q+P\mathrm{T})^{12}},$$

$$\sum_Q \frac{1}{(Q+P\mathrm{T})^{12}} = \sum_Q \frac{1}{(Q+\zeta)^{12}} = \frac{1}{11!}\left(\frac{d}{d\zeta}\right)^{10}\sum_Q \frac{1}{(Q+\zeta)^2}$$

$$= \frac{(2\pi)^{12}}{11!}(e^{2\pi i\zeta} + 2^{11}e^{4\pi i\zeta} + \cdots)$$

$$= \frac{(2\pi)^{12}}{11!}(X^{2|P|} + 2^{11}X^{4|P|} + \cdots)$$

である. $P = \pm 3$ は $O(X^6)$ を生ずるので,再び $P = \pm 1$ の項のみが問題となる. よって,$\eta(12)$ の値を組み入れれば

$$(9.16.10) \quad \Theta_{24} = \frac{(2\pi)^{12}}{11!\eta(12)} \mathrm{T}^{12}\{X^2 + 2^{11}X^4 + O(X^6)\}$$
$$= \frac{2^{14}}{691} \mathrm{T}^{12}\{X^2 + 2^{11}X^4 + O(X^6)\}$$

となる．

$$\frac{2^{14}}{691}\{X^2 + 2^{11}X^4 + O(X^6)\} + \alpha 2^{12}\{X^4 + O(X^6)\}$$
$$+ \beta\{X^2 - 24X^4 + O(X^6)\} = O(X^6)$$

となるように α と β を選ばなければならない．そうすれば (9.16.7), (9.16.8), (9.16.9) および (9.16.10) から $\vartheta^{-24}\Theta_{24}^*$ が有界であることが従うであろう．係数が等しいとして

$$\alpha = -\frac{33152}{691}, \quad \beta = -\frac{65536}{691}$$

であることが分かり，(9.16.1) が従う．

関数 $\tau(n)$

9.17 $\tau(n)$ を

$$g(x) = x\{(1-x)(1-x^2)\cdots\}^{24} = \sum_1^\infty \tau(n)x^n$$

における x^n の係数として定義する[19]．すると，§9.9 から

$$\Theta_{24} = 1 + \sum_1^\infty \rho_{24}(n)x^n = 1 + \frac{16}{691}\sum_1^\infty \sigma_{11}^*(n)x^n$$

である．さらに

---

[19] ［原註］Ramanujan の記号をそのまま使用する．$\tau(n)$ の τ と $e^{\pi i \tau}$ の τ が衝突していることは少々遺憾であるが，混乱を生ずることはなかろう．

234　講義 IX　数を平方数の和として表すこと

$$g(-x) = \sum_1^\infty (-1)^n \tau(n) x^n$$

であり，y が整数でなければ $\tau(y)$ は 0 を意味することにすれば，

$$g(x^2) = \sum_1^\infty \tau\left(\frac{1}{2}n\right) x^n$$

である．よって最終的に Ramanujan の公式

(9.17.1) $$r_{24}(n) = \frac{16}{691}\sigma_{11}^*(n) + e_{24}(n)$$

を得る，ここで

(9.17.2) $$e_{24}(n) = \frac{128}{691}\left\{(-1)^{n-1}259\tau(n) - 512\tau\left(\frac{1}{2}n\right)\right\}$$

である．

9.18　関数 $\tau(n)$ は係数としてのみ定義されており，何かしかるべく簡単な「数論的」定義がないだろうかと問うことは自然なことである；だが，未だ何も発見されていない．次の講義で，その関数の最も注目すべき性質のいくつかについて論ずる．しかしながら，ここで $\tau(n)$ のオーダーについて若干のことを証明しておくべきだろう，というのは，§9.3 での $r_{24}(n)$ は $\rho_{24}(n)$ によって「支配されている」という主張を正当化せねばならないから．

既に幾度か引用した Jacobi の公式から

$$\sum \tau(n) x^n = x\{(1-x)(1-x^2)\cdots\}^{24}$$
$$= x(1 - 3x + 5x^3 - 7x^6 + \cdots)^8$$

が従い，級数における指数は三角数である．さて $(1 - 3x + \cdots)^8$ は

$$\left\{\sum_{n=0}^\infty (2n+1) x^{\frac{1}{2}n(n+1)}\right\}^8$$

で上から抑えられ，$x \to 1$ のときのオーダーは $(1-x)^{-8}$ の程度である[20]．よって，A を定数として，すべての n と x に対して

$$|\tau(n)|x^n < \sum |\tau(n)|x^n < A(1-x)^{-8}$$

である．$x = 1 - n^{-1}$ にとると，x^n はおおよそ e^{-1} だから

(9.18.1) $$\tau(n) = O(n^8)$$

であることが分かる．

一方，

$$\frac{16}{691}\sigma_{11}^*(n) = \rho_{24}(n) = \frac{\pi^{12}n^{11}}{11!}\sum_{q=1}^{\infty}\epsilon_q\frac{c_q(n)}{q^{12}}$$

であり，級数は

$$1 - \frac{3}{3^{12}} - \frac{2^{12}\cdot 4}{4^{12}} - \frac{5}{5^{12}} - \frac{7}{7^{12}} - \frac{2^{12}\cdot 8}{8^{12}} - \cdots > \frac{1}{2}$$

よりは大きい[21]．よって $\sigma_{11}^*(n)$ は n^{11} の定数倍より大きく，

$$r_{24}(n) = \frac{16}{691}\sigma_{11}^*(n)\left\{1 + O\left(\frac{1}{n^3}\right)\right\}$$

は，その主要項により強く支配されている．

$\tau(n)$ のオーダーは実際は (9.18.1) で示されているより相当小さい．Ramanujan は，より洗練された方法により

(9.18.2) $$\tau(n) = O(n^7)$$

を示した；後に私は，関数論的な方法により

(9.18.3) $$\tau(n) = O(n^6)$$

を示した．講義 X で Rankin によるよりよい結果を証明する．(Ramanujan が予想したように) すべての正の ϵ に対して

---

[20] ［原註］$(\sum nx^{\frac{1}{2}n^2})^8$ あるいは，$e^{-y} = x$ として，$\left(\int_0^\infty te^{-\frac{1}{2}yt^2}\,dt\right)^8$ の程度．これは y^{-8} あるいは $(1-x)^{-8}$ の程度である．

[21] ［原註］粗い不等式 $|c_q(n)| \leq n$ を用いる．

$$\tau(n) = O(n^{\frac{11}{2}+\epsilon})$$

と仮定することは非常にもっともらしいことである；だが，それらの問題は後回しにせねばならない．

9.19 終わるにあたって繰り返すが，我々の証明してきた諸結果は一般の $2s$ 個の平方数の問題に関して典型的なものである．$e_{2s}(n)$ を，いつでも Rmanujan と Mordell により決定された個数のいくつかのモジュラー係数として定義された項の和として表すことができる；そしてそれぞれの係数は $\tau(n)$ から生ずるものと類似した一連の問題を提起する．ある場合には，全く簡単に数論的な項としてそれらを定義することができる．あらゆる場合に表示の個数は約数関数 $\rho_{2s}(n)$ により支配される．

講義 IX に関する注釈

§9.1. 二つあるいは四つの平方数での表示に関する古典的な定理の歴史の詳しい報告が Dickson, *History*, ii, VI 章と VIII 章にある．

2, 4, 6 および 8 個の平方数に関する Jacobi の結果は Smith によって彼の *Report on the theory of numbers* (*Collected papers*, i, 38–364) の 307 ページに引用されている．それらは *Fundamenta nova* の §§40–42 および 65–66 にそれとなしに含まれている．Liouville は 10 および 12 個の平方数に対する公式を *Journal de math.* (2), 11 (1866), 1–8 および 9 (1864), 296–298 で与えた．

Gauss は，*Disquisitiones arithmeticae*, §182 で，(9.1.1) と同値な定理を述べた．

Glaisher は，*Proc. London Math. Soc.* (2), 5 (1907), 479–490 (480) で，$2s = 18$ までの $r_{2s}(n)$ の公式の系統的な一覧表を与えている．彼はそれらの公式を *Quarterly Journal of Math.* の 36–39 巻の一連の論文の中で得た．14 個と 18 個の平方数に対する公式は，あるモジュラー形式の係数としてのみ定義されて「数論的」には定義されない関数を含んでいる．Ramanujan は『全集』の no. 18 で Glaisher の一覧表を $2s = 24$ まで続けて，$\vartheta^{2s}(x)$ の一般的な恒等式を与えているが，それは後に Mordell により（§9.4 の注意書きで言及した最初の論文で）証明された．

Boulyguine は，現れるすべての関数がある意味で数論的に定義されているような，$r_{2s}(n)$ の一般的な公式を与えた．つまり $r_{2s}(n)$ のその公式は

講義 IX に関する注釈 *237*

$$\sum \phi(x_1, x_2, \ldots, x_t)$$

の形の関数を含み，ここで ϕ は多項式で，t の値は $2s-8, 2s-16, \ldots$ の内の一つであり，さらに和は $x_1^2 + x_2^2 + \cdots + x_t^2 = n$ のすべての解の上をわたる．Dickson の *History*, ii, 317 と，以下で引用する Uspensky の論文に Boulyguine の仕事への言及がある．

Liouville により用いられたと思われる初等的な方法を，*Bulletin de l'Acad. des Sciences de l'URSS* や他のロシアの定期刊行物に発表された一連の論文の中で Uspensky が開発した：*Trans. Amer. Math. Soc.* 30 (1928), 385-404 にある彼の後の論文に言及がある．彼は 12 個の平方数まで彼の解析を実行し，彼の方法を用いれば Boulyguine の一般的な公式を証明することができると述べている．それらは二次形式による表示に関する多くの他の問題に応用することができる．

H. Bessel（学位論文，Königsberg, 1929）は Liouville の方法を独立に開発し，$2s = 16$ まで公式を与えている．

この講義では奇の k の値には関心を払わないが，この話題について短い注意を追加しておくと役立つだろう．関数 $r_3(n), r_5(n)$ および $r_7(n)$ は平方剰余記号が関わる有限和として表しうる．例えば $r_3(n)$ は Dirichlet によってそのような形に求められたし，$r_5(n)$ と $r_7(n)$ は Eisenstein, Smith および Minkowski により求められた．$k = 3$ のとき，はるか以前に Gauss により示されていたように，問題は行列式が $-n$ の二次形式の類数を求める問題と全く同じである．

Dickson の *History* の第二巻の VII 章と IX 章および Bachmann の *Die Arithmetik von quadratischen Formen*（第 I 部）の X 章に多数の公式があるものの，諸結果は偶数の k に対するそれほどには系統的に解決されてきたとは思えず，それらの包括的な記述に言及することもできない．

5 および 7 個の平方数の問題の二つの完全に異なった解がある，Minkowski と Smith の「数論的な」解と Hardy と Mordell の「関数論的な」解である．Bachmann は第一のもの，Dickson, *Studies in the theory of numbers* の第 XIII 章は第二のものの解説を与えている．Hardy と Mordell の仕事の参考文献は §9.4 の注意書きで与えられている．

公式は，k が奇数のときには，一般に**原始的**な表示（$x_1, x_2, \ldots, x_k$ は公約数を持たない）の観点で述べられる．最も簡単な公式は Dirichlet と Eisenstein によるものである；つまり奇数 n の 3 個の平方数による原始的な表示の個数は

$$24 \sum_{s \leq \frac{1}{4}n} \left(\frac{s}{n}\right) \ (n \equiv 1), \quad 8 \sum_{s \leq \frac{1}{2}n} \left(\frac{s}{n}\right) \ (n \equiv 3)$$

である．ここで $\left(\frac{s}{n}\right)$ は Legendre 記号の Jacobi の一般化であり，合同は 4 を法とするものである．5 および 7 個の平方数に対する Eisenstein の公式は

Bachmann により証明される. 参考文献は Dickson, *History*, ii, 263 と 305 を見よ.

§9.2. 公式 (9.2.2) と (9.2.3) は Gauss の死後出版された仕事の中にある. Dickson, *History*, ii, 283 にある参考文献を見よ.

Gauss の整数を用いた (9.1.1) の証明が Hardy–Wright, 240–242 にある；(9.1.2) と (9.1.3) のうちの一つは, 四元数の整数を用いたものが, Dickson, *Algebren und ihre Zahlentheorie*, IX 章（特に 181–182, 定理 22 を見よ）にある. Landau, *Vorlesungen*, i, 110–113 には (9.1.2) と (9.1.3) の (9.1.1) からの初等的導出が与えられている.

(9.2.3) の Ramanujan の証明は『全集』の no. 18 にある；130 ページの (17) がその公式である. その証明は Hardy–Wright, 311–314 に再録されている. Ramanujan は同様の議論をたびたび用いていたようである；Watson (**10**) が指摘するには, 馴染み深い公式

$$\operatorname{cn}^2 u + \operatorname{sn}^2 u = 1, \quad \operatorname{dn}^2 u + k^2 \operatorname{sn}^2 u = 1$$

は, ノートには q の級数の間の恒等式として初等的な計算で証明されていると見受けられる.『全集』の 139 ページにある公式 (18) は馴染み深い形

$$\wp''(u) = 6\wp^2(u) - \frac{1}{2}g_2$$

に帰着させられるだろう. つまり Ramanujan は $\wp(u)$ が満たす微分方程式を, それの三角級数としての展開から直接の代数的計算により導出するのである.

§9.3. $r_{10}(n)$ の公式は Liouville のものである：§9.1 の注意書きを見よ. 特別な型の n に対してたまたま $e_{2s}(n) = 0$ となり得る. 例えば, n が二つの平方数の和でなければ

$$e_{10}(n) = \frac{32}{5}\chi_4(n) = 0$$

であり, n が偶数ならば $e_{12}(n) = 0$ である. Liouville によるそれらの結果は Glaisher により再発見された.

すべての n に対して $e_{2s}(n) = 0$ となるには, $2s \leq 8$ が必要十分である. これらの場合に限って $r_{2s}(n)$ は「約数関数」であり, §9.8 の「特異級数」により表される. こうである「理由」が, 最近 Siegel, *Annals of Math.* (2), 36 (1935), 527–606 により新たな光の下に示された.

n を特別な形

(1) $$x_1^2 + x_2^2 + \cdots + x_k^2$$

に表す理論は, 一般の k 変数の定値二次形式に拡張することができる. 与えられた判別式の形式のいくつかの種があり, それぞれはいくつかの類を含む. 与えら

れた種のそれぞれの類から一つの代表を選び出して，$N(n)$ をその中のどれかによる n の表示の総数と定義すれば，$N(n)$ は §9.8 にあるような特異級数の和である．

判別式が 1 であるならば，(1) は主種の一つの類の代表である．そのような類がただ一つあるためには $k \leq 8$ が必要十分である．この場合に限って $r_k(n)$ は特異級数の和となる．

私は因子 2 を除いて Ramanujan の記号に従う．彼は

$$\vartheta^{2s} = 1 + 2\sum r_{2s}(n)x^n$$

と書くので，彼の r_{2s}, δ_{2s} および e_{2s} は私のものの半分である．

§9.4. Mordell と私の仕事は

Mordell, *Quaterly Journal of Math.* 48 (1917), 93–104 と *Trans. Camb. Phil. Soc.* 22 (1919), 361–372;

Hardy, *Proc. Nat. Acad. of Science*, 4 (1918), 189–193; *Trans. Amer. Math. Soc.* 21 (1920), 255–284

に含まれている．

§9.5.「Ramanujan の和」は以前の文献に出ていて，(9.5.3) は Kluyver によると思われる：『全集』343 を見よ．しかしながら，その和の重要性を認め，それを組織的に利用したのは Ramanujan が最初であった．ここで与えられた (9.5.3) の証明は『全集』180 および Hardy (**7**) からとった．

Möbius 反転公式については，例えば，Hardy–Wright, 234–237 あるいは Landau, *Handbuch*, 577–582 を見よ．

§9.6. (9.6.1) の三通りの求め方は Estermann, *Proc. London Math. Soc.* (2), 34 (1932), 194–195; Ramanujan,『全集』180–185；および Hardy (**7**) による．Ramanujan と Hardy は他にも多数の同様の公式を証明している．

$\sigma_{1-s}(n)$ の公式については，例えば，Hardy–Wright, 238 を見よ．

この節の最後近くで言及された Dirichlet 級数の積に関する定理は Landau, *Handbuch*, 671–673, および 102 ページに引用した Hardy と Riesz の小冊子の 63 ページから 64 ページに証明されている．

§9.8. Ramanujan は「特異級数」を作った：例えば『全集』の no. 21 の級数 (11.11)–(11.41) はこの問題と密接に関連する特異級数である．しかしながら，それらに対する彼の取り組み方は全く異なっている；彼は「約数関数」$\delta_{2s}(n)$ を $r_{2s}(n)$ への近似として独立に決定して，しかる後にそれを特異級数に展開する．ここでは特異級数が最初にきて，$\delta_{2s}(n)$ をその和として表すのである．

「特異級数」という言い回しは，書き手が違えば違う具合に使われてきた．例えば Littlewood と私はときとして，外の因子なしに，$\sum A_q(n)$ を特異級数と呼んできた．

240　講義 IX　数を平方数の和として表すこと

§9.9. $S_{p,q}$ に対する公式は Bachmann, *Analytische Zahlentheorie*, VII 章に見いだせよう.

もし k (ここでは $2s$) が奇数であったならば, $S_{p,q}$ は Legendre あるいは Jacobi の記号を巻き込んでいたであろうが, それは k が偶数のときには姿を消している. これが $r_3(n), r_5(n), \ldots$ における Legendre あるいは Jacobi の記号の起源である.

§9.11. 楕円モジュラー関数に関する標準的な専門書は Klein–Fricke, *Theorie der elliptischen Modulfunktionen*, 2 vols, Leipzig, 1890–1892 である. これは長大な力作である. Vivanti の *Fonctions polyédriques et modulaires* (A. Cahen による仏語訳, Paris, 1910) は「読者が Klein 氏と Fricke 氏の古典的な講義に困難なく取りかかれるように」書かれた, より初等的な本である.

Hurwitz は理論の自足的な解説を *Math. Annalen* 18 (1881), 528–592 および 58 (1904), 343–360 の二つの論文で与えている. これはここで引用した定理の証明を含んでいる.

Copson の *Theory of functions of complex variable*, XV 章にモジュラー群の初等的な幾何学の解説がある.

Heilbronn 博士は私に, この節の最後に引用した定理の次のような簡単かつ直接的な証明を示した. $\Im(\tau) > 0$ で $f(\tau)$ が正則かつ有界であり

$$f(\tau + 1) = f(\tau), \quad f\left(-\frac{1}{\tau}\right) = f(\tau)$$

であると仮定せよ. すると $g(x) = g(e^{\pi i \tau}) = f(\tau)$ は原点に本質的特異点を持ち得ないし (もしそうなら原点の近くで任意に大きな値をとることになるから), 極も持ち得ない (もしそうならそれは無限大にいってしまうから); であるからそれは原点で正則である. したがって (もし必要なら定数を引いて) $\Im(\tau) \to \infty$ のとき $f(\tau) \to 0$ と仮定してよい.

さて $|f(\tau)|$ は D における上界 M を D の境界上の (かつ無限大でない) 点でとるから, D の境界上の有限な τ_0 があって $|f(\tau_0)| = M$ となる. もし $f(\tau)$ が定数でないならば, τ_0 の近くの τ_1 があって $|f(\tau_1)| > |f(\tau_0)| = M$ となるであろう. しかし D の τ_2 があって $f(\tau_2) = f(\tau_1)$ となるから, $|f(\tau_2)| > M$; これは矛盾である.

§§9.14–15. 証明は §9.4 の注意書きに引用した Hardy の第二の論文をたどっている.

§9.17. (9.17.2) は『全集』の 159 ページの公式 (148) である. 表 VI の公式 7 には符号の誤りがある: Ramanujan はしばしの間 $g(-x)$ は x ではなく $-x$ で始まることを忘れているようである. いずれにしても, §9.3 の注意書きで注意したように, 彼の $r_{24}(n)$ と $e_{24}(n)$ は私のものの半分である.

§9.18. (9.18.2) の Ramanujan の証明は（より一般的な定理の特殊な場合として）『全集』146–148 および 153, あるいは 160 に見られる；(9.18.3) の Hardy の証明は，次の講義 (§10.8) に少し異なった形で再録されているが，Hardy (**9**) に見られる．

講義 X Ramanujan の関数 $\tau(n)$

10.1 私は講義 IX で

(10.1.1)
$$r_{24}(n) = \frac{16}{691}\sigma_{11}^*(n) + \frac{128}{691}\left\{(-1)^{n-1}259\tau(n) - 512\tau\left(\frac{1}{2}n\right)\right\}$$

を証明した．ここで $\sigma_{11}^*(n)$ は n の単純な「約数関数」であり，$\tau(n)$ は

(10.1.2) $$g(x) = x\{(1-x)(1-x^2)\cdots\}^{24} = \sum_1^\infty \tau(n)x^n$$

により定義される．この講義では $\tau(n)$ のいくつかの性質についてさらに集中的に調べることにする，それは非常に注目すべきものであり，かつ，その理解は依然として極めて不完全なものである．我々は数学の淀みの一つに迷い込むように思えるかもしれないが，かくも基本的な関数の係数としての $\tau(n)$ の起源からして，敬意をもってそれを扱わざるを得ないのである．

$\tau(n)$ の乗法的性質

10.2 多くのモジュラー関数の展開に現れる係数は簡単な数論的意味を持っている；例えば

$$\vartheta^s(x) = (1 + 2x + 2x^4 + \cdots)^s$$

の係数は $r_s(n)$ である．しかしながら $\tau(n)$ はそのような明らかな解釈を持

たず[1], その数論的な性質は依然として判然としない．

Ramanujan は $(n, n') = 1$ ならば

(10.2.1) $$\tau(nn') = \tau(n)\tau(n')$$

であろう，すなわち $\tau(n)$ は**乗法的**であろうと予想した；そしてこれは少し後に Mordell により証明された．Mordell の証明は非常に教育的であり，ここに掲載できるほど簡単である．それは

(10.2.2) $$\sum_1^\infty \tau(pn) x^n = \tau(p) \sum_1^\infty \tau(n) x^n - p^{11} \sum_1^\infty \tau(n) x^{pn}$$

なる等式に依拠している，ここで p は素数である．

いつものように

(10.2.3) $$\Delta(\omega_1, \omega_2) = \left(\frac{2\pi}{\omega_1}\right)^{12} x^2 \{(1-x^2)(1-x^4)\cdots\}^{24}$$

と書く，ここで $x = e^{\pi i \tau}$, $\tau = \omega_2/\omega_1$ である．すると $\Delta(\omega_1, \omega_2)$ は変換

$$S_1 \begin{pmatrix} 1 & 0 \\ 1 & 1 \end{pmatrix}, \quad S_2 \begin{pmatrix} 0 & -1 \\ 1 & 0 \end{pmatrix}$$

に対して不変である，それらはそれぞれ ω_1, ω_2 を $\omega_1, \omega_1 + \omega_2$ および $-\omega_2, \omega_1$ と取り替える．我々はまず

---

[1] ［原註］Jacobi の等式より，
$$\sum_1^\infty \tau(n) x^n = x(1 - 3x + 5x^3 - 7x^6 + \cdots)^8$$
である．よって
$$\tau(n) = \sum (-1)^{n_1+n_2+\cdots+n_8}(2n_1+1)(2n_2+1)\cdots(2n_8+1)$$
となる，ここで和は 8 個の三角数 t_i の和
$$\sum_{i=1}^8 \frac{1}{2} n_i(n_i+1) = \sum_{i=1}^8 t_i$$
としての $n-1$ の表示の上をわたる；しかしながらこの解釈からは何も啓発されない．

(10.2.4) $$P = \Delta(\omega_1, p\omega_2) + \sum_{\kappa=0}^{p-1} \Delta(p\omega_1, \kappa\omega_1 + \omega_2) = u_0 + \sum_{\kappa=0}^{p-1} v_\kappa$$

が S_1 および S_2 に対して不変であることを証明し,したがってモジュラー群 Γ のすべての変換に対して不変であることを証明する.

初めに S_1 は u_0 を不変に保ち, v_κ の順序を変えるから, P は S_1 に対して不変である.

次に S_2 は P を

$$\Delta(-\omega_2, p\omega_1) + \Delta(-p\omega_2, \omega_1) + \sum_{\kappa=1}^{p-1} \Delta(-p\omega_2, \omega_1 - \kappa\omega_2)$$
$$= \Delta(p\omega_1, \omega_2) + \Delta(\omega_1, p\omega_2) + \sum_{\kappa=1}^{p-1} \Delta(-p\omega_2, \omega_1 - \kappa\omega_2)$$

に変える;そして P が不変であることを証明するためには

(10.2.5) $$\Delta(-p\omega_2, \omega_1 - \kappa\omega_2) = \Delta(p\omega_1, \kappa'\omega_1 + \omega_2)$$

を示せば十分である.ここで κ' は κ と共に $1, 2, \ldots, p-1$ をわたる,いいかえれば, $(\bmod p)$ の剰余をわたる.

$$a = -\kappa, \quad b = p$$

として c と d を

$$ad - bc = -\kappa d - pc = 1$$

となるように決める.すると $\kappa' = d$ は必要とされる剰余全体をわたる.さらに

$$-ap\omega_2 + b(\omega_1 - \kappa\omega_2) = p\omega_1, \quad -cp\omega_2 + d(\omega_1 - \kappa\omega_2) = \kappa'\omega_1 + \omega_2$$

だから

$$\Delta(-p\omega_2, \omega_1 - \kappa\omega_2) = \Delta(p\omega_1, \kappa' + \omega_2)$$

となり,これが (10.2.5) である.

246　講義 X　Ramanujan の関数 $\tau(n)$

よって P は Γ に対して不変ということになり，したがって

(10.2.6) $$Q = \frac{P}{\Delta(\omega_1, \omega_2)}$$

は不変である．

さて

(10.2.7)
$$\Delta(\omega_1, \omega_2) = \left(\frac{\pi}{\omega_1}\right)^{12} \sum_1^\infty \tau(n) x^{2n}, \quad \Delta(\omega_1, p\omega_2) = \left(\frac{\pi}{\omega_1}\right)^{12} \sum_1^\infty \tau(n) x^{2pn}$$

であり

(10.2.8)
$$\sum_{\kappa=0}^{p-1} \Delta(p\omega_1, \kappa\omega_1 + \omega_2) = \left(\frac{\pi}{p\omega_1}\right)^{12} \sum_{n=1}^\infty \tau(n) x^{2n/p} \sum_{\kappa=0}^{p-1} e^{2n\kappa\pi i/p}$$
$$= \left(\frac{\pi}{p\omega_1}\right)^{12} p \sum_{n=1}^\infty \tau(pn) x^{2n},$$

なぜならば κ に関する和は，$p|n$ ならば p となり，さもなくば 0 となるからである．よって P の x の冪に関する展開は

$$\left(\frac{\pi}{\omega_1}\right)^{12} p^{-11} \tau(p) x^2$$

から始まり，一方 $\Delta(\omega_1, \omega_2)$ の方は

$$\left(\frac{\pi}{\omega_1}\right)^{12} x^2$$

から始まる．したがって $Q = P/\Delta$ は D で有界，よって定数となり，

(10.2.9) $$P = p^{-11} \tau(p) \Delta$$

となる．最後に (10.2.7) から (10.2.9) を (10.2.4) に代入して，(10.2.2) で x を x^2 としたものを得る．

我々はいまや (10.2.1) を証明できる．p が素数で $(p,n) = 1$ として，すべ

てのλに対して

(10.2.10) $$\tau(p^\lambda n) = \tau(p^\lambda)\tau(n)$$

であることを証明すれば十分である．$\lambda = 0$ のときは明らかである．(10.2.2) で x^n の係数を等しいとおくと

$$\tau(pn) = \tau(p)\tau(n)$$

を得るが，これは (10.2.10) の $\lambda = 1$ の場合である．$\lambda > 1$ のとき，$x^{p^{\lambda-1}n}$ の係数を等しいとおくと，

(10.2.11) $$\tau(p^\lambda n) = \tau(p)\tau(p^{\lambda-1}n) - p^{11}\tau(p^{\lambda-2}n)$$

を得る，特に

(10.2.12) $$\tau(p^\lambda) = \tau(p)\tau(p^{\lambda-1}) - p^{11}\tau(p^{\lambda-2}).$$

よって

$$u_\lambda = \tau(np^\lambda) - \tau(n)\tau(p^\lambda)$$

とすると

$$u_\lambda = \tau(p)u_{\lambda-1} - p^{11}u_{\lambda-2}$$

となる．ところが $\lambda = 0$ と $\lambda = 1$ のとき $u_\lambda = 0$ だから，すべての λ に対して $u_\lambda = 0$ である．

関数 $F(s) = \sum \dfrac{\tau(n)}{n^s}$

10.3 (10.2.1) から我々は Dirichlet 級数

(10.3.1) $$F(s) = \sum_1^\infty \frac{\tau(n)}{n^s}$$

の注目すべき公式を導くことができる．§9.18 で私は

$$\tau(n) = O(n^8)$$

を証明した．だから (10.3.1) は $\sigma = \Re(s) > 9$ で絶対収束する．我々は後にこれより遥かによい評価が成り立つことを見るのだが，以下の式変形が十分に大きな σ に対して正当であることを示すには，この不完全な結果で事足りる．

$\tau(n)$ は乗法的だから

(10.3.2) $$F(s) = \prod_p \chi_p$$

を得る．ここで

(10.3.3) $$\chi_p = 1 + \frac{\tau(p)}{p^s} + \frac{\tau(p^2)}{p^{2s}} + \cdots .$$

我々は (10.2.11) から $\tau(p^\lambda)$ を $\tau(p)$ の式として計算して χ_p を決定することができる．

(10.3.4) $$\cos\theta_p = \tfrac{1}{2} p^{-\frac{11}{2}} \tau(p)$$

(10.3.5) $$a_\lambda = p^{-\frac{11}{2}\lambda} \tau(p^\lambda)$$

と書く．すると (10.2.11) から

$$a_\lambda - 2\cos\theta_p \, a_{\lambda-1} + a_{\lambda-2} = 0.$$

ところが

$$a_0 = 1 = \frac{\sin\theta_p}{\sin\theta_p}, \quad a_1 = 2\cos\theta_p = \frac{\sin 2\theta_p}{\sin\theta_p};$$

したがって帰納法により

$$a_\lambda = \frac{\sin(\lambda+1)\theta_p}{\sin\theta_p}$$

となり

(10.3.6) $$\tau(p^\lambda) = p^{\frac{11}{2}\lambda} \frac{\sin(\lambda+1)\theta_p}{\sin\theta_p}.$$

よって

$$(10.3.7) \quad \chi_p = \frac{1}{\sin\theta_p} \sum_{\lambda=0}^{\infty} p^{(\frac{11}{2}-s)\lambda} \sin(\lambda+1)\theta_p$$
$$= \frac{1}{1 - 2p^{\frac{11}{2}-s}\cos\theta_p + p^{11-2s}} = \frac{1}{1 - \tau(p)p^{-s} + p^{11-2s}}$$

で

$$(10.3.8) \quad F(s) = \prod_p \chi_p = \prod_p \frac{1}{1 - \tau(p)p^{-s} + p^{11-2s}}$$

となる．これは $\zeta(s)$ の Euler 積の類似物である．級数や積は十分大きな σ に対して絶対収束する．

(10.2.1) と (10.3.6) から $n = \prod p^{\lambda}$ ならば

$$(10.3.9) \quad \tau(n) = n^{\frac{11}{2}} \prod \frac{\sin(\lambda+1)\theta_p}{\sin\theta_p}$$

が従う．

関数 $F(s)$ も $\zeta(s)$ が満たすと同様の関数等式を満たす．これの証明は §10.9 へ先送りするのが都合がよいだろう．

$\tau(n)$ の合同的な性質

10.4 §10.2 の結果から $\tau(n)$ の奇妙な数論的性質を証明することが可能となる．それらは，私が以前の講義で話した $p(n)$ のそういった性質とある種の類似性を持つ；しかし，$\tau(n)$ は乗法的なので，自然とそのような性質は一層多数にのぼるのである．

p は素数で

$$(10.4.1) \quad \tau(p) \equiv 0 \pmod{p}$$

と仮定せよ．すると (10.2.12) と (10.2.10) より，すべての n に対して

$$(10.4.2) \quad \tau(pn) \equiv 0 \pmod{p}$$

である．Ramanujan は $n = 30$ までの $\tau(n)$ を表にしたのだが，彼の表によれば (10.4.1) は

(10.4.3) $$p = 2,\ 3,\ 5,\ 7$$

に対して正しい；であるから，それらの素数は性質 (10.4.2) を持つ．

最後の二つの素数は $\tau(n)$ のさらなる性質を生ずるが，それは乗法的性質には依拠しない．我々は $g(x)$ を

$$g(x) = \sum \tau(n) x^n = x \prod (1-x^n)^{21} \prod (1-x^n)^3$$

の形に書くことができる．さて

$$(1-x^n)^7 \equiv 1 - x^{7n} \pmod{7},$$

$$(1-x^n)^{21} \equiv 1 - 3x^{7n} + 3x^{14n} - x^{21n} \pmod{7},$$

で

$$\prod (1-x^n)^{21} = \sum c_\mu x^\mu$$

である，ここで μ が 7 で割り切れないときはいつでも c_μ は 7 で割り切れる．さらに Jacobi の恒等式により

$$\prod (1-x^n)^3 = \sum (-1)^\nu (2\nu+1) x^{\frac{1}{2}\nu(\nu+1)}$$

である．よって

$$\sum \tau(n) x^n = \sum \sum (-1)^\nu (2\nu+1) c_\mu x^{\frac{1}{2}\nu(\nu+1)+\mu+1}$$

で

$$\tau(n) = \sum (-1)^\nu (2\nu+1) c_\mu$$

となる，ここで和は

$$n = \frac{1}{2}\nu(\nu+1) + \mu + 1$$

なるすべての μ と ν にわたる．

さて

$$\frac{1}{2}\nu(\nu+1) \equiv 0,\ 1,\ 3\ \text{または}\ 6 \pmod{7}$$

だから
$$n \equiv \mu,\ \mu+1,\ \mu+2\ \text{または}\ \mu+4 \pmod{7}.$$

もしも $n \equiv 3, 5$ または 6 ならば，μ は 7 の倍数にはなり得なくて，すると c_μ は 7 の倍数になる．よって $k = 0$ と同時に $k = 3, 5, 6$ に対して
$$\tau(7m+k) \equiv 0 \pmod{7}$$
である．

我々は同様にして（Jacobi の恒等式の代わりに Euler の恒等式を用いて），k が 23 の任意の平方非剰余のときに
$$\tau(23m+k) \equiv 0 \pmod{23}$$
であることを証明できる．

10.5 §10.4 の合同式は，ある種の等差数列の n すべてに対して成り立つ．一方，「ほとんどすべての」n に対して成り立つ合同式もある．例えば，(§3.4 の意味で) ほとんどすべての n に対して

(10.5.1) $$\tau(n) \equiv 0 \pmod{5}.$$

我々はすべての n に対して

(10.5.2) $$\tau(n) \equiv n\sigma(n) \pmod{5}$$

となることの証明から始める．ここで $\sigma(n)$ は n の約数の和である．これはモジュラー関数の理論における二つの恒等式に依拠している．すなわち

(10.5.3) $$Q^3 - R^2 = 1728 g(x)$$

と

(10.5.4) $$Q - P^2 = 288 \sum \frac{n^2 x^n}{(1-x^n)^2}$$

である．ここで

$$
(10.5.5) \qquad P = 1 - 24\left(\frac{x}{1-x} + \frac{2x^2}{1-x^2} + \frac{3x^3}{1-x^3} + \cdots\right),
$$

$$
(10.5.6) \qquad Q = 1 + 240\left(\frac{x}{1-x} + \frac{2^3 x^2}{1-x^2} + \frac{3^3 x^3}{1-x^3} + \cdots\right),
$$

$$
(10.5.7) \qquad R = 1 - 504\left(\frac{x}{1-x} + \frac{2^5 x^2}{1-x^2} + \frac{3^5 x^3}{1-x^3} + \cdots\right).
$$

等式 (10.5.3) は馴染みのものである.しかし (10.5.4) は Ramanujan の仕事以外には私は未だ見たことがない.

(10.5.4) を (9.2.5) から導くことができる.

$$
\frac{1}{4}\cot\frac{1}{2}\theta = \frac{1}{2\theta} - \frac{\theta}{24} - \frac{\theta^3}{1440} - \cdots,
$$

$$
\left(\frac{1}{4}\cot\frac{1}{2}\theta\right)^2 = \frac{1}{4\theta^2} - \frac{1}{24} + \frac{\theta^2}{960} + \cdots,
$$

$$
u_1 \sin\theta + u_2 \sin 2\theta + \cdots = -\frac{P-1}{24}\theta - \frac{Q-1}{1440}\theta^3 + \cdots,
$$

$$
u_1(1+u_1)\cos\theta + u_2(1+u_2)\cos 2\theta + \cdots
$$
$$
= \frac{x}{(1-x)^2} + \frac{x^2}{(1-x^2)^2} + \cdots - \frac{1}{2}\left\{\frac{x}{(1-x)^2} + \frac{2^2 x^2}{(1-x^2)^2} + \cdots\right\}\theta^2 + \cdots,
$$

$$
\frac{1}{2}\{u_1(1-\cos\theta) + 2u_2(1-\cos 2\theta) + \cdots\} = \frac{Q-1}{960}\theta^2 + \cdots,
$$

$$
\left(\frac{1}{2\theta} - \frac{P}{24}\theta - \frac{Q}{1440}\theta^3 - \cdots\right)^2 = \frac{1}{4\theta^2} - \frac{1}{24} + \frac{x}{(1-x)^2} + \frac{x^2}{(1-x^2)^2} + \cdots
$$
$$
+ \left[\frac{Q}{960} - \frac{1}{2}\left\{\frac{x}{(1-x)^2} + \frac{2^2 x^2}{(1-x^2)^2} + \cdots\right\}\right]\theta^2 + \cdots
$$

となり,(10.5.4) は θ^2 の係数を等しいとおけば得られる[2].

いまや (10.5.2) を証明することは容易である.すべての n に対して $n^5 \equiv n \pmod 5$ だから

---

[2] [原註] 定数項を等しいとおくと,
$$
P = 1 - 24\left\{\frac{x}{(1-x)^2} + \frac{x^2}{(1-x^2)^2} + \cdots\right\}
$$
となるが,これは容易に直接確かめられる.

$$R \equiv 21P \equiv P \pmod{5},$$

一方

$$Q \equiv 1 \pmod{5}.$$

よって

$$1728 \sum \tau(n) x^n = Q^3 - R^2 \equiv Q - P^2 \pmod{5}.$$

ところで

$$Q - P^2 = 288 \sum_{\nu=1}^{\infty} \frac{\nu^2 x^\nu}{(1-x^\nu)^2} = 288 \sum_{\mu=1}^{\infty} \sum_{\nu=1}^{\infty} \mu \nu^2 x^{\mu\nu}$$
$$= 288 \sum_{1}^{\infty} n\sigma(n) x^n,$$

だから

$$\tau(n) \equiv 6\tau(n) \equiv n\sigma(n) \pmod{5}.$$

そこで，(10.5.1) を証明するには，ほとんどすべての n に対して

(10.5.8) $$\sigma(n) \equiv 0 \pmod{5}$$

であることを証明すれば十分である．

10.6 合同式 (10.5.8) は，すべての k とほとんどすべての n に対して

(10.6.1) $$\sigma(n) \equiv 0 \pmod{k}$$

であるという，もっと一般的な定理の特別な場合である[3]．我々は簡単に k は素数であると仮定してよかろう．

一般の素数を p で，また，$km-1$ なる特殊な形の素数を ϖ で表して，

---

[3] ［原註］なお一層一般的に，すべての奇数 s，すべての k，およびほとんどすべての n に対して $\sigma_s(n) \equiv 0 \pmod{k}$ である．

$$n = \prod_{p \neq \varpi} p^a \prod_{\varpi} \varpi^\alpha$$

と書く.すると

$$\sigma(n) = \prod_{p \neq \varpi} \frac{p^{a+1} - 1}{p - 1} \prod_{\varpi} \frac{\varpi^{\alpha+1} - 1}{\varpi - 1}.$$

もし α が奇数ならば

$$\frac{\varpi^{\alpha+1} - 1}{\varpi - 1} = (\varpi + 1) \frac{\varpi^{\alpha+1} - 1}{\varpi^2 - 1} \equiv 0 \pmod{k}$$

というのも,$\varpi + 1 \equiv 0 \pmod{k}$ で第二因子は整数だから.したがって,特殊な素数 ϖ がすべて n に偶数冪 α で現れない限り (10.6.1) は正しい.ゆえにほとんどすべての n に対しては,少なくとも一つの ϖ に対して α は奇数であることを証明すれば十分である.

b_n を

$$b_n = 1 \quad (\text{すべての } \alpha \text{ が偶数のとき})$$
$$b_n = 0 \quad (\text{それ以外のとき})$$

により定義して

(10.6.2) $$B(n) = \sum_{n \leq x} b_n = o(x)$$

を証明せねばならない[4].実際にはもっと強いことを証明できる,すなわち

(10.6.3) $$B(x) \sim \frac{Cx}{(\log x)^\kappa},$$

ここで $\kappa = 1/(k-1)$ で C は k のみに依存する.証明は §§4.5–4.6 で引用した Landau の証明と非常に似ている.

$$F(s) = \sum \frac{b_n}{n^s}$$

とおく.すると $\sigma = \Re(s) > 1$ に対して

---

[4] [訳註] $B(n)$ は $B(x)$ の間違い.

$$F(s) = \prod_{p \neq \varpi} \left(1 + \frac{1}{p^s} + \frac{1}{p^{2s}} + \cdots\right) \prod_{\varpi} \left(1 + \frac{1}{\varpi^{2s}} + \frac{1}{\varpi^{4s}} + \cdots\right)$$
$$= \prod_{p \neq \varpi} \frac{1}{1 - p^{-s}} \prod_{\varpi} \frac{1}{(1 - \varpi^{-s})(1 + \varpi^{-s})} = \frac{\zeta(s)}{\prod(1 + \varpi^{-s})}$$

となる. よって
$$\log F(s) = \log \zeta(s) - G(s),$$
ここで
$$G(s) = \sum \log(1 + \varpi^{-s}) = \sum \varpi^{-s} + R(s)$$
で $R(s)$ は $\sigma > \frac{1}{2}$ で正則である.

ここで等差数列における素数の標準的な理論を既知のものとしなければならない. 通常の素数の理論から $\sum p^{-s}$ は $\log \zeta(s)$ に「十分似た」振る舞いをし, 等差数列における素数の理論から $\sum \varpi^{-s}$ は $\kappa \log \zeta(s)$ に十分似た振る舞いをする. よって $\log F(s)$ は $(1 - \kappa) \log \zeta(s)$ に十分似た振る舞いをし, $F(s)$ は $\{\zeta(s)\}^{1-\kappa}$ に十分似た振る舞いをする. 実際,
$$F(s) = \{\zeta(s)\}^{1-\kappa} H(s)$$
となり, $H(s)$ は $s = 1$ で正則であり, 実部がほとんど 1 であるような大きな s に対してあまりひどい振る舞いはしない[5].

これらすべてを受け入れるなら, (10.6.3) に至る道は明らかである, というのは我々がすべきことは, Landau の議論を比較的自明な変更の下に繰り返すことのみだからである; そして (10.6.1) が一つの系であることは既に見た通りである. ここで k は任意である; しかしながら (10.5.1) への移行は 5 の特殊な性質に依存しているのである.

---

[5] ［原註］実際には, $k = 5$ のとき
$$F(s) = \{\zeta(s)\}^{\frac{3}{4}} \left\{\frac{L_2(s) L_3(s)}{L_4(s)}\right\}^{\frac{1}{4}} h(s),$$
ここで $h(s)$ は $\sigma > \frac{1}{2}$ で正則であり, $L_2(s), L_3(s), L_4(s)$ は指標
$$(1, i, -i, -1), \quad (1, -i, i, -1), \quad (1, -1, -1, 1)$$
に付随する Dirichlet の L-関数である.

いくつかの類似の合同式が他の法の下で成り立ち，その中で最も注目に値するのは 691 である．Ramanujan は

(10.6.4) $$\tau(n) \equiv \sigma_{11}(n) \pmod{691}$$

を証明し，Watson は（Ramanujan が予想したごとく）ほとんどすべての n に対して $\tau(n)$ が 691 で割り切れることを導いた[6]．

奇数の n に対する (10.6.4) は (10.1.1) から従うことが見て取れる．というのも，このとき

$$16\tau(n) \equiv -128 \cdot 259\tau(n) = 16\sigma_{11}(n) - 691r_{24}(n) \equiv 16\sigma_{11}(n) \pmod{691}.$$

$\tau(n)$ のオーダー

10.7 講義 IX の最後で言及した $\tau(n)$ の増大度の問題に立ち戻る．この関数に起因する未解決問題の中で最も重要なものである．

Ramanujan は，すべての素数 p に対して

(10.7.1) $$\tau(p) \leq 2p^{\frac{11}{2}}$$

である，あるいは同じことだが，§10.3 の角 θ_p は実数であると予想した．これを「Ramanujan 仮説」と呼ぼう．もしこの仮説が正しいならば

(10.7.2) $$|\tau(n)| = n^{\frac{11}{2}} \prod_{p|n} \left| \frac{\sin(\lambda+1)\theta_p}{\sin \theta_p} \right| \leq n^{\frac{11}{2}} \prod_{p|n} (\lambda+1) = n^{\frac{11}{2}} d(n)$$

となり，すべての正の ϵ に対して

(10.7.3) $$\tau(n) = O(n^{\frac{11}{2}+\epsilon})$$

となる．反対に，容易に証明できることは，(i) 無数の n に対して

---

[6] ［原註］253 ページの脚注 3 で言及した定理を用いて．

(10.7.4)
$$\tau(n) \geq n^{\frac{11}{2}}$$

であること, だから (10.7.3) の指数 $\frac{11}{2}$ はさらに小さいいかなる数でも置き換えられないこと; そして (ii) (10.7.3) がすべての正の n に対して正しいならば Ramanujan 仮説も正しい, ということである[7].

我々は §9.18 で

(10.7.5)
$$\tau(n) = O(n^8)$$

であることを見た. Ramanujan はさらに込み入った証明によって

(10.7.6)
$$\tau(n) = O(n^7)$$

を与えたが, これが「初等的な」方法で証明された最良のものである. 私は Waring の問題に関する仕事で Liitlewood と私自身が用いた方法によって,

(10.7.7)
$$\tau(n) = O(n^6)$$

であることを 1918 年に証明した. Kloosterman は 1927 年に, すべての正の ϵ に対して

(10.7.8)
$$\tau(n) = O(n^{\frac{47}{8}+\epsilon})$$

であることを証明した; Davenport と Salié は 1933 年に独立に

(10.7.9)
$$\tau(n) = O(n^{\frac{35}{6}+\epsilon})$$

であることを証明し, 最後に Rankin が 1939 年に, 現在知られている最良

---

[7] [原註] (i) については, $n = p^\lambda$ として, 無数の λ に対して
$$\left|\frac{\sin(\lambda+1)\theta_p}{\sin \theta_p}\right| \geq 1$$
であることをみよ. (ii) については n を同様にとり θ_p が複素数であるとせよ. すると ($\cos \theta_p$ は実数だから) $\theta_p = k\pi \pm i\eta_p$ で η_p は正となり,
$$\left|\frac{\sin(\lambda+1)\theta_p}{\sin \theta_p}\right| = \frac{\sinh(\lambda+1)\eta_p}{\sinh \eta_p}$$
は $e^{\lambda \eta_p}$ あるいは n^δ のある定数倍より大きい. ただし
$$\delta = \frac{\eta_p}{\log p}.$$

の結果

(10.7.10) $$\tau(n) = O(n^{\frac{29}{5}})$$

を証明した．ここで指数は（ϵ を除いて）6 よりそれぞれ $\frac{1}{8}$, $\frac{1}{6}$ および $\frac{1}{5}$ 小さい．

$\tau(n) = O(n^6)$ であることの証明

10.8 私は

(10.8.1) $$g(z) = z\{(1-z)(1-z^2)\cdots\}^{24} = O\left\{\frac{1}{(1-r)^6}\right\}$$

が θ に関して一様に成り立つことを示すことによって (10.7.7) を証明する．ここで $z = re^{i\theta}$ で $0 < r < 1$ である．当面これを仮定するとして，

$$\tau(n) = \frac{1}{2\pi i}\int_C \frac{g(z)}{z^{n+1}}\,dz$$

である，ここで C は $r = e^{-1/n}$ の円周である．この円周上で $|z^{-n}| = e$, それゆえ

$$\tau(n) = O\left\{\underset{r=e^{-1/n}}{\mathrm{Max}}|g(re^{i\theta})|\right\} = O(n^6),$$

であるから (10.7.7) は (10.8.1) の系である．

位数

$$\nu = [\sqrt{n}] + 1$$

の Farey 分解[8]により，C を円弧 $\xi_{p,q}$ に分割する．(10.8.1) が $\xi_{p,q}$ 上で，p と q に関して一様に正しいことを証明すれば十分である．

$z = x^2 = e^{2\pi i\tau}$ とすると，Tannery と Molk の記号で

$$f(z) = h^{24}(\tau)$$

であり[9]，また

---

[8] ［原註］§8.10 を見よ．
[9] ［訳註］$f(z)$ は $g(z)$ とすべき．

(10.8.2) $$h^{24}(\mathrm{T}) = (a+b\tau)^{12} h^{24}(\tau)$$

ただし
$$\mathrm{T} = \frac{c+d\tau}{a+b\tau}$$
はモジュラー群 Γ の任意の変換である.
$$a = p, \quad b = -q, \quad c = \frac{1+pp'}{q}, \quad d = -p'$$
とおく. ここで p' は
$$1 + pp' \equiv 0 \pmod{q}$$
により定義する.
$$\theta = \frac{2p\pi}{q} + \phi, \quad \tau = \frac{p}{q} + \frac{i\zeta}{q}$$
と書く. すると

(10.8.3) $$z = e^{2\pi i \tau} = \exp\left(-\frac{2\pi\zeta}{q} + \frac{2p\pi i}{q}\right)$$

で
$$-\frac{2\pi\zeta}{q} + \frac{2p\pi i}{q} = -\frac{1}{n} + i\theta$$
だから

(10.8.4) $$\zeta = \frac{q}{2\pi}\left(\frac{1}{n} - i\phi\right)$$

となる. さらに
$$\mathrm{T} = \frac{c+d\tau}{a+b\tau} = \frac{d}{b} - \frac{1}{b(a+b\tau)} = \frac{p'}{q} + \frac{1}{q(p-q\tau)} = \frac{p'}{q} + \frac{i}{q\zeta}$$
で

(10.8.5) $$Z = e^{2\pi i \mathrm{T}} = \exp\left(-\frac{2\pi}{q\zeta} + \frac{2p'\pi i}{q}\right)$$

である. 最後に (10.8.2) は, $g(z)$ と $g(Z)$ に関して述べれば,

(10.8.6)
$$g(Z) = \zeta^{12} g(z).$$

さて

(10.8.7)
$$|Z| = e^{-2\pi \Im(T)} = \exp\left\{-2\pi \Re\left(\frac{1}{q\zeta}\right)\right\}$$
$$= \exp\left\{-\frac{4\pi^2 n^{-1}}{q^2(n^{-2}+\phi^2)}\right\}.$$

さらに, $\xi_{p,q}$ 上では
$$|\phi| < \frac{2\pi}{q\nu}, \quad q^2\phi^2 < \frac{4\pi^2}{\nu^2} < \frac{4\pi^2}{n}$$

であり, $q^2 n^{-2} < \nu^2 n^{-2} < 2n^{-1}$. よって $\xi_{p,q}$ 上で
$$|Z| < e^{-A} = \delta$$

なる定数 $A > 0$ と $\delta < 1$ がある:そして

(10.8.8)
$$|g(Z)| \leq |Z| \sum_{1}^{\infty} |\tau(n)| |Z|^{n-1} < B|Z|$$

となる,ここで B は別の定数である.

(10.8.4), (10.8.6), (10.8.7) および (10.8.8) から

$$|g(z)| = |\zeta|^{-12} |g(Z)| < B|\zeta|^{-12} |Z|$$
$$\leq \frac{B}{\{q^2(n^{-2}+\phi^2)\}^6} \exp\left\{-\frac{4\pi^2 n^{-1}}{q^2(n^{-2}+\phi^2)}\right\} = Bn^6 \mu^6 e^{-4\pi^2 \mu}$$

が従う,ここで
$$\mu = \frac{n^{-1}}{q^2(n^{-2}+\phi^2)}.$$

正の μ に対して $\mu^6 e^{-4\pi^2 \mu}$ は有界だから, p と q に関して一様に
$$g(z) = O(n^6) = O\{(1-r)^{-6}\}$$

であることが従う.これで (10.8.1) が最初は円周 $r = e^{-1/n}$ 上で,次いで

最大値原理から一般に証明される[10].

こうして我々は (10.7.7) を証明したのだが，実はいま少しいえる．

$$\sum \tau^2(m) r^{2m} = \frac{1}{2\pi} \int_0^{2\pi} |g(re^{i\theta})|^2 \, d\theta = O\{(1-r)^{-12}\}$$

であり，当然

$$\sum_1^n \tau^2(m) r^{2m} = O\{(1-r)^{-12}\} = O(n^{12})$$

である．さらに $m \leq n$ ならば

$$r^{2m} = e^{-2m/n} \geq e^{-2}$$

だから

(10.8.9) $$\sum_1^n \tau^2(m) = O(n^{12}).$$

これは (10.7.7) を含んでおり，さらに「二乗平均」では $\tau(n)$ は $O(n^{\frac{11}{2}})$ であることを示している．

$F(s) = \sum \dfrac{\tau(n)}{n^s}$ のさらなる性質

10.9 Rankin による (10.7.10) の証明は

(10.9.1) $$f(s) = \sum \frac{\tau^2(n)}{n^s}$$

が満たす関数等式に依拠している．§10.3 のより単純な関数 $F(s)$ も関数等式を満たし，それをここで調べるのが都合がよかろう．

我々は §10.3 で，十分大きな σ に対して

(10.9.2) $$F(s) = \sum \frac{\tau(n)}{n^s} = \prod \frac{1}{1 - \tau(p)p^{-s} + p^{11-2s}}$$

であることを見た．(10.8.9) と Cauchy の不等式から

---

[10] ［原註］(10.8.1) が $r = e^{-1/n}$ のときに正しければ，それで十分であったろう．

$$\sum_1^n |\tau(\nu)| = O(n^{\frac{13}{2}})$$

であり，問題の級数と積は $\sigma > \frac{13}{2}$ で絶対収束することが従う．絶対収束とは限らない収束域は，総和関数

(10.9.3) $$\mathrm{T}(x) = \sum_{n \leq x} \tau(n)$$

のオーダーに依存する．

さて，$\sigma > \frac{13}{2}$ に対して[11]

$$\Gamma(s)F(s) = \int_0^\infty y^{s-1} g(e^{-y})\,dy$$

となる，ここで $g(x)$ は関数 (10.1.2) である．ところが，$y \to 0$ と $y \to \infty$ のどちらの場合にも

$$g(e^{-y}) = \left(\frac{2\pi}{y}\right)^{12} g(e^{-4\pi^2/y})$$

は[12]指数関数的に零に近づくから，積分はすべての s に対して収束して $F(s)$ は s の整関数となる．さらに

$$\Gamma(s)F(s) = (2\pi)^{12} \int_0^\infty y^{s-13} g(e^{-4\pi^2/y})\,dy$$
$$= (2\pi)^{2s-12} \int_0^\infty z^{11-s} g(e^{-z})\,dz = (2\pi)^{2s-12} \Gamma(12-s)F(12-s)$$

であるから $F(s)$ は

(10.9.4) $$(2\pi)^{-s}\Gamma(s)F(s) = (2\pi)^{s-12}\Gamma(12-s)F(12-s)$$

を満たす．

絶対収束する半平面での $F(s)$ の振る舞いは「自明」である；特に，実部

---

[11] [原註]
$$\sum |\tau(n)| \int_0^\infty y^{\sigma-1} e^{-ny}\,dy = \Gamma(\sigma) \sum \frac{|\tau(n)|}{n^\sigma} < \infty$$
のとき．

[12] [原註] これは (10.8.6) で $q = 1$, $p = 0$ とした特殊な場合である．

が $\frac{13}{2}$ を超える零点を持たない．すると関数等式が $\sigma < \frac{11}{2}$ でのその振る舞いを規定する．$s = 0, -1, -2, \ldots$ に「自明な」零点を持つ以外には，実部が $\frac{11}{2}$ より小さい零点はない．

$\zeta(s)$ に対する帯状領域 $0 \le \sigma \le 1$ に相当する「問題の領域」は $\frac{11}{2} \le \sigma \le \frac{13}{2}$ である；そして $\zeta(s)$ の馴染みのすべての問題に対応して，この帯状領域での振る舞いに関する問題がある．例えば，直線 $\sigma = \frac{11}{2}$ および $\sigma = \frac{13}{2}$ 上には零点がないことや，$\sigma = 6$ 上には無数にあることが示されている．$F(s)$ に関する「Riemann 仮説」は，「自明な」零点を除いてすべての零点は $\sigma = 6$ 上にある，というものである．

$\tau(n)$ の研究に有用となるであろう他の母関数がある，すなわち

(10.9.5) $$\mathfrak{F}(s) = \sum_{1}^{\infty} \tau(n) e^{-s\sqrt{n}}$$

である．容易に証明できるように

(10.9.6) $$2^{-\frac{1}{2}} \mathfrak{F}(2s) = (2\pi)^{\frac{23}{2}} \Gamma\left(\frac{25}{2}\right) s \sum_{1}^{\infty} \frac{\tau(n)}{(s^2 + 4n\pi^2)^{\frac{25}{2}}}$$

となるが，$\mathfrak{F}(s)$ の性質は $F(s)$ ほどには面白くない．

$$f(s) = \sum \frac{\tau^2(n)}{n^s} \text{ の性質}$$

10.10 さて我々は (10.9.1) の関数 $f(s)$ の対応する性質を調べねばならない；そこで，$\sigma > 12$ で成り立つ関数 $f(s)$ の積分表示を見いだすことから始める．すなわち[13]

(10.10.1) $$2(4\pi)^{-s} \Gamma(s) \zeta(s-22) f(s) = \iint_D y^{s-1} |\Delta(\tau)|^2 \xi(s,x,y) \, dxdy.$$

ここで

---

[13] ［訳註］左辺の $\zeta(s-22)$ は $\zeta(2s-22)$ とすべき．

講義 X Ramanujan の関数 $\tau(n)$

$$\tau = x + iy, \quad y > 0,$$
$$\Delta(\tau) = e^{2\pi i \tau}\{(1-e^{2\pi i \tau})(1-e^{4\pi i \tau})\cdots\}^{24},\,^{14}$$

(10.10.2) $$\xi(s) = \xi(s,x,y) = \sum\sum{}' \frac{1}{|m\tau+n|^{2s-22}},$$

で，ダッシュは通常の意味であり，D はモジュラー群の基本領域

$$-\frac{1}{2} \leq x \leq \frac{1}{2}, \quad |x+iy| \geq 1$$

である．

(10.8.9) から $f(s)$ は $\sigma > 12$ のとき絶対収束することが従う．

$$\Delta(\tau) = \sum_1^\infty \tau(n) e^{2n\pi i x - 2n\pi y}$$

から，Parseval の定理により，

$$\int_{-\frac{1}{2}}^{\frac{1}{2}} |\Delta(\tau)|^2 \, dx = \sum_1^\infty \tau^2(n) e^{-4n\pi y}$$

が従う．さらに，$\sigma > 12$ と仮定するなら，

(10.10.3)
$$(4\pi)^{-s}\Gamma(s)f(s) = \sum_1^\infty \tau^2(n) \int_0^\infty y^{s-1} e^{-4n\pi y} \, dy$$
$$= \int_0^\infty y^{s-1} \left(\sum_1^\infty \tau^2(n) e^{-4n\pi y} \right) dy$$
$$= \int_0^\infty y^{s-1} \, dy \int_{-\frac{1}{2}}^{\frac{1}{2}} |\Delta(\tau)|^2 \, dx = \iint_S y^{s-1} |\Delta(\tau)|^2 \, dxdy$$

である，ここで S は帯状領域

$$-\frac{1}{2} \leq x \leq \frac{1}{2}, \quad y > 0$$

---

[14] ［原註］したがって §10.1 の記号で $\Delta(\tau) = g(e^{2\pi i \tau})$ である．

である．x に関して一様に，大きな y に対して

$$\Delta(\tau) = O(e^{-2\pi y})$$

であり，小さい y に対しては

$$\Delta(\tau) = O(y^{-6})$$

だから[15]，積分

$$\iint_S y^{\sigma-1} |\Delta(\tau)|^2 \, dx dy$$

は $\sigma > 12$ に対して収束し，これが上の式変形を正当化する．

10.11　モジュラー変換

(10.11.1) $$\tau = T(\tau') = \frac{-c + a\tau'}{d - b\tau'}$$

が基本領域 D の点 τ' を S 内にある三角形 D_T に変換するとき，そのモジュラー変換，あるいは T を変換 T_S と呼ぶ．a, b, c, d と $-a, -b, -c, -d$ は同じ変換を与えるので，

(10.11.2) $\quad b \leq 0, \quad$ もし $b = 0$ なら $d > 0, \quad (b, d) = 1$

と仮定してよい．

任意の T は D を帯状領域

$$n - \frac{1}{2} \leq x \leq n + \frac{1}{2}$$

内にある三角形に変換するので，

$$\tau = T(\tau') - n$$

が T_S である；だから (10.11.1) を満たす任意の対 (b, d) に対応して T_S がある．さらに，(b, d) がそのような対であるとして，対 (a_0, c_0) が (b, d) と共に T_S を与えるとすると，

---

[15]　[原註] (10.8.1) による．

の一般解は

$$ad - bc = 1$$

$$a = a_0 + nb, \quad c = c_0 + nd$$

である；するとこのとき

$$T(\tau') = \frac{-c_0 + a_0 \tau'}{d - b\tau'} - n$$

は $n = 0$ のときを除けば S の外部にある D_T を与える．よって (10.11.2) を満たす任意の対 (b, d) に対応してただ一つの T_S がある．

さて

(10.11.3) $$(4\pi)^{-s} \Gamma(s) f(s) = \sum_{T_S} \iint_{D_T} y^{s-1} |\Delta(\tau)|^2 \, dxdy$$

である．(10.11.1) が D を D_T に変換する T_S であるとすると，初等的な計算で分かるように

$$y = \frac{y'}{|d - b\tau'|^2}, \quad \left|\frac{d\tau}{d\tau'}\right| = \frac{1}{|d - b\tau'|^2},$$

$$dxdy = \left|\frac{d\tau}{d\tau'}\right|^2 dx'dy' = \frac{dx'dy'}{|d - b\tau'|^4}.$$

また，

$$\Delta(\tau) = (d - b\tau')^{12} \Delta(\tau').$$

よって (10.11.1) を (10.11.3) に代入して，$-b$ を m と書き，d を n と書いてからダッシュを落とすと

(10.11.4) $$(4\pi)^{-s} \Gamma(s) f(s) = \sum_{T_S} \iint_D \frac{y^{s-1}}{|d - b\tau|^{2s-22}} |\Delta(\tau)|^2 \, dxdy$$

$$= \iint_D y^{s-1} |\Delta(\tau)|^2 F(s, \tau) \, dxdy$$

を得る．ここで

$f(s) = \sum \tau^2(n)/n^s$ の性質

(10.11.5) $$F(s,\tau) = \sum \frac{1}{|m\tau + n|^{2s-22}}$$

で，和は

(10.11.6)
$$0 \leq m < \infty, \quad -\infty < n < \infty, \quad (m,n) = 1, \quad \text{もし } m = 0 \text{ ならば } n = 1$$

で定義される．

最後に (10.11.4) の両辺に

$$2\zeta(2s - 22) = 2\sum_{1}^{\infty} \frac{1}{k^{2s-22}} = \sum{}' \frac{1}{|k|^{2s-22}}$$

を掛ける，ここでダッシュは $k = 0$ を除いている．明らかに

$$2\zeta(2s - 22)F(s,\tau) = \sum\sum{}' \frac{1}{|m\tau + n|^{2s-22}} = \xi(s),$$

ここでダッシュは今度は $m = 0, n = 0$ を除くのである；こうして我々は (10.10.1) を得る．

10.12 さて我々は関数

(10.12.1) $$K(w) = \sum\sum{}' \exp\left(-\frac{\pi w}{y}|m\tau + n|^2\right)$$

のいくつかの性質を必要とする，ここで $w > 0$ である．最も本質的なのは関数等式

(10.12.2) $$1 + K(w) = \frac{1}{w}\left\{1 + K\left(\frac{1}{w}\right)\right\}$$

である．これは単に二変数関数に対する Poisson 和公式の系である，すなわち

(10.12.3) $$\sum\sum \phi(m,n) = \sum\sum \iint \phi(\xi,\eta) e^{2\pi i(m\xi + n\eta)}\, d\xi d\eta,$$

ここですべての和と積分の範囲は $-\infty$ から ∞ である．この場合には

$$1 + K(w) = \sum\sum \phi(m,n),$$

ただし
$$\phi(\xi,\eta) = \exp\left\{-\frac{\pi w}{y}|\xi(x+iy)+\eta|^2\right\}$$
である．ϕ を (10.12.3) に代入して，公式
$$\iint e^{-\alpha\xi^2-2\beta\xi\eta-\gamma\eta^2+2\pi i(m\xi+n\eta)}\,d\xi d\eta$$
$$= \frac{\pi}{\sqrt{(\alpha\gamma-\beta^2)}}\exp\left\{-\frac{\pi^2}{\alpha\gamma-\beta^2}(\alpha n^2-2\beta nm+\gamma m^2)\right\}$$
ただし α, γ および $\alpha\gamma-\beta^2$ は正，を用いれば (10.12.2) が得られる．

我々はまた，大きな w に対する $K(w)$ の上界を必要とする．それは

(10.12.4) $\qquad K(w) = O(ye^{-\frac{1}{4}\pi w/y})$

で，$w>1$ と D の $\tau = x+iy$ に関して一様に成り立つ．
$$K(w) = \sum\sum{}' \exp\left(-\frac{\pi w}{y}\{(mx+n)^2+m^2y^2\}\right)$$
である．$m=0, n=0$ の組み合わせは除かれている．また τ は D 内にあるので，$y \geq \frac{1}{2}\sqrt{3}$ である．

(i) $m=0, n\neq 0$ の項は
$$2\sum_1^\infty e^{-n^2\pi w/y} = 2(e^{-\pi w/y}+e^{-4\pi w/y}+\cdots) < \frac{2e^{-\pi w/y}}{1-e^{-\pi w/y}}$$
となり，これは w/y が小さいときには $O(y/w)$ であり，w/y が大きいときには $O(e^{-\pi w/y})$ である；よって，どちらの場合にせよ
$$O\left\{\left(1+\frac{y}{w}\right)e^{-\pi w/y}\right\} = O(ye^{-\frac{1}{4}\pi w/y})$$
である．

(ii) $m\neq 0$ の項が残っている．m を固定するならば
$$|mx+n| < \frac{1}{2}$$
なる n が高々一つある．この m と n から $O(e^{-m^2\pi yw})$ が生じ，m に関して足し上げると

$$O(e^{-\pi wy}) = O(ye^{-\frac{1}{4}\pi w/y})$$

を生ずる[16]．その他の n は二つの数列を生じ，その数値は $\frac{1}{2}$, $\frac{3}{2}$, $\frac{5}{2}$, $\ldots$ を超えている；だから（固定した m に対して）

$$O\{(e^{-\frac{1}{4}\pi w/y} + e^{-\frac{9}{4}\pi w/y} + \cdots)e^{-m^2 \pi wy}\}$$

となり，(i) と同様に，これは

$$O\{ye^{-\frac{1}{4}\pi w/y} \cdot e^{-m^2 \pi wy}\}$$

である．最後に m に関して足し上げて

$$O\{ye^{-\frac{1}{4}\pi w/y} \cdot e^{-\pi wy}\} = O(ye^{-\frac{1}{4}\pi w/y}).$$

これで (10.12.4) の証明が完結する．

もし y を固定するならば，大きな w と正の A に関して

(10.12.5) $$K(w) = O(e^{-Aw})$$

である．

10.13 我々はいまや $\xi(s)$ の主要な解析的性質を決定することができる．$\sigma > 12$ のときには，それは (10.10.2) により定義されている．さらに，$\sigma > 11$ に対して

$$\left(\frac{y}{\pi}\right)^{s-1} \frac{\Gamma(s-11)}{|m\tau + n|^{2s-22}} = \int_0^\infty w^{s-12} \exp\left(-\frac{\pi w}{y}|m\tau + n|^2\right) dw$$

であり，積分記号の下での和が正当化されるならば

(10.13.1)
$$\left(\frac{y}{\pi}\right)^{s-1} \Gamma(s-11)\xi(s) = \int_0^\infty w^{s-12} \sum\sum{}' \exp\left(-\frac{\pi w}{y}|m\tau + n|^2\right) dw$$
$$= \int_0^\infty w^{s-12} K(w)\, dw$$

---

[16] ［原註］$y > \frac{1}{2}$ だから $y > \frac{1}{4}y^{-1}$．

270 講義 X Ramanujan の関数 $\tau(n)$

となる[17]．もしも
$$\int_0^\infty w^{\sigma-12} K(w)\, dw < \infty$$
ならば正当である．この積分は (10.12.5) のゆえに，σ が何であろうとも無限大では収束する．原点の近くでは
$$K(w) = -1 + \frac{1}{w} + \frac{1}{w} K\left(\frac{1}{w}\right)$$
は w^{-1} のごとく振る舞い，積分は $\sigma > 12$ に対して収束する．というわけで，(10.13.1) はそのようなすべての σ に対して正しい．さらに

(10.13.2)
$$\begin{aligned}
\left(\frac{y}{\pi}\right)^{s-11} & \Gamma(s-11)\xi(s) \\
&= \int_1^\infty w^{s-12} K(w)\, dw + \int_0^1 w^{s-12} \left\{-1 + \frac{1}{w} + \frac{1}{w} K\left(\frac{1}{w}\right)\right\} dw \\
&= \int_1^\infty w^{s-12} K(w)\, dw - \frac{1}{s-11} + \frac{1}{s-12} + \int_1^\infty w^{11-s} K(w)\, dw \\
&= \frac{1}{(s-11)(s-12)} + \int_1^\infty (w^{s-12} + w^{11-s}) K(w)\, dw.
\end{aligned}$$

ここで (10.12.5) より，D の任意の τ に対して積分は s の整関数である；また，右辺は s に $23-s$ を代入しても不変である．よって $\xi(s)$ は，$s = 12$ に一位の極を持つ以外は，全平面で正則である；また

(10.13.3) $\left(\dfrac{y}{\pi}\right)^{s-11} \Gamma(s-11)\xi(s) = \left(\dfrac{y}{\pi}\right)^{12-s} \Gamma(12-s)\xi(23-s).$

10.14 $f(s)$ の性質を $\xi(s)$ の性質から導く．(10.10.1) と (10.13.2) より

(10.14.1) $2(4\pi)^{-s} \Gamma(s)\Gamma(s-11)\zeta(2s-22) f(s)$
$$= \pi^{s-11} \iint_D y^{10} |\Delta(\tau)|^2 \left\{\Gamma(s-11) \left(\frac{y}{\pi}\right)^{s-1} \xi(s)\right\} dx dy$$

---

[17] ［訳註］左辺の $\left(\frac{y}{\pi}\right)^{s-1}$ は $\left(\frac{y}{\pi}\right)^{s-11}$ とすべき．

$$= \frac{\pi^{s-11}}{(s-11)(s-12)} \iint_D y^{10} |\Delta(\tau)|^2 \, dx dy$$
$$+ \pi^{s-11} \iint_D y^{10} |\Delta(\tau)|^2 \, dx dy \int_1^\infty (w^{s-12} + w^{11-s}) K(w) \, dw$$

が従う[18]．さて，任意の実数 c と D 内の τ に対して，積分

$$\int_1^\infty w^c K(w) \, dw$$

は，(10.12.4) より

$$y \int_1^\infty w^c e^{-\frac{1}{4}\pi w/y} \, dw$$

の定数倍で上から抑えられる．もし $c \geq 0$ ならば，下限 1 を 0 で置き換える；もし $c < 0$ ならば，w^c を落として限界の同様の変更を行う．どちらの場合にも積分は

$$Ay^\gamma$$

より小さい，ここで A と γ は c のみに依存する[19]．よって (10.14.1) の三重積分は

$$A\pi^{\sigma-12} \iint_D y^\delta |\Delta(\tau)|^2 \, dx dy$$

により上から抑えられる，ここで A と δ は σ のみに依存する；さらにこの積分はあらゆる σ に対して収束する；なぜなら，大きな y に対して

$$\Delta(\tau) = O(e^{-2\pi y})$$

だから．

したがって三重積分は任意の有界領域にある s の値に対して絶対かつ一様に収束し，s の整関数となる；さらに

$$2(4\pi)^{-s} \Gamma(s) \Gamma(s-11) \zeta(2s-22) f(s)$$

は，$s = 11$ と $s = 12$ の一位の極を除けばすべての s に対して正則である．

---

[18] ［訳註］第二式の $\left(\frac{y}{\pi}\right)^{s-1}$ は $\left(\frac{y}{\pi}\right)^{s-11}$ とすべき．

[19] ［原註］$c \geq 0$ なら $\gamma = c+2$，$c < 0$ なら $\gamma = 2$．

272　講義 X　Ramanujan の関数 $\tau(n)$

よって $f(s)$ は s の有理型関数で

(i) $s = 12$ にある一位の極，その留数は

(10.14.2)
$$\alpha = 12\frac{(4\pi)^{11}}{\Gamma(12)}\iint_D y^{10}|\Delta(\tau)|^2\, dxdy,$$

(ii) $\zeta(2s - 22)$ の虚零点に対応する極，それらはすべて $\sigma = 12$ の左側にある[20]，

を除いて正則である．

最後に，(10.14.1) から

(10.14.3) $\quad (2\pi)^{-2s}\Gamma(s)\Gamma(s-11)\zeta(2s-22)f(s)$
$$= (2\pi)^{2s-46}\Gamma(23-s)\Gamma(12-s)\zeta(24-2s)f(23-s),$$

すなわち，

(10.14.4) $\qquad\qquad\qquad \phi(s) = \phi(23-s)$

が従う，ここで

(10.14.5) $\quad \phi(s) = (2\pi)^{-2s}\Gamma(s)\Gamma(s-11)\zeta(2s-22)f(s).$

$f(s)$ のこれらの性質と Ikehara のよく知られた定理から

(10.14.6) $\qquad \tau^2(1) + \tau^2(2) + \cdots + \tau^2(n) \sim \dfrac{1}{12}\alpha n^{12}$

が従う．これは新しい定理だったのだが，Rankin は Landau の定理を用いることによって遥かに先まで進むことが可能であることを示したのである．

10.15　Landau の定理[21]は以下のごとくである．

(1) $\qquad\qquad\qquad\qquad c_n \geq 0$

(2) $\qquad\qquad\qquad\qquad Z(s) = \sum \dfrac{c_n}{n^s}$

---

[20]　［原註］ゼータ関数の「自明な」零点は $\Gamma(s-11)$ の極により相殺されている．
[21]　［原註］ここでの応用のための具体的な詳述．

は $\sigma > 1$ に対して絶対収束する；
(3) $Z(s)$ は，$s = 1$ にある留数 β の一位の極を除けば，全平面で正則；
(4) 任意の帯状領域 $\sigma_1 \leq \sigma < \sigma_2$ において，大きな $|t|$ と適当な $\gamma = \gamma(\sigma_1, \sigma_2)$ に対して
$$Z(s) = O(e^{\gamma |t|});$$
(5) $\qquad \Gamma(s)\Gamma(s+11)Z(s) = \Gamma(1-s)\Gamma(12-s)\sum e_n(An)^s$

で，最後の級数は $\sigma < 0$ で絶対収束する；
(6) $\qquad \sum_{n \leq x} n|e_n| = O(x);$

と仮定せよ．しからば[22]

(10.15.1) $\qquad C(x) = \sum_{c_n \leq x} c_n = \beta x + O(x^{\frac{3}{5}}).$

我々は

(10.15.2) $\qquad Z(s) = \zeta(2s)f(s+11) = \sum \frac{c_n}{n^s}$

がこれらの条件を満たすことを示す．

(i)

(10.15.3) $\qquad Z(s) = \sum \frac{1}{n^{2s}} \sum \frac{\tau^2(n)}{n^{s+11}}$

だから

(10.15.4) $\qquad c_n = \sum_{\mu \nu^2 = n} \mu^{-11} \tau^2(\mu) \geq 0.$

(ii) (10.15.3) の級数は共に $\sigma > 1$ で絶対収束するから[23]，したがって積も同様である．

(iii) §10.14 で $Z(s)$ が条件 (3) を満たすことを証明した．β の値は
$$\beta = \frac{1}{6}\pi^2 \alpha.$$

(iv) (10.14.1) から $Z(s)$ が (4) を満たすことは明らか．

---

[22] ［訳註］$c_n \leq x$ は $n \leq x$ の間違い．
[23] ［原註］二つ目は (10.8.9) による．

(v) 関数等式 (10.14.3) は

$$\Gamma(s)\Gamma(s+11)Z(s) = (2\pi)^{4s-2}\Gamma(1-s)\Gamma(12-s)Z(1-s)$$
$$= \Gamma(1-s)\Gamma(12-s)\sum e_n(16\pi^4 n)^s$$

と書ける，ここで

$$e_n = \frac{c_n}{4\pi^2 n}.$$

級数は $\sigma < 0$ に対して絶対収束する．

(vi) 条件 (6) を確かめることが残るのみである，条件とは

$$C(x) = \sum_{n \leq x} c_n = O(x)$$

である．さて，(10.8.9) と部分和をとることより

$$\sum_{\mu \leq x} \mu^{-11}\tau^2(\mu) = O(x)$$

である；さらに，(10.15.4) より

$$C(x) = \sum_{\mu\nu^2 \leq x} \mu^{-11}\tau^2(\mu)$$
$$= \sum_{\mu \leq x} \mu^{-11}\tau^2(\mu) + \sum_{\mu \leq \frac{1}{4}x} \mu^{-11}\tau^2(\mu) + \sum_{\mu \leq \frac{1}{9}x} \mu^{-11}\tau^2(\mu) + \cdots$$
$$= O(x) + O\left(\frac{1}{4}x\right) + O\left(\frac{1}{9}x\right) + \cdots = O(x).$$

よって $Z(s)$ はすべての条件 (1)–(6) を満たし，(10.15.1) が成り立つ．

しかしながら，我々が実際に用いる公式は (10.15.1) ではなくて，

(10.15.5) $\qquad D(x) = \sum_{n \leq x} n^{11} c_n = \frac{1}{12}\beta x^{12} + O(x^{12-\frac{2}{5}})$

である．これは (10.15.1) で部分和をとることから従う．実際，$[x] = \xi$ とおくと

$$D(x) = 1^{11}C(1) + \sum_{2}^{\xi} \nu^{11}\{C(\nu) - C(\nu-1)\}$$
$$= \xi^{11}C(\xi) - \sum_{1}^{\xi-1}\{(\nu+1)^{11} - \nu^{11}\}C(\nu)$$
$$= \{x^{11} + O(x^{10})\}\{\beta x + O(x^{\frac{3}{5}})\} - \sum_{1}^{\xi-1}\{11\nu^{10} + O(\nu^9)\}\{\beta\nu + O(\nu^{\frac{3}{5}})\}$$
$$= \beta x^{12}\left(1 - \frac{11}{12}\right) + O(x^{12-\frac{2}{5}}) = \tfrac{1}{12}\beta x^{12} + O(x^{12-\frac{2}{5}})$$

となる．

10.16 いまや

(10.16.1) $\quad \tau^2(1) + \tau^2(2) + \cdots + \tau^2(n) = \dfrac{1}{12}\alpha n^{12} + O(n^{12-\frac{2}{5}})$

を証明して Rankin の定理 (10.7.10) を導くことは容易である．

(10.15.3) より

$$\sum \frac{\tau^2(n)}{n^s} = \frac{Z(s-11)}{\zeta(2s-22)} = \sum \frac{n^{11}c_n}{n^s} \sum \frac{n^{22}\mu(n)}{n^{2s}},$$
$$\tau^2(n) = \sum_{kl^2=n} k^{11}c_k \cdot l^{22}\mu(l),$$

が従い，(10.15.5) より

$$\sum_{n\leq x}\tau^2(n) = \sum_{kl^2\leq x} k^{11}c_k \cdot l^{22}\mu(l)$$
$$= \sum_{l\leq x^{\frac{1}{2}}} l^{22}\mu(l) \sum_{k\leq x/l^2} k^{11}c_k = \sum_{l\leq x^{\frac{1}{2}}} l^{22}\mu(l) D\left(\frac{x}{l^2}\right)$$
$$= \sum_{l\leq x^{\frac{1}{2}}} l^{22}\mu(l)\left\{\frac{\pi^2\alpha}{72}\left(\frac{x}{l^2}\right)^{12} + O\left(\frac{x}{l^2}\right)^{12-\frac{2}{5}}\right\}$$

となる．ここで主要項は

$$\frac{\pi^2 \alpha}{72} x^{12} \sum_{l \leq x^{\frac{1}{2}}} \frac{\mu(l)}{l^2} = \frac{\pi^2 \alpha}{72} x^{12} \left\{ \frac{1}{\zeta(2)} + O(x^{-\frac{1}{2}}) \right\} = \frac{1}{12} \alpha x^{12} + O(x^{12-\frac{1}{2}})$$

となり，誤差項は

$$O(x^{12-\frac{2}{5}}) \sum_{l \leq x^{\frac{1}{2}}} l^{-\frac{6}{5}} = O(x^{12-\frac{2}{5}})$$

となる．よって (10.16.1) を得る．

最後に，(10.16.1) で n を $n-1$ に変えて引くと

$$\tau^2(n) = O(n^{11}) + O(n^{12-\frac{2}{5}}) = O(n^{12-\frac{2}{5}})$$

$$\tau(n) = O(n^{6-\frac{1}{5}})$$

となり，これが (10.7.10) である．

総和関数 $\mathrm{T}(x)$

10.17 $\tau(n)$ の「総和関数」

$$(10.17.1) \qquad \mathrm{T}(x) = {\sum_{n \leq x}}' \tau(n)$$

に結びついた他の一群の問題がある．$\sum$ 上のダッシュは通常の通り，x が整数の場合には最終項 $\tau(x)$ は $\frac{1}{2}\tau(x)$ で取り替える，ということを意味する．

それらの問題は，もっと馴染み深い数論的関数に対する類似性を述べることによって，最もうまく説明することができる．$r(n) = r_2(n)$ を n を二つの平方数の和として表す表し方の数とすると，総和関数

$$(10.17.2) \qquad R(x) = {\sum_{n \leq x}}' r(n)$$

は，円

$$u^2 + v^2 \leq x$$

内の格子点の個数である．ただし円周上の格子点は 1 の代わりに $\frac{1}{2}$ と数えることにするのである．馴染みなことは

(10.17.3) $$R(x) = \pi x + \mathrm{P}(x)$$

である，ここで

$$\mathrm{P}(x) = O(x^{\frac{1}{2}})$$

であるが，$\mathrm{P}(x)$ の真のオーダーは依然として不明確である．Sierpinski は 1906 年に

$$\mathrm{P}(x) = O(x^{\frac{1}{3}})$$

を証明し，この結果は van der Corput とその後の人々によって改良されてきた．別の方向として，Landau と私は

$$\mathrm{P}(x) \neq O(x^{\frac{1}{4}})$$

を証明した．

別の問題は，$\mathrm{P}(x)$ に対する「等式」に関するものである．

(10.17.4) $$\mathrm{P}(x) = x^{\frac{1}{2}} \sum_{1}^{\infty} \frac{r(n)}{n^{\frac{1}{2}}} J_1\{2\pi(nx)^{\frac{1}{2}}\}$$

ということが，1905 年に Voronoi により述べられた，ここで J_1 は 1 次の Bessel 関数である．私はこれを 1915 年に証明したが，それ以来，他の多くの証明が発表されてきた．

$\mathrm{T}(x)$ に関して同様の「オーダー」と「等式」の問題がある．それらは当然のことながら重要性において劣り，$\tau(n)$ 自身の真のオーダーが不確定である限りはオーダーに関するいかなる結果も不完全にとどまるのである．現在，我々が証明できる最良のものは

(10.17.5) $$\mathrm{T}(x) = O(x^{\frac{59}{10}})$$

である．もし Ramanujan 仮説が正しいならば

(10.17.6) $$\mathrm{T}(x) = O(x^{\frac{35}{6}+\epsilon})$$

である．

(10.17.7) $$\mathrm{T}(x) = o(x^{\frac{23}{4}})$$

は確かに正しくない．

この場合には恐らく等式の方がより興味深い．それは

(10.17.8) $$\mathrm{T}(x) = x^6 \sum_1^\infty \frac{\tau(n)}{n^6} J_{12}\{4\pi(nx)^{\frac{1}{2}}\}$$

である．Wilton は，$\alpha > 0$ に対して

(10.17.9)
$$\mathrm{T}_\alpha(x) = \frac{1}{\Gamma(\alpha+1)} \sum_{n \le x} (x-n)^\alpha \tau(n) = x^{6+\frac{1}{2}\alpha} \sum_1^\infty \frac{\tau(n)}{n^{6+\frac{1}{2}\alpha}} J_{12+\alpha}\{4\pi(nx)^{\frac{1}{2}}\}$$

であることを証明したが，さらに最近，私はこの結果は $\alpha = 0$ に対しても依然として正しいことを証明したのである．

講義 X に関する注釈

§§10.1–3. Ramanujan は，『全集』の no. 18 で
$$x\{(1-x^{24/\alpha})(1-x^{48/\alpha})\cdots\}^\alpha = \sum \psi_\alpha(n) x^n$$
により定義される関数 $\psi_\alpha(n)$ を考察している．ここで $\alpha|24$ である．$\alpha = 24$ ならば，$\psi_\alpha(n)$ は $\tau(n)$ である．

α が 1 または 3 のときは，$\psi_\alpha(n)$ は Euler および Jacobi の恒等式により与えられる．$\alpha = 12$ のときは，$\psi_\alpha(n)$ は §9.3 の $e_{12}(n)$ の倍数である．n が偶数ならばそれは 0 であり，n が奇数のときには n を 4 個の平方数で表す表し方の上にわたる和で書くことができる；その公式は §9.1 に関する注釈で参照した Glaisher の論文にある．

Ramanujan はすべての場合に $\psi_\alpha(n)$ は乗法的であって，$\sum n^{-s}\psi_\alpha(n)$ は (10.3.8) と類似の積表示を持つと予想した；さらに彼は α が 2, 4, 6 および 8 のと

きに $\psi_\alpha(n)$ の公式を推測した．これらすべての予想は Mordell の論文 **2** で確認された．$\psi_{12}(n)$ の乗法的性質は以前に Glaisher によって証明されていたと Mordell はそこでいうのだが，これは正しくないようである：Glaisher, *Quarterly Journal of Math.* 37 (1906), 36–38 を見よ．

Rankin は未発表の原稿で，$\psi_{12}(n)$ と $\psi_{16}(n)$ の乗法的性質の初等的な証明を発見している．それらは実質的に Glaisher の $\Omega(n)$ と $\Theta(n)$ である．

§10.4．§§10.4–6 で論じられた性質はすべて Ramanujan によって原稿 "Properties of $p(n)$ and $\tau(n)$" で言明された．その原稿は現在は Watson 教授が所有している（『全集』の no. 28 も見よ）．この原稿は完全な形で出版されることはなかったのだが，『全集』の no. 30 は実質的にそれの抜粋である．また，Watson はその後，彼の論文 **23** と **24** で，さらに相当部分を再録し完成な形で出している．

§10.4 にある証明は Mordell (**1**) によって与えられたものであるが，Ramanujan による原稿にもある：もちろん Ramanujan は $\tau(n)$ の乗法的性質は仮定している．

§§10.5–6．ここの証明は，一部は Ramanujan の原稿に関する私の古い覚え書きから，また一部は Watson の論文 **23** からとったものである．Watson は §10.6 で概要を述べた証明を詳細にわたって書いている．

x を q^2 で置き換えれば，P, Q, R は通常の楕円関数の記号で

$$\frac{12\eta_1\omega_1}{\pi^2}, \quad \frac{12g_2\omega_1^4}{\pi^4}, \quad \frac{216g_2\omega_1^6}{\pi^6}$$

である[24]；さらに (10.5.3) は

$$\Delta = g_2^3 - 27g_3^2$$

と同等である．§9.11 を見よ．

§§10.7–8．Hardy (**9**); Hecke, *Hamburg math. Abhandlungen*, 5 (1927), 199–224; Kloosterman, *ibid.* 337–352; Salié, *Math. Zeitschrift*, 36 (1932), 263–278; Davenport, *Journal für Math.* 169 (1933), 158–176; Rankin (**2**) を見よ．Davenport は $\tau(n)$ に明示的に言及してはいないが，(10.7.9) は，Kloostermann の結果と合わせ見れば，彼が証明したことから直ちに従う．

モジュラー図形で実軸上の尖点に対応する有理点で消えるような，「レベル」が N で次元が $-k$ の任意のモジュラー形式の展開

$$\sum_1^\infty c_n e^{2n\pi i\tau/N}$$

の係数 c_n に対して，$\tau(n)$ のオーダーに関して証明されたすべてのことの類似が成り立つ．ここで「消える」というのは，「法線にそって軸に近づいたとき極限が

---

[24] ［訳註］$216g_2$ は $216g_3$ の間違い．

0 である」という意味である．特殊関数 $g(e^{2\pi i\tau})$ はレベル 1 で重み -12 である．そのようなモジュラー関数の理論の一般的な考え方は Hecke によって構築された，彼は一般のモジュラー形式に対して (10.7.7) に対応する結果を証明している．

Hardy (**9**) における (10.7.7) の証明は違った構成をしていて，基礎となっている Farey 分割について明示的には言及していない．

その論文で私は

$$An^{12} < \tau^2(1) + \tau^2(2) + \cdots + \tau^2(n) < Bn^{12}$$

なる定数 A と B があることを示している．いまやこの結果は Rankin の定理 (10.14.6) と (10.16.1) により凌駕されている．

§10.9. 関数等式 (10.9.4) は Ramanujan にとって馴染みのものだったに違いないのだが，『全集』にも彼のノートにも，明示的な言明を私は見いだせない．印刷された最初の言明は Wilton (**1**) によるものである，彼はそれを

$$F(s,p,q) = \sum \frac{\tau(n)}{n^s} e^{2n p\pi i/q}$$

に対する関数等式の特殊な場合として証明するのである．

Wilton (**1**) は $F(s)$ は $\sigma = 6$ 上に無数の零点を持つことを証明し，Rankin (**1**) は $\sigma = \frac{13}{2}$ あるいは $\sigma = \frac{11}{2}$ 上には零点がないことを証明した．

§§10.10–16. 証明は Rankin (**2**) により与えられたものに，二三の小さな簡単化を加えたものである．レベル N の関数についての対応する定理の彼の証明はもっと複雑である．

§10.12. Poisson の公式については，例えば，Bochner, *Vorlesungen über Fouriersche Integrale*, 33–38 および 203–208, あるいは，Titchmarsh, *Fourier integrals*, 60–68 を見よ．ここで扱った場合は簡単なものである．

§10.14. Ikehara の定理は，ここでの応用に合わせた形で述べれば，こうである；$a_n \geq 0$ で $\sum a_n n^{-s}$ が $\sigma > 1$ に対して収束し，$s = 1$ に留数 C の一位の極を持つ以外は $\sigma \geq 1$ で正則な関数を与えるならば

$$\sum_{n \leq x} a_n \sim Cx$$

である．この定理は（既に §2.8 で参照されたのだが）全面的に Wiener の着想に基づいている．若干一般化した形で，この定理の簡単な証明が *Math. Zeitschrift*, 37 (1933), 1–9 にある Bochner による論文にある．

§10.15. Landau, *Göttinger Nachrichten* (1915), 209–243 を見よ．

§10.17.「円の」問題は既に講義 V で参照している（§5.1 とその節についての注釈）．

等式 (10.17.4) の私の最初の証明は *Quarterly Journal of Math.* 48 (1915),

263–283 にある論文に出ている．それ以来，他のいくつかの証明が与えられている；参考文献としては Hardy and Landau, *Proc. Royal Soc.* (A), 105 (1923), 244–258 を見よ．恐らく最良の証明は Landau, *Vorlesungen*, ii, 221–232 にあるものである．

この節の最後で述べた $T(x)$ に関する定理のうち，(10.17.5) は Rankin によるもの，(10.17.6)，(10.17.7)，および (10.17.8) は私自身によるものである．(10.17.5) に関しては Rankin (**3**), (10.17.9) については Wilton (**1**), さらに (10.17.8) については Hardy (**10**) を見よ．(10.17.6) および (10.17.7) の証明は出版されていない．(10.17.7) の私自身の証明は恒等式 (10.9.6) に依拠している．

講義 XI　定積分

11.1　この講義で私は，Ramnujan のいくつかの定理であまり大きな注意を引いてこなかったものについて話すつもりである．それは，私が初めの講義で述べたように，彼の仕事の多くよりは「印象深さにおいて劣ることは避けがたい」が，にもかかわらず非常に興味深いものであり，注意深い分析に値するものであろう．

　Ramanujan は，英国に来る直前の年の大部分，定積分の理論における一般的な公式に没頭していた．彼はそのとき Madras で研究奨励金を受け取っていて，彼の研究の進捗について三通の四半期報告を大学に提出している．私が引用する公式のほとんどは，それらから取られたものである．それらの報告の内容についての私の知識は Watson 教授によるもので，彼はそれらを Ramanujan のノートの彼のコピーに含めていたのである；しかし私が引用するほとんどの公式は Ramanujan 自身により私に示されたものである．

11.2　題目として私が取り上げる公式は次の通りである．

(A)　$\displaystyle\int_0^\infty x^{s-1}\{\phi(0) - x\phi(1) + x^2\phi(2) - \cdots\}\,dx = \dfrac{\pi}{\sin s\pi}\phi(-s).$

(B)　$\displaystyle\int_0^\infty x^{s-1}\left\{\lambda(0) - \dfrac{x}{1!}\lambda(1) + \dfrac{x^2}{2!}\lambda(2) - \cdots\right\}dx = \Gamma(s)\lambda(-s).$

(C) $\phi(0) + \phi(1) + \phi(2) + \cdots$
$$= \int_0^\infty \phi(x)\, dx + \int_0^\infty \frac{\phi(0) - x\phi(1) + x^2\phi(2) - \cdots}{x\{\pi^2 + (\log x)^2\}}\, dx.$$

(D1) $\int_0^\infty \left\{\lambda(0) - \frac{x}{1!}\lambda(1) + \frac{x^2}{2!}\lambda(2) - \cdots\right\} \cos yx\, dx$
$$= \lambda(-1) - \lambda(-3)y^2 + \lambda(-5)y^4 - \cdots.$$

(D2) $\int_0^\infty \left\{\lambda(0) - \frac{x}{1!}\lambda(1) + \frac{x^2}{2!}\lambda(2) - \cdots\right\} \sin yx\, dx$
$$= \lambda(-2)y - \lambda(-4)y^3 + \lambda(-6)y^5 - \cdots.$$

(E) $\int_0^\infty \left\{\lambda(0) - \frac{x}{1!}\lambda(1) + \cdots\right\}\left\{\mu(0) - \frac{x}{1!}\mu(1) + \cdots\right\} dx$
$$= \lambda(-1)\mu(0) - \lambda(-2)\mu(1) + \cdots.$$

(F) もし

(F1) $$\int_0^\infty F(\alpha x) G(\beta x)\, dx = \frac{1}{\alpha + \beta}$$

かつ

(F2) $$f(s) = \int_0^\infty F(x) x^{s-1}\, dx, \quad g(s) = \int_0^\infty G(x) x^{s-1}\, dx$$

ならば

(F3) $$f(s)g(1-s) = \frac{\pi}{\sin s\pi}.$$

さらにもし

(F4) $$\int_0^\infty A(x) \frac{1}{2}\{F(yxi) + F(-yxi)\}\, dx = B(y)$$

ならば

(F5) $$\int_0^\infty B(x) \frac{1}{2}\{G(yxi) + G(-yxi)\}\, dx = \frac{1}{2}\pi A(y).$$

これらの公式について順番に何がしかを述べたいのだが，まず Ramanujan のそれらすべての取り扱い方について一般的な注意から始めねばならない．彼はその公式のいずれにも実際の証明を持ち合わせなかった；ここで私は「実際の証明」という言い回しを完全に通常の意味では使っていなくて，その意味を説明せねばならない．

我々は今日，たいていの解析的な公式が成り立つための条件を，おおよそにでも知っているといってよいだろう．例えば，(A) のような公式はしかるべき ϕ としかるべき s に対して成り立ち，ϕ と s に課した条件は「自然な」条件であるということができる；それは単に我々の解析の弱点をあげつらうものではなくて，幅広く事実に対応した本当の意味の制限なのである．我々の定理はその公式が成り立つすべての場合を尽くすことはないだろうし，それを拡張するために我々に可能なことをなすことは興味深くかつ有益ではあろう；しかし何か本当に過激なやり方で範囲を広げてしまえば，我々が証明するのに基づいた条件では不十分なことになろう．

ある数学者がある定理を述べて，それが成り立つという理由づけを開陳するが，それはそのままでは不適切であるということがあるだろうし，その場合，彼はそれを「証明した」ということはできない．しかし彼の方法は，近代的な解析によっていい直され議論されると，「自然な」条件のもとで妥当な証明に行きつくということがしばしば起きて，その場合には彼は「実際に」その定理を証明したのだというのが正当だろう．例えば Euler は「実際に」古典的な解析学の多くの部分を証明したし，Ramanujan が「実際に」証明した非常に多くの定理がある；しかしながら彼は私が引用した公式のいずれをも「実際に」証明してはいない．彼がそうしたということはあり得ないことであった，なぜならば「自然な」条件は彼が 1914 年には知るよしもなく，また彼が死ぬ以前に吸収することも叶わなかった考えに関係するものだからである．彼はまた Littlewood がいうように，証明ということのはっきりとした概念を持ち合わせなかった；「もしどこかに相当の理由づけがあり，証拠と直観の全体的な混合物から確信を得れば，彼はそれ以上調べはしなかった」．この場合「実際の」証明は避け難くも彼の手の届く範囲を超えており，ノートや報告にある「相当量の理由づけ」は，好奇心をそそり興味深いにしても，この場合には全く不十分なものである．

公式 (A) と (B)

11.3 最初の二つの公式が最も重要なので,それらを他よりも詳しく論じよう. Ramanujan はそれらが特に気に入っていて,よく使う道具の一つとしてそれらを用いた. それらは互いの変形になっていて,(A) は

$$\phi(u) = \frac{\lambda(u)}{\Gamma(1+u)}$$

とおくと (B) になり,ときとして (B) の方がより使いやすいにしても,(A) が公式の標準的な形であるとしてよいだろう.

(A) が正しい場合と誤りの場合の両方の例を与えることは容易である. 例えば

$$\phi(u) = 1, \quad \phi(u) = \frac{1}{\Gamma(1+u)}$$

は公式

$$\int_0^\infty \frac{x^{s-1}}{1+x}\, dx = \frac{\pi}{\sin s\pi}, \quad \int_0^\infty e^{-x} x^{s-1}\, dx = \frac{\pi}{\sin s\pi\, \Gamma(1-s)} = \Gamma(s)$$

を与え,それぞれ $0 < s < 1$ および $s > 0$ に対して正しい. 一方

$$\phi(u) = \sin \pi u$$

のとき公式は明らかに成り立たず,このとき積分は恒等的に消える. この公式は「補間公式」で,$\phi(-s)$ を $\phi(0), \phi(1), \ldots$ により決定する. もしそれがある部類の $\phi(u)$ すべてに対して証明されているとすると,その部類の $\phi(u)$ はどれも,u の非負整数値に対して消えていれば恒等的に消える. Carlson のよく知られた定理があって,それによれば (i) $\phi(u)$ は正則かつ,$A < \pi$ として,右半平面の複素数値 u に対して

$$|\phi(u)| < Ce^{A|u|}$$

であり,(ii) $\phi(0) = \phi(1) = \cdots = 0$ ならば $\phi(u)$ は恒等的に消える;そして (A) はそのようなすべての $\phi(u)$ と適当な s に対して正しいだろうと推測することは自然である. 我々はまた,その公式を論ずるのに最適な方法は Carlson その他により我々も慣れ親しむこととなり,その起源は Mellin に

見られる方法であろうと期待してよかろう．

(A) の証明

11.4 以下では

$$u = v + iw$$

と書く．$\delta > 0$ として，半平面 $v \geq -\delta$ を $H(\delta)$ により表す．当面

$$0 < \delta < 1$$

と仮定する．

$\phi(u)$ が正則，かつ $H(\delta)$ 上で

(11.4.1) $$|\phi(u)| < Ce^{Pv+A|w|}$$

であるとき，$\phi(u)$ はクラス $\mathfrak{K}(A,P,\delta)$ に属する，あるいは簡単に $\mathfrak{K}$ に属するということにする．我々の大部分の関心は

(11.4.2) $$A < \pi$$

である関数にある．

さて $\phi(u)$ は，$A < \pi, 0 < \delta < 1$ として，$\mathfrak{K}(A,P,\delta)$ に属し；$0 < c < \delta$ であり；さらに

(11.4.3) $$0 < x < e^{-P}$$

であると仮定しよう．すると Cauchy の定理の簡単な応用により

(11.4.4)
$$\Phi(x) = \phi(0) - x\phi(1) + x^2\phi(2) + \cdots = \frac{1}{2\pi i}\int_{c-i\infty}^{c+i\infty} \frac{\pi}{\sin \pi u}\phi(-u)x^{-u}\,du$$

が与えられる．この級数は通常 $x > e^{-P}$ ならば発散するが，被積分関数はすべての正の x に対して

$$e^{-(\pi-A)|w|}e^{-Pc}x^{-c}$$

の定数倍により上から抑えられるから，積分は任意の区間 $0 < x_0 \leq x \leq X$ に対して一様に収束する；それゆえ $\Phi(x)$ は正則であり，すべての正の x に対して積分により表される[1]．

さてよく知られた Mellin の逆公式により (A) に達することができる．これは等式

$$f(u) = \int_0^\infty F(x)x^{u-1}\,dx, \quad F(x) = \frac{1}{2\pi i}\int_{c-i\infty}^{c+i\infty} f(u)x^{-u}\,du$$

により表明される；そして

$$f(u) = \frac{\pi}{\sin u\pi}\phi(-u), \quad F(x) = \Phi(x)$$

ととることができれば (A) が従う．我々は，そうしたければ何らかの確立された一般的な定理に訴えて，様々なやり方で Mellin の公式の使用を正当化できるであろう；しかし Mellin 自身がもともとたどった道筋にそった直接的な証明を与える方が一層興味深い．

$s = \sigma + it$ および

$$0 < \sigma < \delta$$

と仮定して，c_1 と c_2 を

$$0 < c_1 < \sigma < c_2 < \delta$$

となるように選ぶ．すると (11.4.4) は $c = c_1$ と $c = c_2$ の両方に対して成り立つ．

さて，$\Re(s-u) = \sigma - c_1 > 0$ だから

$$\int_0^1 \Phi(x)x^{s-1}\,dx = \frac{1}{2\pi i}\int_0^1 x^{s-1}\,dx \int_{c_1-i\infty}^{c_1+i\infty} \frac{\pi}{\sin \pi u}\phi(-u)x^{-u}\,du$$

---

[1] ［原註］ $x = re^{i\theta}$ とするならば，$|x^{-c-iw}| = r^{-c}e^{\theta w}$ であり，$\Phi(x)$ は $|\theta| < \pi - A$ で正則である；しかし我々はこのことを使わない．

$$= \frac{1}{2\pi i} \int_{c_1-i\infty}^{c_1+i\infty} \frac{\pi}{\sin \pi u} \phi(-u) \, du \int_0^1 x^{s-u-1} \, dx$$

$$= \frac{1}{2\pi i} \int_{c_1-i\infty}^{c_1+i\infty} \frac{\pi}{\sin \pi u} \frac{\phi(-u)}{s-u} \, du$$

である．二重積分は絶対収束しているので，入れ替えに困難はない．同様に，今度は $\Re(s-u) = \sigma - c_2 < 0$ だから

$$\int_1^\infty \Phi(x) x^{s-1} \, dx = \frac{1}{2\pi i} \int_{c_2-i\infty}^{c_2+i\infty} \frac{\pi}{\sin \pi u} \phi(-u) \, du \int_1^\infty x^{s-u-1} \, dx$$

$$= -\frac{1}{2\pi i} \int_{c_2-i\infty}^{c_2+i\infty} \frac{\pi}{\sin \pi u} \frac{\phi(-u)}{s-u} \, du$$

である．それらの等式を組み合わせれば Cauchy の定理により

$$\int_0^\infty \Phi(x) x^{s-1} \, dx = \frac{1}{2\pi i} \left(\int_{c_1-i\infty}^{c_1+i\infty} - \int_{c_2-i\infty}^{c_2+i\infty} \right) \frac{\pi}{\sin \pi u} \frac{\phi(-u)}{s-u} \, du$$

$$= \frac{\pi}{\sin s\pi} \phi(-s)$$

を得る．

11.5 したがって $\Re$ に属する $\phi(u)$ と $0 < \sigma < \delta$，特に $0 < s < \delta$ に対して (A) を証明した．明らかに $\phi(u) = O(e^{A|u|})$ ならば，$P = A$ として $\phi(u)$ は $\Re$ に属するから，我々の $\phi(u)$ の族は Carlson の族を含んでいる．よって (A) は付随物として Carlson の定理の証明を与えている．

また，証明の第二の部分は Fourier の定理の応用に還元できるだろう．(11.4.4) で $x = e^{-\xi}$, $u = c + iw$ とするならば，それは

$$\Phi(e^{-\xi}) = \frac{1}{2\pi} \int_{-\infty}^\infty \frac{\pi}{\sin \pi(c+iw)} \phi(-c-iw) e^{\xi(c+iw)} \, dw$$

となって Fourier の定理は

$$\frac{\pi \phi(-c-iw)}{\sin \pi(c+iw)} = \int_{-\infty}^\infty e^{-\xi(c+iw)} \Phi(e^{-\xi}) \, d\xi = \int_0^\infty x^{c+iw-1} \Phi(x) \, dx$$

を与える．このような "Mellin" から "Fourier" 変換への還元はもちろん常に可能であり，それらの変換は互いの形式的な変形である．

一つ注意をつけ加えるが，それは，ここのみならず，この講義で後にたび

たび適用されるものである．$A < \pi$ と仮定したが，この場合，現れる積分はすべて絶対収束しており，それなしにはなかなか大変である．最も興味深い例の多くでは A は π に等しくなる；すると最後の積分は絶対収束しないかもしれず，その場合には，単に上から抑えるということによらないもっと微妙な議論が必要となるだろう．ここや他のどこかでする仮定 $A < \pi$ は粗雑な仮定である；しかし少なくとも「自然な」ものではあり，$A > \pi$ のときには結果は通常誤りである；残念ながらこれ以上の精妙な分析をしている時間はない．

(A) と (B) の発見的な導出

11.6 公式 (A) と (B) は非常に興味深い具合に「Newton の補間公式」と結びついている．

よく知られているように

$$e^x \sum_0^\infty (-1)^n \frac{a_n}{n!} x^n = \sum_0^\infty \frac{\Delta^n a_0}{n!} x^n,$$

ここで

$$\Delta a_0 = a_0 - a_1, \quad \Delta^2 a_0 = a_0 - 2a_1 + a_2, \quad \ldots$$

である．よって，もし $s > 0$ かつ級数

$$\Lambda(x) = \lambda(0) - \frac{\lambda(1)}{1!} x + \frac{\lambda(2)}{2!} x^2 - \cdots$$

がすべての x に対して収束するならば

$$\int_0^\infty \Lambda(x) x^{s-1}\, dx = \int_0^\infty e^{-x} x^{s-1} \sum_0^\infty \frac{\Delta^n \lambda(0)}{n!} x^n\, dx$$

となり；項別積分により

$$\sum_0^\infty \frac{\Delta^n \lambda(0)}{n!} \int_0^\infty e^{-x} x^{s+n-1}\,dx$$
$$= \Gamma(s)\left\{\lambda(0) + \frac{s}{1!}\Delta\lambda(0) + \frac{s(s+1)}{2!}\Delta^2\lambda(0) + \cdots\right\}$$

となる．最後に

(11.6.1) $\qquad \lambda(-s) = \lambda(0) + \frac{s}{1!}\Delta\lambda(0) + \frac{s(s+1)}{2!}\Delta^2\lambda(0) + \cdots$

が Newton の公式である．

項別積分は，結果として生ずる級数が収束するときは常に正当化することができる．したがって我々は (i) s は正である，(ii) $\Lambda(x)$ は整関数である，および (iii) $\lambda(-s)$ に対して Newton の公式が成り立つという仮定のもとに (B) を証明することができる．もし (i) と (ii) が満たされるならば (B) は Newton の公式と同値である．

Euler の変換

$$x = \frac{y}{1-y}, \quad y = \frac{x}{1+x}$$

に基づいて対応する (A) の還元がある．$\phi(0) = 0$ と仮定すると便利である．そこで，$\phi(n)$ を b_n と書いて形式的に

$$b_1 x - b_2 x^2 + b_3 x^3 - \cdots = b_1 \cdot y + \Delta b_1 \cdot y^2 + \Delta^2 b_1 \cdot y^3 + \cdots,$$

$$\int_0^\infty \Phi(x) x^{s-1}\,dx = -\int_0^\infty x^{s-1} \sum_0^\infty \Delta^n b_1 \left(\frac{x}{1+x}\right)^{n+1} dx$$
$$= -\sum_0^\infty \Delta^n b_1 \int_0^\infty \frac{x^{s+n}}{(1+x)^{n+1}}\,dx$$
$$= -\Gamma(-s) \sum_0^\infty \Delta^n b_1 \frac{\Gamma(s+n+1)}{\Gamma(n+1)}$$
$$= \frac{\pi}{\sin s\pi}\left\{b_1 + (s+1)\Delta b_1 + \frac{(s+1)(s+2)}{2!}\Delta^2 b_1 + \cdots\right\}$$

を得る．このようにして (A) もまた Newton の公式に還元されるであろう[2].

---

[2] ［原註］(11.6.1) で $\lambda(u)$ として $\phi(u+1)$ をとり s を $s+1$ とする．

Ramanujan の議論

11.7 Ramanujan は，実質的には

(11.7.1) $$\lambda(u) = \chi(e^{-au})$$

と仮定する．ここで a は正であり $\chi(z)$ は原点で正則である．このとき

$$\begin{aligned}
\Lambda(x) &= \sum_{n=0}^{\infty} \frac{(-1)^n}{n!} x^n \chi(e^{-an}) \\
&= \sum_{n=0}^{\infty} \frac{(-1)^n}{n!} x^n \sum_{r=0}^{\infty} \frac{\chi^r(0)}{r!} e^{-arn} \\
&= \sum_{r=0}^{\infty} \frac{\chi^r(0)}{r!} \sum_{n=0}^{\infty} \frac{(-1)^n}{n!} x^n e^{-arn} = \sum_{r=0}^{\infty} \frac{\chi^r(0)}{r!} e^{-xe^{-ar}}
\end{aligned}$$

となり，$s > 0$ に対して

$$\begin{aligned}
\int_0^{\infty} \Lambda(x) x^{s-1} \, dx &= \sum_{r=0}^{\infty} \frac{\chi^r(0)}{r!} \int_0^{\infty} e^{-xe^{-ar}} x^{s-1} \, dx \\
&= \Gamma(s) \sum_{r=0}^{\infty} \frac{\chi^r(0)}{r!} e^{ars} = \Gamma(s)\chi(e^{as}) = \Gamma(s)\lambda(-s)
\end{aligned}$$

となる．順序変更は (i) $\chi(z)$ は $|z| \leq 1$ で正則，かつ (ii) s は十分小さいならば正当化される．というのは，そのとき

$$\sum \frac{|\chi^r(0)|}{r!} Z^r$$

は適当な $Z > 1$ に対して収束し，

$$\sum \frac{|\chi^r(0)|}{r!} \sum \frac{1}{n!} x^n e^{-arn} = \sum \frac{|\chi^r(0)|}{r!} e^{xe^{-ar}}$$

は収束し，十分小さい正の s に対して

$$\sum \frac{|\chi^r(0)|}{r!} \int_0^{\infty} e^{-xe^{-ar}} x^{s-1} \, dx = \Gamma(s) \sum \frac{|\chi^r(0)|}{r!} e^{ars}$$

は収束する．このあたりの状況では Ramanujan の議論は妥当である．しかし，$\lambda(n)$ は大きな n に対して

$$c_0 + c_1 e^{-an} + c_2 e^{-2an} + \cdots$$

の形であらねばならないとする $\lambda(u)$ に関する条件は極端に厳しいものであり，多少は広げられるかもしれないが，実際問題として Ramanujan の例のすべてを除外してしまう．

　Ramanujan のような議論が明らかに誤った結論に導く場合を検討することは啓発的である．(11.7.1) で $a = -b$ は負であると仮定する．すると，Ramanujan の計算を繰り返せば

$$(11.7.2) \qquad \Lambda(x) = \sum_{r=0}^{\infty} \frac{\chi^r(0)}{r!} e^{-xe^{br}}$$

を得て，以前と同じく証明を完了できるように見える．しかし (11.7.2) は通常誤りである，というのは $\Lambda(x)$ は原点で正則であるのに，右辺の級数は右半平面で正則かつ虚軸を特異線として持つような x の関数を表すからである．例えば

$$\chi(u) = e^{-cu} \ (c > 0), \quad b = \log 2, \quad \lambda(u) = c^{-c2^u}$$

と仮定すると

$$\sum_0^{\infty} (-1)^n \frac{x^n}{n!} e^{-c2^n} = \sum_0^{\infty} (-1)^r \frac{c^r}{r!} e^{-x2^r}$$

となり，これは明らかに誤りである．

例と応用

11.8 Ramanujan の特殊な場合をいくつか引用する．
　(i) $0 < s < \mathrm{Min}(\alpha, \beta)$ ならば
$$\int_0^{\infty} x^{s-1} F(\alpha, \beta, \gamma, -x)\, dx = \frac{\Gamma(\gamma)}{\Gamma(\alpha)\Gamma(\beta)} \frac{\Gamma(s)\Gamma(\alpha-s)\Gamma(\beta-s)}{\Gamma(\gamma-s)}.$$
ここで $F(\alpha, \beta, \gamma, x)$ は超幾何関数で，$0 < x < 1$ に対しては通常の冪級数で定義され，$x > 1$ に対しては解析接続により定義される．

(ii) $0 < s < 1$ ならば

$$\int_0^\infty x^{s-1}(1^{-\alpha} - 2^{-\alpha}x + 3^{-\alpha}x^2 - \cdots)\,dx = \frac{\pi}{\sin s\pi}(1-s)^{-\alpha}.$$

(iii) $0 < q < 1, s > 0$ かつ $0 < a < q^{s-1}$ ならば

$$\int_0^\infty x^{s-1}\frac{(1+aqx)(1+aq^2x)\cdots}{(1+x)(1+qx)(1+q^2x)\cdots}\,dx$$
$$= \frac{\pi}{\sin s\pi}\prod_1^\infty \frac{(1-q^{m-s})(1-aq^m)}{(1-q^m)(1-aq^{m-s})}.$$

(iv) $0 < s < \frac{1}{2}$ ならば

$$\int_0^\infty x^{s-1}\sum_0^\infty \frac{(-1)^n x^n}{n!\zeta(2n+2)}\,dx = \frac{\Gamma(s)}{\zeta(2-2s)}.$$

これらの中で，(i) と (ii) は我々が既に証明したことの簡単な系である．(iii) を証明するために，展開

$$\Phi(x) = \frac{(1+aqx)(1+aq^2x)\cdots}{(1+x)(1+qx)(1+q^2x)\cdots}$$
$$= \sum_0^\infty (-1)^n \frac{(1-aq)(1-aq^2)\cdots(1-aq^n)}{(1-q)(1-q^2)\cdots(1-q^n)}x^n$$

を用いるが，これは $\Phi(x)$ が満たす関数等式

$$(1+aqx)\Phi(qx) = (1+x)\Phi(x)$$

から容易に導かれる．ここで

$$\phi(u) = \prod_{m=1}^\infty \frac{(1-aq^m)(1-q^{m+u})}{(1-q^m)(1-aq^{m+u})}$$

である．最後に (iv) は独立に M. Riesz により発見され，Riemann 仮説が成り立つための非常に不可思議な必要十分条件を定めるのに用いられた．この仮説の下で，公式は $0 < s < \frac{3}{4}$ に対して成り立つ．$\Phi(x)$ の別の形は，$\mu(m)$ を Möbius 関数として

$$\Phi(x) = \sum_1^\infty \frac{\mu(m)}{m} e^{-x/m^2}$$

である[3].

11.9 Ramanujan の公式を用いて，通常は Lagrange あるいは Burmann の級数から導かれる多くの展開を得ることができる．Ramanujan 自身により与えられた二つの例を取り上げる．

(i) 教科書で馴染み深い問題の一つに e^{-ax} を xe^{bx} の冪級数に展開するというものがある．Ramanujan は次のように議論する．$y = xe^{bx}$ として

$$e^{-ax} = \sum_0^\infty (-1)^n \frac{\lambda(n)}{n!} y^n$$

とすると，(B) により

$$\Gamma(s)\lambda(-s) = \int_0^\infty y^{s-1} e^{-ax}\, dy = \int_0^\infty x^{s-1}(1+bx)e^{-(a-sb)x}\, dx$$
$$= \Gamma(s) a(a-sb)^{-s-1}$$

となるから

$$\lambda(n) = a(a+nb)^{n-1}$$

である．この議論には明らかに a と b が正であることを要する[4].

(ii) よく知られているように三項方程式の根を超幾何級数として展開することができる．Ramanujan は

$$aqx^p + x^q = 1$$

の根の任意の冪 x^r の展開を次のように見つける．

---

[3] ［訳注］$\frac{\mu(m)}{m}$ は $\frac{\mu(m)}{m^2}$ の誤り．
[4] ［原註］このとき関数
$$\frac{a(a+bu)^{u-1}}{\Gamma(1+u)}$$
は §11.4 の条件を完全には満たさない（"A" が π である）．

とするならば，(B) より

$$\Gamma(s)\lambda(-s) = \int_0^\infty a^{s-1} x^r \, da = \int_0^1 x^r \left(\frac{1-x^q}{qx^p}\right)^{s-1} d\left(\frac{1-x^q}{qx^p}\right).$$

積分を計算して，彼は展開

$$x^r = 1 - \frac{r}{1!}a + \frac{r(r+2p-q)}{2!}a^2 - \frac{r(r+3p-q)(r+3p-2q)}{3!}a^3 + \cdots$$

を見つける．私はこの公式が新しいものであるか否か知らないし，この解析が正当化される条件を見いだそうと試みたことはない．

公式 (C)

11.10 公式 (C) は「Euler–Maclaurin 和公式」の剰余項の一つであると見なすことができよう．

$$\int_0^\infty \frac{dx}{x\{\pi^2 + (\log x)^2\}} = \int_{-\infty}^\infty \frac{dy}{\pi^2 + y^2} = 1$$

であるから，それが現れる二か所で，$\phi(0)$ に任意の定数を掛けてよかろう．公式を

$$\frac{1}{2}\phi(0) + \phi(1) + \phi(2) + \cdots - \int_0^\infty \phi(x)\,dx$$
$$= \int_0^\infty \frac{\frac{1}{2}\phi(0) - x\phi(1) + x^2\phi(2) - \cdots}{x\{\pi^2 + (\log x)^2\}}\,dx,$$

あるいは，$\phi(u)$ を $y^u \phi(u)$ で置き換えて

$$(11.10.1) \qquad R(y) = \int_0^\infty \frac{\Phi_1(-yx)}{x\{\pi^2 + (\log x)^2\}}\,dx$$

と書くと都合がよい．ここで

$$(11.10.2) \qquad \Phi_1(x) = \frac{1}{2}\phi(0) + \sum_1^\infty \phi(n) x^n$$

であり[5]

$$(11.10.3) \qquad R(y) = \Phi_1(y) - \int_0^\infty y^x \phi(x)\, dx$$

である．$R(y)$ の最も馴染み深い公式は Poisson のもの，すなわち

$$(11.10.4) \qquad R(y) = 2\sum_1^\infty \int_0^\infty y^x \phi(x) \cos 2n\pi x\, dx,$$

および Plana のもの，すなわち

$$(11.10.5) \qquad R(y) = i \int_0^\infty \frac{y^{iw}\phi(iw) - y^{-iw}\phi(-iw)}{e^{2\pi w} - 1}\, dw$$

である．Ramanunjan のものは一見すると新しいものに見える．

この公式の特殊な場合の証明から始めると都合がよい．

$$\phi(u) = \frac{1}{\Gamma(1+u)}$$

として

$$J(y) = \int_0^\infty y^x \phi(x)\, dx = \int_0^\infty \frac{y^x}{\Gamma(1+x)}\, dx$$

とする．すると，$s > 1$ ならば

$$\int_0^\infty e^{-sy} J(y)\, dy = \int_0^\infty \frac{dx}{\Gamma(1+x)} \int_0^\infty e^{-sy} y^x\, dy$$
$$= \int_0^\infty s^{-x-1}\, dx = \frac{1}{s \log s}.$$

Laplace の反転公式から

$$J(y) = \frac{1}{2\pi i} \int_{c-i\infty}^{c+i\infty} \frac{e^{ys}}{s \log s}\, ds$$

が従う．ここで $c > 1$ である．積分路を変形して負の実軸を回る閉路とし

---

[5] ［原註］§11.4 の記号では $\Phi_1(x) = \Phi(-x) - \frac{1}{2}\phi(0)$ である．

て，極 $s = 1$ における留数を残せば

$$J(y) = e^y - \int_0^\infty \frac{e^{-yx}}{x\{\pi^2 + (\log x)^2\}} \, dx$$

を得る．

11.11 Ramanujan はこの特殊な公式の非常に巧妙な証明を与える．彼はもっと一般に，$y \geq 0$ かつ $\xi \geq 0$ ならば

(11.11.1)
$$\int_{-\xi}^\infty \frac{y^x}{\Gamma(1+x)} \, dx + \int_0^\infty x^{\xi-1} e^{-yx} \left(\cos \pi\xi - \frac{\sin \pi\xi}{\pi} \log x \right) \frac{dx}{\pi^2 + (\log x)^2} = e^y$$

であることを証明する．(11.11.1) の左辺を $p(y, \xi)$ と表して，ξ に関して微分するならば

$$\begin{aligned}
\frac{\partial p}{\partial \xi} &= \frac{y^{-\xi}}{\Gamma(1-\xi)} - \frac{\sin \pi\xi}{\pi} \int_0^\infty x^{\xi-1} e^{-yx} \, dx \\
&= y^{-\xi} \left\{ \frac{1}{\Gamma(1-\xi)} - \frac{\Gamma(\xi) \sin \pi\xi}{\pi} \right\} = 0
\end{aligned}$$

であることが分かる．よって $p(y, \xi)$ は y のみの関数 $P(y)$ である．しかし y に関して微分すると

$$\begin{aligned}
\frac{dP}{dy} &= \int_{-\xi}^\infty \frac{y^{x-1}}{\Gamma(x)} \, dx - \int_0^\infty x^\xi e^{-yx} \left(\cos \pi\xi - \frac{\sin \pi\xi}{\pi} \log x \right) \frac{dx}{\pi^2 + (\log x)^2} \\
&= \int_{-\xi-1}^\infty \frac{y^x}{\Gamma(x+1)} \, dx \\
&\quad - \int_0^\infty x^\xi e^{-yx} \left(\cos \pi\xi - \frac{\sin \pi\xi}{\pi} \log x \right) \frac{dx}{\pi^2 + (\log x)^2} \\
&= p(y, \xi+1) = P(y)
\end{aligned}$$

を得る．よって $P(y) = Ce^y$ であり，$y = 0$ かつ $\xi = 0$ とすれば C が分かる[6]．

さて一般の公式で $\phi(u)$ を

---

[6] ［原註］(11.11.1) は「Laplace 変換」の方法によっても証明することができる．

$$\phi(u) - \frac{\phi(0)}{\Gamma(1+u)}$$

に取り替えてもよいのだから，$\phi(0) = 0$ と仮定してよい．さらに実の u に対しては $\phi(u)$ は実であると仮定してよい．それらの制約は本質的ではないが，我々の形式的な解析が簡単になる[7]．

11.12 Ramanujan の公式を Plana の公式から以下のように導くことができる．再び $\phi(u)$ は $\mathfrak{K}(A.P.\delta)$ に属すると仮定する．すると

(11.12.1)
$$\Phi_1(-x) = \sum_1^\infty (-1)^n \phi(n) x^n = \frac{1}{2\pi i} \int_{-i\infty}^{i\infty} \frac{\pi}{\sin \pi u} x^{-u} \phi(-u) \, du$$
$$= \frac{1}{2\pi} \int_{-\infty}^{\infty} \frac{\pi}{\sin \pi iw} x^{-iw} \phi(-iw) \, dw;$$

$\phi(0) = 0$ だから $c = 0$ とすることができる．よって

$$\int_0^\infty \frac{\Phi_1(-yx)}{x\{\pi^2 + (\log x)^2\}} \, dx$$
$$= \frac{1}{2\pi} \int_{-\infty}^{\infty} \frac{\pi}{\sin \pi iw} y^{-iw} \phi(-iw) \, dw \int_0^\infty \frac{x^{-iw}}{x\{\pi^2 + (\log x)^2\}} \, dx.$$

ところが

$$\int_0^\infty \frac{x^{-iw}}{x\{\pi^2 + (\log x)^2\}} \, dx = \int_{-\infty}^{\infty} \frac{e^{-iwt}}{\pi^2 + t^2} \, dt = e^{-\pi|w|}$$

だから

$$\int_0^\infty \frac{\Phi_1(-yx)}{x\{\pi^2 + (\log x)^2\}} \, dx = \frac{1}{2} \int_{-\infty}^{\infty} \frac{e^{-\pi|w|}}{\sin \pi iw} y^{-iw} \phi(-iw) \, dw$$

となり，これは明らかな変形により Plana の積分 (11.10.5) に帰着する．

　Lindelöf の *Calcul des résidus* に Plana の公式の詳しい解説がある．Lindelöf は，$|w| \to \infty$ のとき任意の有限な帯領域 $-\delta \leq v \leq V$ で一様に

---

[7] ［原註］$\phi(0) \neq 0$ なるいかなる特殊な $\phi(u)$ であれ，それに対する公式の証明から始めることはできたのだが，それに対して (C) が全く明らかとなるものを私は知らない．

(i)
$$e^{-2\pi|w|}y^{v+iw}\phi(v+iw) \to 0$$

であり，かつ $v \to \infty$ のとき

(ii)
$$\int_{-\infty}^{\infty} e^{-2\pi|w|}|y^{v+iw}||\phi(v+iw)|\,dw \to 0$$

であるという条件の下に (11.10.5) を証明する．$A < 2\pi$ かつ，特にここで $\phi(u)$ を考察した際の y がそうだが，

$$0 < y < e^{-P}$$

のときに $\mathfrak{K}(A,P,\delta)$ に属する $\phi(u)$ に対してこれらの条件が満たされることは明らかである．すなわち Ramanujan の公式 (C) は (11.10.1) の形で，これらの y について我々が (A) を証明したのと同じ $\phi(u)$ に対して成り立つ．

11.13 Plana の公式について注意を一つつけ加える．それは Cauchy の定理の系として直接に証明できるであろう；しかし，「実変数」の公式であり，恐らくいまではより馴染み深いであろう Poisson の公式からいかにしてそれが導かれるか注意を向ける価値があろう．Poisson の公式 (11.10.4) を

$$R(y) = 2\sum_{1}^{\infty} J_n$$

と書くことにしよう；ただし $\beta > P$ の下に y を $e^{-\beta}$ とし；x を v とする．すると，再び Cauchy の定理により

$$J_n = \mathfrak{R}\left\{\int_0^{\infty} \phi(v) e^{-(\beta-2n\pi i)v}\,dv\right\} = \mathfrak{R}\left\{i\int_0^{\infty} \phi(iw) e^{-\beta iw - 2n\pi w}\,dw\right\}$$

となる；ここでの議論は $A < 2\pi$ を要求するのみである[8]．和をとれば Plana の公式を得る．

11.14 例えば，$r > 0$ に対して

---

[8] ［原註］$A < \pi$ ではなくて．

とする．すると $\phi(u)$ は，$0 < \delta < r$ と任意の正の A および任意の P に対して $\mathfrak{K}$ に属する；さらに (11.10.1) は

$$(1-y)^{-r} - \int_0^\infty \frac{\Gamma(r+x)}{\Gamma(r)\Gamma(1+x)} y^x \, dx = \int_0^\infty \frac{(1+yx)^{-r}}{x\{\pi^2 + (\log x)^2\}} \, dx$$

を与える．r が整数のときには左辺の積分は初等的であり，そのとき右辺の積分が初等関数により求められる．

Fourier 変換

11.15 公式 (D) は，当然のことながら非常に制限の強い条件の下でのみ正当な理論である Foruier 変換の発見的理論を具体化したものである．

例えば，$\lambda(u)$ は正則関数で

(11.15.1) $\qquad\qquad \lambda(1) = \lambda(3) = \lambda(5) = \cdots = 0$

なるものとすると

(11.15.2) $\qquad \Lambda(x) = \sum_0^\infty \frac{(-1)^n \lambda(n)}{n!} x^n = \sum_0^\infty \frac{\lambda(2m)}{2m!} x^{2m}$

は偶である；さらに

(11.15.3) $\qquad \lambda_1(u) = \sqrt{\left(\frac{2}{\pi}\right)} \Gamma(1+u) \cos \frac{1}{2} u\pi \, \lambda(-u-1)$

とおく．すると $\lambda_1(u)$ もまた正則である．というのは $\Gamma(1+u)$ の $-1, -2, -3, \ldots$ における極は $\cos \frac{1}{2} u\pi$ の零点により相殺され，$-2, -4, \ldots$ におけるものは $\lambda(-u-1)$ の零点により相殺されるからである；さらに

(11.15.4) $\qquad\qquad \lambda_1(1) = \lambda_1(3) = \lambda_1(5) = \cdots = 0.$

また

$$\lambda_1(2m) = (-1)^m \sqrt{\left(\frac{2}{\pi}\right)} 2m!\, \lambda(-2m-1)$$

および

$$\lambda_1(-2m-1) = \sqrt{\left(\frac{2}{\pi}\right)} \lambda(2m) \lim_{\epsilon \to 0} \left\{ \Gamma(-2m+\epsilon) \cos \frac{1}{2}(2m+1-\epsilon)\pi \right\}$$

$$= (-1)^m \sqrt{\left(\frac{2}{\pi}\right)} \frac{\lambda(2m)}{2m!}.$$

よって

$$\mathrm{M}(x) = \sqrt{\left(\frac{2}{\pi}\right)} \sum_0^\infty (-1)^m \lambda(-2m-1) x^{2m}$$

とおき，Λ, M が λ から作られるように λ_1 から作られる関数を Λ_1, M_1 と表すならば

$$\Lambda_1(x) = \mathrm{M}(x), \quad \mathrm{M}_1(x) = \Lambda(x)$$

となる；さらに (D1) と λ_1 に対応する公式は

$$\sqrt{\left(\frac{2}{\pi}\right)} \int_0^\infty \Lambda(x) \cos yx\, dx = \mathrm{M}(y), \quad \sqrt{\left(\frac{2}{\pi}\right)} \int_0^\infty \mathrm{M}(x) \cos yx\, dx = \Lambda(y)$$

となる．

これらは通常の Fourier 余弦変換の公式である．(11.15.1) の代わりに

$$\lambda(0) = \lambda(2) = \lambda(4) = \cdots = 0$$

として，$\lambda_1(u)$ を

$$\lambda_1(u) = \sqrt{\left(\frac{2}{\pi}\right)} \Gamma(1+u) \sin \frac{1}{2} u\pi \lambda(-u-1)$$

により定義するならば，我々は同様に正弦変換の公式に導かれる．

例えば

$$\lambda(u) = \frac{2^{\frac{1}{2}u}\sqrt{\pi}}{\Gamma(\frac{1}{2} - \frac{1}{2}u)} = 2^{-1-\frac{1}{2}u}\frac{\Gamma(-\frac{1}{2}u)}{\Gamma(-u)}$$

は (11.15.1) を満たす．この場合

$$\lambda_1(u) = \sqrt{\left(\frac{2}{\pi}\right)\Gamma(1+u)\cos\frac{1}{2}u\pi} \cdot \frac{2^{-\frac{1}{2}+\frac{1}{2}u}\Gamma(\frac{1}{2}+\frac{1}{2}u)}{\Gamma(1+u)}$$
$$= \frac{2^{\frac{1}{2}u}\sqrt{\pi}}{\Gamma(\frac{1}{2} - \frac{1}{2}u)} = \lambda(u)$$

で

$$\Lambda(x) = \mathrm{M}(x) = \sum_0^\infty \frac{(-1)^m}{m!}\left(\frac{1}{2}x^2\right)^m = e^{-\frac{1}{2}x^2}.$$

この公式は $e^{-\frac{1}{2}x^2}$ の「自己双対」性を表している．

一方，このような具合には表すことのできない双対で馴染み深いものが多数ある．例えば

(11.15.5)
$$\int_0^\infty e^{-x}\cos yx\,dx = \frac{1}{1+y^2}, \quad \int_0^\infty \frac{\cos yx}{1+x^2}\,dx = \frac{1}{2}\pi e^{-|y|}.$$

これらのうち第一のものは（$|y| < 1$ のとき）(D1) で $\lambda(u) = 1$ とした場合である；しかしそのとき

$$\lambda_1(u) = \sqrt{\left(\frac{2}{\pi}\right)\Gamma(1+u)\cos\frac{1}{2}u\pi}$$

は正則関数ではないので，（$e^{-|y|}$ は y の冪級数としては表示不可能だから明らかなように）第二の公式をこのような具合に説明することはできない．

11.16 私は論文 11 で公式 (D) の理論を作り上げた．ここでそれを F. M. Goodspeed 氏によるやや一般化された形で述べることにする；彼の理論は公式 (11.15.5) を説明する．

$A < \pi$ として，$\chi(u)$ は整関数であってすべての u に対して

(11.16.1) $\qquad \left| \dfrac{\chi(u)}{2^{\frac{1}{2}|v|} \Gamma(\frac{1}{2}|v| + \frac{1}{2}iw)} \right| < Ce^{P|v|+A|w|}$

なるものとする．すると Cauchy の定理から

(11.16.2)
$$\Lambda(x) = \sum_0^\infty \frac{(-1)^n \chi(n)}{2^{\frac{1}{2}n} \Gamma(\frac{1}{2}n + \frac{1}{2})} x^n = -\frac{1}{2\pi i} \int_{c-i\infty}^{c+i\infty} \frac{\pi}{\sin \pi u} \frac{x^u \chi(u)}{2^{\frac{1}{2}u} \Gamma(\frac{1}{2}u + \frac{1}{2})} du$$

が従う．ここで

$$-1 < c < 0, \quad 0 < x < e^{-P}$$

で，このとき級数は収束する．積分は任意の区間 $0 < \delta \leq x \leq \Delta < \infty$ で一様収束するから，$\Lambda(x)$ はすべての正の x に対して正則である．

さて $y > 0$ とすると

(11.16.3) $\sqrt{\left(\dfrac{2}{\pi}\right)} \displaystyle\int_0^\infty \Lambda(x) \cos yx\, dx$

$= -\sqrt{\left(\dfrac{2}{\pi}\right)} \displaystyle\int_0^\infty \cos yx\, dx \dfrac{1}{2\pi i} \int_{c-i\infty}^{c+i\infty} \dfrac{\pi}{\sin \pi u} \dfrac{x^u \chi(u)}{2^{\frac{1}{2}u} \Gamma(\frac{1}{2}u + \frac{1}{2})} du$

$= -\sqrt{\left(\dfrac{2}{\pi}\right)} \dfrac{1}{2\pi i} \displaystyle\int_{c-i\infty}^{c+i\infty} \dfrac{\pi}{\sin \pi u} \dfrac{\chi(u)}{2^{\frac{1}{2}u} \Gamma(\frac{1}{2}u + \frac{1}{2})} du \int_0^\infty x^u \cos yx\, dx.$

順序交換の正当化は全く自明というわけではないが **11** の同じ点における議論と同じ線にそって進む．

さて

$$\int_0^\infty x^u \cos yx\, dx = \Gamma(u+1) \cos \frac{1}{2}(u+1)\pi y^{-u-1}$$

である．この値を (11.16.3) に代入して，Gamma-関数の 2 倍公式により整理するならば

$$\sqrt{\left(\frac{2}{\pi}\right)}\int_0^\infty \Lambda(x)\cos yx\,dx = -\frac{1}{2\pi i}\int_{c-i\infty}^{c+i\infty}\frac{\pi}{\sin \pi u}2^{\frac{1}{2}u+\frac{1}{2}}\frac{y^{-u-1}\chi(u)}{\Gamma(-\frac{1}{2}u)}\,du$$

$$= -\frac{1}{2\pi i}\int_{c-i\infty}^{c+i\infty}\frac{\pi}{\sin \pi u}\frac{y^u\chi(-u-1)}{2^{\frac{1}{2}u}\Gamma(\frac{1}{2}+\frac{1}{2}u)}\,du$$

を得る（異なる c についてだが，依然として $-1 < c < 0$）．この積分は再び Cauchy の定理により計算されて，結果は

(11.16.4) $$\sqrt{\left(\frac{2}{\pi}\right)}\int_0^\infty \Lambda(x)\cos yx\,dx = \mathrm{M}(y)$$

である，ここで

(11.16.5) $$\mathrm{M}(x) = \sum_0^\infty \frac{(-1)^n \chi(-n-1)}{2^{\frac{1}{2}n}\Gamma(\frac{1}{2}n+\frac{1}{2})}x^n$$

である．この級数もまた $0 < x < e^{-P}$ で収束し，$\mathrm{M}(x)$ はすべての正の x に対して正則である．議論の対称性から

(11.16.6) $$\sqrt{\left(\frac{2}{\pi}\right)}\int_0^\infty \mathrm{M}(x)\cos yx\,dx = \Lambda(y)$$

であることは明らかである．

11.17 余弦変換に関する Ramanujan 自身の公式は一般性において若干劣る．

$$\frac{\chi(u)}{2^{\frac{1}{2}u}\Gamma(\frac{1}{2}u+\frac{1}{2})} = \frac{\lambda(u)}{\Gamma(u+1)}$$

あるいは

$$\chi(u) = \frac{2^{-\frac{1}{2}u}\sqrt{\pi}}{\Gamma(\frac{1}{2}u+1)}\lambda(u)$$

と書き，$\lambda(u)$ が条件 (11.15.1) を満たすとすると §11.16 の公式は §11.15 のものに帰着することが分かるであろう．「オーダー」の条件は同等である．

§11.16 の解析は対称性という利点があり，二つの面でより一般的である．第一に，$\chi(u)$ が正則であるという仮定は $\lambda(u)$ が正則であるという仮定よりは厳しくない，というのは，それは $\lambda(u)$ が $u = -2, -4, \ldots$ に極を持つことを許すから．さらに重要な点は，§11.15 では $\Lambda(x)$ と $\mathrm{M}(x)$ はどちらも原点で正則な解析的偶関数であるが，§11.16 ではそれらは正の x に対してのみ冪級数により定義され，負の x に対しては偶関数であることにより定義する[9]．

例えば

$$\chi(u) = \frac{2^{\frac{1}{2}u}\Gamma(\frac{1}{2}u + \frac{1}{2})}{\Gamma(u+1)}$$

ととるならば，$x > 0$ に対して

$$\Lambda(x) = e^{-x}, \quad \mathrm{M}(x) = \sqrt{\left(\frac{2}{\pi}\right)}\frac{1}{1+x^2}$$

となる．§11.16 の条件は満たされており，$x < 0$ に対して $\Lambda(x)$ と $\mathrm{M}(x)$ を偶関数であることにより定義すれば，公式 (11.15.5) を得る．

$$\chi(u) = 1$$

をとるならば，$x > 0$ に対して

$$\Lambda(x) = \mathrm{M}(x) = \sum_0^\infty \frac{(-1)^n}{2^{\frac{1}{2}n}\Gamma(\frac{1}{2}n + \frac{1}{2})}x^n$$

であることが分かり，同じ所見が当てはまる．この $\Lambda(x)$ は，それは

$$1 - xe^{\frac{1}{2}x^2}\int_x^\infty e^{-\frac{1}{2}t^2}\,dt = \int_0^\infty e^{-\frac{1}{2}w^2 - xw}\,dw$$

とも表されるが，Hardy と Titchmarsh により与えられた「自己双対的」関

---

[9] [原註] (D1) では我々は中間の立場にいる．公式を

$$\sqrt{\left(\frac{2}{\pi}\right)}\int_0^\infty \Lambda(x)\cos yx\,dx = \mathrm{M}(y)$$

と書くならば，$\Lambda(x)$ は §11.16 の $\Lambda(x)$ のごとく定義されるが，$\mathrm{M}(y)$ は原点で正則である．§11.15 では特殊化することにより関係を対称的にしている．

数の例の一つである．

最後に
$$\chi(u) = \frac{\pi 2^{-u}}{\Gamma(\frac{1}{2} - \frac{1}{2}u)\Gamma(1 + \frac{1}{2}u)}$$
なる選択は
$$\Lambda(x) = \mathrm{M}(x) = e^{-\frac{1}{2}x^2}$$
に導く．この場合は §11.15 で扱われている．

11.18 初めの講義で述べたが，Ramanujan は Watson や Titchmarsh と私自身の最近の「Fourier 核」と「自己双対的関数」に関する仕事に通底する形式的な考え方のほとんどに慣れ親しんでいた．ここに一つの適例がある．

明らかに §11.16 の $\Lambda(x)$ が自己双対的であるための必要十分条件は

(11.18.1) $$\chi(u) = \chi(-u-1)$$

なることである．

(11.18.2) $$\psi(u) = \pi^{-1}\Gamma\left(\frac{1}{2} + \frac{1}{2}u\right)\Gamma\left(1 - \frac{1}{2}u\right)\chi(-u)$$

と書くならば，(11.18.1) は

(11.18.3) $$\psi(u) = \psi(1-u)$$

となる．$\Lambda(x)$ の積分表示は

$$\Lambda(x) = -\frac{1}{2\pi i}\int_{c-i\infty}^{c+i\infty} \frac{\pi}{\sin \pi u}\frac{x^u \chi(u)}{2^{\frac{1}{2}u}\Gamma(\frac{1}{2}u + \frac{1}{2})}\,du.$$

u を $-u$ に代え，$\chi(-u)$ に (11.18.2) を代入して，さらに簡単な変形を施すと

(11.18.4) $$\Lambda(x) = \frac{1}{2\pi i}\int_{c-i\infty}^{c+i\infty} 2^{\frac{1}{2}u-1}\Gamma\left(\frac{1}{2}u\right)x^{-u}\psi(u)\,du$$

を得るが，それは（定数倍を除いて）Titchmarsh と私自身により与えられ

た自己双対的関数の公式である．

　このすべては「一般の変換」の理論で類似が成り立つのだが，それについてはこの講義の最後に先送りする．

公式 (E)

11.19 (E) を

$$(11.19.1) \qquad \int_0^\infty \Lambda(x)\,\mathrm{M}(x)\,dx = \sum_0^\infty (-1)^n \lambda(-n-1)\mu(n)$$

と書いてよいだろう，ここで $\Lambda(x)$ と $\mathrm{M}(x)$ は (E) の被積分関数に現れる二つの無限級数である．一層一般的な公式を考えることもできるだろう，すなわち

$$(11.19.2) \qquad \int_0^\infty \Lambda(x)\,\mathrm{M}(x) x^{s-1}\,dx = \sum_0^\infty (-1)^n \frac{\Gamma(s+n)}{n!}\lambda(-n-s)\mu(n)$$
$$= \Gamma(s)\left\{\lambda(-s)\mu(0) - \frac{s}{1}\lambda(-s-1)\mu(1) + \frac{s(s+1)}{1\cdot 2}\lambda(-s-2)\mu(2) - \cdots \right\}$$

である．

$$\int_0^\infty \Lambda(x)\,\mathrm{M}(x) x^{s-1}\,dx = \sum_0^\infty \frac{(-1)^n}{n!}\mu(n)\int_0^\infty \Lambda(x) x^{n+s-1}\,dx$$
$$= \sum_0^\infty (-1)^n \frac{\Gamma(s+n)}{n!}\lambda(-s-n)\mu(n)$$

と書くことにより，形式的に (11.19.2) を (B) から導くことができて，この処理手順を正当化できるわずかの場合がある．しかしながら，それらは極端に特殊である；そして Ramanujan は $\mathrm{M}(x)$ が $\cos yx$ であるときでさえ，これらの線にそっての証明が全くあり得ないときに他の議論は持ち合わせていなかったように見受けられる．この場合

$$\mu(2m) = (-1)^m y^{2m}, \quad \mu(2m+1) = 0$$

で，(11.19.1) は (D1) に帰着する．

§11.4 の記号で表示すれば公式はより単純になる．そこで
$$\phi(u) = \frac{\lambda(u)}{\Gamma(1+u)}, \quad \psi(u) = \frac{\mu(u)}{\Gamma(1+u)}$$
とおき，$\Phi(x)$ を §11.4 でのように定義し $\Psi(x)$ も同様にすると，(11.19.2) は

(11.19.3) $$\int_0^\infty \Phi(x)\Psi(x)x^{s-1}\,dx = \frac{\pi}{\sin s\pi}\sum_0^\infty \phi(-n-s)\psi(n)$$

の形となる．この公式はより単純であるがやや誤解を招きやすいもので，本当は (11.19.2) の方がよりよい標準形なのである．このことは最も明らかな特殊な場合を考えれば見て取ることができる．

$0 < \beta < \alpha$ として (11.19.2) で
$$\lambda(u) = \alpha^u, \quad \mu(u) = \beta^u$$
ととるならば
$$\int_0^\infty e^{-(\alpha+\beta)x} x^{s-1}\,dx = \Gamma(s)\left\{\alpha^{-s} - \frac{s}{1}\alpha^{-s-1}\beta + \frac{s(s+1)}{1\cdot 2}\alpha^{-s-2}\beta^2 + \cdots\right\}$$
$$= \frac{\Gamma(s)}{(\alpha+\beta)^s}$$

となり，これはすべての正の s に対して正しい．しかし (11.19.3) で $\phi(u) = \alpha^u, \psi(u) = \beta^u$ ととると
$$\int_0^\infty \frac{x^{s-1}\,dx}{(1+\alpha x)(1+\beta x)} = \frac{\pi}{\sin s\pi}(\alpha^{-s} + \alpha^{-s-1}\beta + \alpha^{-s-2}\beta^2 + \cdots)$$
$$= \frac{\pi}{\sin s\pi}\frac{\alpha^{1-s}}{\alpha-\beta}$$

を得て，これは常に誤りである．

正しい公式は
$$\int_0^\infty \frac{x^{s-1}\,dx}{(1+\alpha x)(1+\beta x)} = \frac{\pi}{\sin s\pi}\frac{\alpha^{1-s}-\beta^{1-s}}{\alpha-\beta}$$
であり，これは $0 < s < 2$ に対して正しい．右辺を

$$\frac{\pi}{\sin s\pi}(\alpha^{-s} + \alpha^{-s-1}\beta + \alpha^{-s-2}\beta^2 + \cdots - \alpha^{-1}\beta^{1-s} - \alpha^{-2}\beta^{2-s} - \cdots)$$
$$= \frac{\pi}{\sin s\pi}\{\phi(-s)\psi(0) + \phi(-s-1)\psi(1) + \cdots - \phi(-1)\psi(1-s)$$
$$- \phi(-2)\psi(2-s) - \cdots\}$$

と書くことができる．ここでは一つではなくて二つの級数があり，実際にはやがて分かるように，一般の積分に対する「正しい」公式は (11.19.3) ではなくて

$$(11.19.4) \quad \int_0^\infty \Phi(x)\Psi(x)x^{s-1}\,dx$$
$$= \frac{\pi}{\sin s\pi}\left\{\sum_0^\infty \phi(-n-s)\psi(n) - \sum_0^\infty \phi(-n-1)\psi(n+1-s)\right\}$$

である．

$$\phi(u) = \frac{\alpha^u}{\Gamma(1+u)}$$

のときのように，$\phi(u)$ が $u = -1, -2, \ldots$ で消えるときには，これは (11.19.3) に帰着する．したがって (11.19.2) を扱う方がよいのである．この公式が標準的な Mellin 変換の理論と関連があると指摘するにとどめておく．Goodspeed の未発表の論文に厳密な研究がある．

11.20 (11.19.2) を Mellin 変換に対する "Parseval" の定理の形であると見なすことができよう．この定理が主張するには，もし

$$(11.20.1) \quad f(x) = \int_0^\infty F(x)x^{s-1}\,dx, \quad g(s) = \int_0^\infty G(x)x^{s-1}\,dx$$

ならば[10]，ある種の条件の下に

$$(11.20.2) \quad \int_0^\infty F(x)G(x)x^{s-1}\,dx = \frac{1}{2\pi i}\int_{k-i\infty}^{k+i\infty} f(u)g(s-u)\,du.$$

さて，我々が §11.4 で詳細に考察したある種の状況においては

---

[10] ［訳註］$f(x)$ は $f(s)$ の間違い．

(11.20.3)
$$\int_0^\infty \Lambda(x)x^{s-1}\,dx = \Gamma(s)\lambda(-s), \quad \int_0^\infty \mathrm{M}(x)x^{s-1}\,dx = \Gamma(s)\mu(-s),$$

(11.20.4)
$$\Lambda(x) = \frac{1}{2\pi i}\int_{c-i\infty}^{c+i\infty}\Gamma(u)\lambda(-u)x^{-u}\,du,$$
$$\mathrm{M}(x) = \frac{1}{2\pi i}\int_{c-i\infty}^{c+i\infty}\Gamma(u)\mu(-u)x^{-u}\,du$$

である．実際，公式 (11.20.3) は (B) の場合であり，もし
$$\phi(u) = \frac{\lambda(u)}{\Gamma(1+u)}, \quad \psi(u) = \frac{\mu(u)}{\Gamma(1+u)}$$
と書くならば，公式 (11.20.4) は (11.4.4) の場合となる．

(11.20.1) で $F(x) = \Lambda(x)$, $G(x) = \mathrm{M}(x)$ ととれば，(11.20.2) は
$$\int_0^\infty F(x)G(x)x^{s-1}\,dx = \frac{1}{2\pi i}\int_{k-i\infty}^{k+i\infty}\Gamma(u)\Gamma(s-u)\lambda(-u)\mu(u-s)\,du$$
を与える．もしこれが 0 と σ の間の k に対して正しければ，最後の積分は右側にある留数により計算すると
$$\sum_0^\infty \frac{(-1)^n}{n!}\Gamma(s+n)\lambda(-s-n)\mu(n)$$
となり，(11.19.2) を得る．全体の議論はもちろん注意深い考慮を要する．

λ と μ ではなくて ϕ と ψ で議論するならば
$$\int_0^\infty \Phi(x)x^{s-1}\,dx = \frac{\pi}{\sin s\pi}\phi(-s), \quad \int_0^\infty \Psi(x)x^{s-1}\,dx = \frac{\pi}{\sin s\pi}\psi(-s),$$
$$\int_0^\infty \Phi(x)\Psi(x)x^{s-1}\,dx = \frac{1}{2\pi i}\int_{k-i\infty}^{k+i\infty}\frac{\pi}{\sin u\pi}\frac{\pi}{\sin(s-u)\pi}\phi(-u)\psi(u-s)\,du$$
となり，この積分を留数により計算すると (11.19.4) に導かれる．負の整数値なる u に対して $\phi(u)$ が消えるときに限り，我々の当初の公式 (11.19.3) は正しい．

11.21 公式 (11.19.2) は定積分の値を求めるのに非常に強力な道具である．

例えば

$$\lambda(u) = \frac{1}{\Gamma(a+1+u)} \left(\frac{1}{2}\alpha\right)^{2u}, \quad \mu(u) = \frac{1}{\Gamma(b+1+u)} \left(\frac{1}{2}\beta\right)^{2u}$$

とすると

$$\Lambda(x) = 2^a \alpha^{-a} x^{-\frac{1}{2}a} J_a(\alpha\sqrt{x}), \quad \mathrm{M}(x) = 2^b \beta^{-b} x^{-\frac{1}{2}b} J_b(\beta\sqrt{x})$$

である．公式は，いくつかの自明な変形[11]の後に

$$\int_0^\infty J_a(\alpha x) J_b(\beta x) x^{s-1}\, dx$$
$$= 2^{s-1} \alpha^{-s-b} \beta^b \frac{\Gamma(\frac{1}{2}s + \frac{1}{2}a + \frac{1}{2}b)}{\Gamma(b+1)\Gamma(1 - \frac{1}{2}s - \frac{1}{2}a - \frac{1}{2}b)}$$
$$\times F\left(\frac{1}{2}s + \frac{1}{2}a + \frac{1}{2}b, \frac{1}{2}s - \frac{1}{2}a + \frac{1}{2}b, b+1, \frac{\beta^2}{\alpha^2}\right)$$

となり，これは $0 < \beta < \alpha$ かつ積分が収束するとき[12]はいつでも正しい．

公式 (F)

11.22 最後の一群の公式により §11.18 の初めに引用した私自身の所説がさらに正当化される．私はそれらを，Ramanujan がしたように単純に公式と考えることにして，ここではそれらが正当であるための条件については全く何もいわないことにする．我々の以前の記号で

$$\lambda(u) = \alpha^u p(u), \quad \mu(u) = \beta^u q(u)$$

とする．ここで $0 < \beta < \alpha$ かつ

$$p(u) q(-u-1) = 1$$

である．すると

---

[11] ［原註］x を x^2 にし，s を $\frac{1}{2}(s+a+b)$ とする．
[12] ［原註］すなわち，$-a-b < s < 2$ ならば．

$$\Lambda(x) = F(\alpha x), \quad \mathrm{M}(x) = G(\beta x),$$

ただし

$$F(x) = \sum_0^\infty \frac{(-1)^n}{n!} p(n) x^n, \quad G(x) = \sum_0^\infty \frac{(-1)^n}{n!} q(n) x^n$$

であって，(11.19.2) は

(11.22.1) $$\int_0^\infty F(\alpha x) G(\beta x)\, dx = \sum_0^\infty (-1)^n \frac{\beta^n}{\alpha^{n+1}} = \frac{1}{\alpha + \beta}$$

を与える．例えば，この積分方程式の一つの解は

$$F(x) = \sum \frac{(-1)^n}{n!} \cos(c\sqrt{n}) x^n, \quad G(x) = \sum \frac{(-1)^n}{n!} \frac{x^n}{\cosh\{c\sqrt{(n+1)}\}}.$$

さて
$$\int_0^\infty \alpha^{s-1}\, d\alpha \int_0^\infty F(\alpha x) G(\beta x)\, dx = \int_0^\infty G(\beta x)\, dx \int_0^\infty F(\alpha x) \alpha^{s-1}\, d\alpha$$
$$= f(s) \int_0^\infty x^{-s} G(\beta x)\, dx$$
$$= \beta^{s-1} f(s) g(1-s),$$

ここで $f(s)$ と $g(s)$ は (F2) により定義される．ここの第一の積分は

$$\int_0^\infty \frac{\alpha^{s-1}}{\alpha + \beta}\, d\alpha = \frac{\pi}{\sin s\pi} \beta^{s-1}$$

だから，(F3) を得る．

「Fourier 核」の理論における基本的な公式を思い起こす．$K(x)$ を Fourier 核，すなわち「任意の」$A(x)$ に対して，

(11.22.2) $$\int_0^\infty A(x) K(xy)\, dx = B(y)$$

ならば

(11.22.3) $$\int_0^\infty B(x) K(xy)\, dx = A(y),$$

であるとして

講義 XI 定積分

$$k(s) = \int_0^\infty K(x) x^{s-1}\, dx$$

とおくと

(11.22.4) $\qquad\qquad k(s)k(1-s) = 1.$

さらに一般に，もし (11.22.2) から

(11.22.5) $\qquad\qquad \int_0^\infty B(x) H(xy)\, dx = A(y)$

がいえて，$h(s)$ が $k(s)$ のごとく定義されるならば

(11.22.6) $\qquad\qquad k(s)h(1-s) = 1.$

Ramanujan は，私が思うにこれらの等式を完全に書き下したことはないが，(F4) と (F5) が形式的にはちょうどそれと同じものである．というのは

$$K(x) = \frac{1}{\sqrt{(2\pi)}}\{F(xi) + F(-xi)\}, \quad H(x) = \frac{1}{\sqrt{(2\pi)}}\{G(xi) + G(-xi)\}$$

とすると

$$k(s) = \frac{1}{\sqrt{(2\pi)}}\left\{\int_0^\infty F(xi) x^{s-1}\, dx + \int_0^\infty F(-xi) x^{s-1}\, dx\right\}$$

$$= \frac{1}{\sqrt{(2\pi)}}\{i^{-s} + (-i)^{-s}\} f(s) = \sqrt{\left(\frac{2}{\pi}\right)} \cos \frac{1}{2} s\pi f(s);$$

同様に

$$h(s) = \sqrt{\left(\frac{2}{\pi}\right)} \cos \frac{1}{2} s\pi g(s)$$

となり，(11.22.6) は (F3) となる．

これらすべては当然のことながら Ramanujan にとっては単なる形式主義なのであった．それを堅固な解析学に翻訳することは，Plancheral の定理と Watson による一般化といった，彼の視界を全く超えた考え方を必要とする．しかしながら形式的な基盤はそのようなすべての理論の基礎として本質的なものであり，Ramanujan はそれを所持していた．

11.23 §11.18 で先送りした話題，公式 (D) を「一般の変換」に拡張することに関する若干の注意で締めくくる．

(11.23.1)
$$k(s) = \frac{\kappa(s)}{\kappa(1-s)}$$

とすると，(11.22.4) は恒等的に成り立つ．すると

$$K(x) = \frac{1}{2\pi i} \int_{c-i\infty}^{c+i\infty} k(u) x^{-u} \, du$$

は Fourier 核で，その Mellin 変換は $k(s)$ である．

公式

$$R(x) = \sum_0^\infty (-1)^n \frac{r(n)}{\kappa(n+1)} x^n = \frac{1}{2\pi i} \int_{c-i\infty}^{c+i\infty} \frac{\pi}{\sin u\pi} \frac{r(-u)}{\kappa(1-u)} x^{-u} \, du$$

から始めて，§11.16 の形式的な線に従って論ずるならば

$$\begin{aligned}
\int_0^\infty R(x) K(xy) \, dx &= \frac{1}{2\pi i} \int_{c-i\infty}^{c+i\infty} \frac{\pi}{\sin u\pi} \frac{r(-u)}{\kappa(1-u)} du \int_0^\infty K(xy) x^{-u} \, dx \\
&= \frac{1}{2\pi i} \int_{c-i\infty}^{c+i\infty} \frac{\pi}{\sin u\pi} \frac{r(-u)}{\kappa(1-u)} k(1-u) y^{u-1} \, du \\
&= \frac{1}{2\pi i} \int_{c-i\infty}^{c+i\infty} \frac{\pi}{\sin u\pi} \frac{r(-u)}{\kappa(u)} y^{u-1} \, du \\
&= \sum_0^\infty (-1)^n \frac{r(-n-1)}{\kappa(n+1)} y^n
\end{aligned}$$

を得る；よって

(11.23.2)
$$R(x) = \sum_0^\infty (-1)^n \frac{r(n)}{\kappa(n+1)} x^n, \quad S(x) = \sum_0^\infty (-1)^n \frac{r(-n-1)}{\kappa(n+1)} x^n$$

は「K-変換」の対で

(11.23.3)
$$\int_0^\infty R(x) K(xy) \, dx = S(y), \quad \int_0^\infty S(x) K(xy) \, dx = R(y)$$

を満たす．$R(x)$ が「自己双対的」である条件は

$$r(u) = r(-u-1)$$

である．

例えば

$$K(x) = \sqrt{x} J_\nu(x)$$

とするならば

$$k(s) = 2^{s-\frac{1}{2}} \frac{\Gamma(\frac{1}{2}s + \frac{1}{2}\nu + \frac{1}{4})}{\Gamma(\frac{1}{2}\nu + \frac{3}{4} - \frac{1}{2}s)}$$

だから

$$\kappa(s) = 2^{\frac{1}{2}s} \Gamma\left(\frac{1}{2}s + \frac{1}{2}\nu + \frac{1}{4}\right)$$

ととればよい．すると

$$R(x) = \sum_0^\infty (-1)^n \frac{r(n)}{\Gamma(\frac{1}{2}n + \frac{1}{2}\nu + \frac{3}{4})} 2^{-\frac{1}{2}n} x^n,$$

および

$$S(x) = \sum_0^\infty (-1)^n \frac{r(-n-1)}{\Gamma(\frac{1}{2}n + \frac{1}{2}\nu + \frac{3}{4})} 2^{-\frac{1}{2}n} x^n$$

は Hankel 変換の対である．

もし

$$K(x) = \frac{2}{\pi} \frac{1}{1-x^2}$$

とすると

$$k(s) = \cot \frac{1}{2} s\pi,$$

で

$$\kappa(s) = \operatorname{cosec} \frac{1}{2} s\pi$$

ととればよい．この場合

$$R(x) = \sum_0^\infty (-1)^n r(2n) x^{2n}, \quad S(x) = \sum_0^\infty (-1)^n r(-2n-1) x^{2n}$$

である；積分 (11.23.3) はすべて主値である．もし $r(u) = 1$ ならば

$$R(x) = S(x) = \frac{1}{1+x^2}$$

となり，$K(x)$ に関して自己双対的な他の簡単な有理関数は $r(u)$ を適当な多項式にすることにより得られるであろう．ここではやはり理論の形式的な流れの単なる概略にとどめておかなければならないが，§§11.22–23 のすべての解析は Goodspeed により完全なものとされたということのみをつけ加えておく．

講義 XI に関する注釈

§11.2. Littlewood からの引用は『全集』の彼の批評に書かれている．

§11.3. Carlson の定理は Titchmarsh, *Theory of functions*, 185–186 で証明されている．

その定理は様々な具合に一般化されてきた．まず第一に，$\phi(u)$ のオーダーの条件を緩和することができる；そして第二に条件

$$\phi(0) = \phi(1) = \cdots = 0$$

をもっと一般の $\phi(\lambda_n) = 0 \ (n = 1, 2, \ldots)$ の型の条件で置き換えてもよい．私がこれまでに目にした最も一般的なこの種の定理は N. Levinson 氏によりもたらされたもので，曰く：(i) $\phi(u)$ は正則で，ある A に対して右半平面で $O(e^{A|u|})$；

(ii) $$\int_{-\infty}^\infty \frac{\log^+ |\phi(iw)| - \pi|w|}{1+w^2} \, dw = -\infty;$$

(iii) $$\phi(\lambda_n) = 0,$$

ここで λ_n は正の数の増大列で，ある B と C に対して

$$\lambda_n < Bn, \quad \sum_{n \leq R} \frac{1}{\lambda_n} > \log R - C$$

なるもの；ならば $\phi(u) = 0$.

§11.4. Mellin の公式については Titchmarsh, *Fourier integrals*, 7–9 および 46–48 を見よ.

(A) の証明は Hardy, *Acta Math.* 42 (1920), 327–339 により与えられたものである. $\phi(u)$ に対する条件はここでも, 例えば

$$\phi(u) = O(e^{A|u|}) \text{ (ある } A\text{)}, \quad \phi(iw) = O(|w|^{-2} e^{\pi|w|})$$

に緩和できるであろう.

Goodspeed は未発表の原稿で (A) の "λ_n" 型の一般化を証明していた. $u = v + iw$ として

$$0 < \lambda_n < \lambda_{n+1}, \quad 0 < An \leq \lambda_n \leq Bn,$$

$$g(u) = \prod_1^\infty \left(1 - \frac{u^2}{\lambda_n^2}\right)$$

であり, $C < \pi/B$ および $\delta > 0$ として, ある D に対して $f(u)$ は $\mathfrak{K}(C, D, \delta)$ に属するならば, 級数

$$\sum_{k=1}^\infty \frac{f(\lambda_n)}{g'(\lambda_n)} x^{\lambda_n}$$

は[13], 項を適切にまとめれば十分小さい x に対して収束し, すべての正の x に対して正則な解析的関数 $H(x)$ を表す；さらに $0 < s < \delta$ に対して

$$\int_0^\infty x^{s-1} H(x)\,dx = \frac{f(-s)}{g(s)}$$

である. また $\lambda_{n+1} - \lambda_n \geq h > 0$ ならば, 級数は通常の意味で収束する.

§11.6. (B) と Newton の補間公式の関連は Narayana Aiyar (**2**) により指摘された.

Newton の公式の理論については Nörlund, *Vorlesungen über Differenzenrechnumg*, 222 以下を見よ. Whittaker と Robinson の *Calculus of observations* には関数論はないが, 大いに有用な事柄が書いてある.

項別積分の正当化については Hardy, *Trans. Camb. Phil. Soc.* 21 (1912), 1–48 (5–6), および *Messenger of Math.* 39 (1910), 136–139 を見よ. この節の最後の (A) の還元に密接に関連して類似した定理がある.

---

[13] [訳註] $k = 1$ は $n = 1$ の間違い.

§11.7. Ramanujan の解析は,例えば $p_r \to \infty$ で p_r は整数でなくともよく,その内の有限個は負でもよいとして

$$\chi(z) = \sum c_r z^{p_r}$$

であるような場合にまで拡張できるであろう.この拡張は,任意の実の α に対して $\lambda(u) = e^{\alpha u}$ である場合に適用できる.もとのままの彼の解析が実際に適用できる場合として

$$\lambda(u) = \frac{1}{a + e^u} \quad (0 < a < 1)$$

がある.

§11.8. Cauchy の定理による公式 (iii) の直接的な証明が Hardy (**5**) にある.

公式 (iv) については M. Riesz, *Acta Math.* 40 (1916), 185–190 および Hardy-Littlewood, 同書 41 (1917), 119–196 (156–162) を見よ.

§11.9. Lagrange の級数と Burmann の級数については,例えば Whittaker と Watson の *Modern analysis*, 4 版 (1927), 128–133 を見よ.

三項方程式の根の展開に関して最も完全な結果は Birkeland, *Math. Zeitschrift*, 26 (1927), 566–578 にあるものである.Birkeland は Mellin やその他の書き手のそれ以前の仕事の充実した引用文献を与えている.

§§11.10–13. 証明の実質部分は Hardy (**3**) から取られたものであるが,§11.11 にある Ramanujan の議論は以前には印刷されたことはない.

§11.10 で使用された Laplace の反転公式は Fourier の反転公式の別の形式的変形である.Titchmarsh, *Fourier integrals*, 6–7 および 48–49 を見よ.

Cauchy の定理を用いた Plana の公式の直接的証明については Lindelöf, *Le calcule des résidus*, 55–62 を見よ.

§§11.15–18. Hardy (**11**) および Goodspeed (**1**) を見よ.§11.17 の最後から二番目の例は Hardy と Titchmarsh, *Quarterly Journal of Math.* (Oxford), 1 (1930), 196–231 (210);および同じ論文の 198 ページの (11.18.4) にある.

§§11.19–20. Ramanujan が (11.19.2),あるいは (11.19.1) ですら,その一般形で書いたことがないと見受けられるのは奇妙なことである.ノートや報告では関数の一つは常に偶関数である.

Mellin 変換に対する Parseval の公式については Titchmarsh, *Fourier integrals*, 94–95 を見よ.そこでは,$s = \sigma + it$, $0 < k < \sigma$ として,$x^k F$ と $x^{\sigma-k} G$ は $L^2(0, \infty)$ である.積分 (11.20.1) は「2 乗平均」積分であり,(11.20.2) は通常の意味で実部が σ のすべての s に対して正しい.

Goodspeed は,むしろ §11.4 でのと似た方法を用いて,(11.19.4) は

(1) $\phi(u)$ は整関数で,ある B と任意の正の η に対して $\mathfrak{K}(A, B, \eta)$ に属する,ただし $A < \pi$;

(2) $\psi(u)$ は，ある D と 1 未満でない δ に対して $\mathfrak{K}(C,D,\delta)$ に属する，ただし $C < \pi$；
(3) $0 < s < 2$；
(4) $E < 2\pi$ で，$v \to \infty$ のとき w に関して一様に

$$\phi(-u-s)\psi(u) = o(e^{E|w|})$$

ならばいつでも正しいことを証明した．

この定理に $\phi(u)$ は変数 n, $-n-s$ および $-n-1$ をもって現れ，$\psi(u)$ は変数 n と $n+1-s$ をもって現れることに注目すべきである．$\phi(u)$ は整関数であり，$\psi(u)$ は $\sigma > -1$ で正則であるという条件は，したがって自然である．

§11.21. §11.5 の最後にある注意を見よ．この場合，虚軸の方向に $\lambda(u)$ と $\mu(u)$ のそれぞれは概ね $e^{\frac{1}{2}\pi|w|}$ のごとく振る舞い，$\phi(u)$ と $\psi(u)$ のそれぞれは概ね $e^{\pi|w|}$ のごとくであって，最後の積分は必ずしも絶対収束しない．この場合あるいは他の特定の場合にこの変形を正当化することは困難ではない．

この積分は Weber と Schafheitlin により初めて求められた：Watson, *Bessel functions*, 398–410 を見よ．

§11.22. 「Fourier 核」と「一般の変換」の理論については Hardy と Titchmarsh, *Proc. London Math. Soc.* (2), 35 (1933), 116–155; Watson, 同書, 156–199；あるいは Titchmarsh, *Fourier integrals*, VIII 章を見よ．

Watson の論文が現れて以来，この主題はかなりの注目を集めてきた．Titchmarsh の本に 1937 年までの充実した参考文献が見られるであろう．

§11.23. Goodspeed は $\kappa(u)$ が実軸上で実であり，δ を正として $v \geq -\delta$ で正則な関数の双対である；$r(u)$ は整関数であり；

$$\frac{r(u)}{\kappa(1+u)}, \quad \frac{r(-1-u)}{\kappa(1+u)}$$

は，$A < \pi$ および $C < \pi$ として $\mathfrak{K}(A,B,\delta)$ と $\mathfrak{K}(C,D,\delta)$ に属するならば，$k(s)$ は $R(x)$ と $S(x)$ が双対となる **Watson 変換**を定義することを証明した．

講義 XII　楕円および
　　　　　　モジュラー関数

12.1　終わるに当たって，楕円およびモジュラー関数に関する Ramanujan の仕事について何がしかのことをいわねばならないが，これこそ私が最も困難な仕事であると感じたものである．こここそ Ramanujan の知識の奥深さと限界が共に最も顕著に立ち現れるところであり，彼がどの程度他から学んだかを最も見極め難いところである．それに加えて，この主題について私はよく知っているわけではない．

　Ramanujan は，楕円関数の一般論に大きな進歩をもたらしたと公言してはいないし，その理論の基本事項については，彼が興味を持った範囲で教科書から学んだに間違いないと思われる．ここでの彼の姿勢と素数の理論についての彼の姿勢との間には際立った違いがあって，後者では間違いなく彼の結果は自分自身のものだと見なしていた．彼はテータ関数やモジュラー方程式の理論全体を彼自身の言葉で展開してはいるものの，彼はそれらの理論を**発明**したかのようには書いていない． Cayley や Greenhill の本が Madras 大学図書館にあって，彼は理論の相当部分をそれらの本に見いだすことができた．事実 Littlewood は「Ramanujan はどうにかして楕円関数論の形式的側面について実質的に完全な知識を得た」といい，このことと彼が複素関数論や Cauchy の定理を知らなかったということとを調和させるのは困難と思えるかもしれないと述べて，さらに続けて「Greenhill によるとても奇妙で独特な *Elliptic functions* が彼の教科書だった，というのが十分な，そして私が思うに必要な説明ではないだろうか」といっている．Greenhill の本では複素変数や二重周期性は 254 ページまで言及されないし，二重周

322　講義 XII　楕円およびモジュラー関数

期性は Descart の卵型曲線の性質からどうにかして導き出されるのである．事実，Greenhill は「関数論」について Ramanujan 以上には大して知らなかったのである．

　私はこの主題についてよく知らないといったが，以下のすべてに関して Watson 教授に非常に大きく依拠している．まず第一に，彼の London Mathematical Society での講演には Ramanujan のノートの該当する章についての簡潔な説明がある．第二に，彼は Ramanujan が導いた公式のほとんどすべての証明を含む原稿を快く私に貸して下さったが，これなくしては私は大いに道に迷ったことであろう．

12.2　該当する章とは第 16 章から第 21 章である；Watson の意見では，これらの章は「最良の Ramanujan を示している」．第 16 章で，彼は関数

$$\Pi(a,b) = (1+a)(1+ab)(1+ab^2)\cdots$$

から出発して，彼のその後のすべての仕事はこれに基づいている．彼は一連の諸定理全体を展開しており，その大部分は Euler, Gauss, Jacobi, Heine やその他の書き手の著書に見られるものであるが，いくつか新しい結果と思われるものがある[1]．私はそれらの公式を，Ramanujan のノートで 3 次のモジュラー方程式の証明を追跡するという当面の目的に必要な場合以外には，引き合いに出すことはしない．

　Ramanujan はまた

$$f(a,b) = 1 + (a+b) + ab(a^2+b^2) + a^3 b^3 (a^3+b^3) + \cdots$$

とも書いている（ab の冪指数は三角数である）．したがって通常の記号[2]では

$$f(a,b) = \vartheta_3(v,\tau),$$

ただし

---

[1]　［原註］特に（ノートでの番号づけで）16.17，これについては §12.12 で再び言及する．
[2]　［原註］Tannery と Molk の記号．

$$v = \frac{1}{4\pi i}\log\frac{a}{b}, \quad \tau = \frac{1}{2\pi i}\log ab;$$

あるいは

$$f(a,b) = \rho(z,q),$$

ただし

$$\rho(z,q) = \sum_{-\infty}^{\infty} q^{n^2} z^n, \quad z = e^{2\pi i v} = \left(\frac{a}{b}\right)^{\frac{1}{2}}, \quad q = e^{\pi i \tau} = (ab)^{\frac{1}{2}}.$$

Ramanujan は Jacobi による基本的な因数分解公式を

$$f(a,b) = \Pi(a,ab)\Pi(b,ab)\Pi(-ab,ab)$$

という形で与えている.

最後に彼は

$$\phi(q) = f(q,q) = 1 + 2q + 2q^4 + \cdots,$$
$$\psi(q) = f(q,q^3) = 1 + q + q^3 + q^6 + \cdots,$$
$$f(-q) = f(-q,-q^2) = 1 - q - q^2 + q^5 + \cdots,$$
$$\chi(q) = \Pi(q,q^2) = (1+q)(1+q^3)(1+q^5)\cdots$$

と書いている[3]. したがって

$$\phi(q) = \vartheta_3(0,\tau).$$

さらに, Tannery と Molk に従って, q_0, q_1, q_2 および q_3 を

$$q_0 = \prod_1^{\infty}(1-q^{2n}), \qquad q_1 = \prod_1^{\infty}(1+q^{2n}),$$
$$q_2 = \prod_1^{\infty}(1+q^{2n-1}), \qquad q_3 = \prod_1^{\infty}(1-q^{2n-1})$$

---

[3] [原註] 私は彼が x としているところを, 習慣的に使われる q で置き換えている.

により定義するならば，

$$x(q) = q_2$$
$$f(-q) = (1-q)(1-q^2)(1-q^3)\cdots = q_0 q_3,$$
$$\psi(q) = \frac{(1-q^2)(1-q^4)(1-q^6)\cdots}{(1-q)(1-q^3)(1-q^5)\cdots} = \frac{q_0}{q_3}$$

である．最後の一対の公式は，EulerとGaussの有名な恒等式を体現している．さらに

$$\psi(q^2) = \frac{1}{2} q^{-\frac{1}{4}} \vartheta_2(0,\tau)$$

（我々が後に必要とする公式）である．

12.3 この記号の下，多くの基本的な公式が奇妙な装いをまとって現れる．「逆定理」（与えられた k^2 に対応する τ が存在する）は次のように現れる．k^2 を c と書き，K と K' を定積分かあるいは超幾何級数で定義して

$$e^{-\pi K'/K} = H(c)$$

とおくと，方程式

$$q = H(c)$$

の解は

$$c = 1 - \frac{\phi^4(-q)}{\phi^4(q)}.$$

あるいは，定理

$$\operatorname{sn}^2 u + \operatorname{cn}^2 u = 1$$

はこの形で現れる；$q = e^{-y}$ として

$$S(\theta,y) = \frac{\sin\frac{1}{2}\theta}{\sinh\frac{1}{2}y} + \frac{\sin\frac{3}{2}\theta}{\sinh\frac{3}{2}y} + \cdots, \quad C(\theta,y) = \frac{\cos\frac{1}{2}\theta}{\cosh\frac{1}{2}y} + \frac{\cos\frac{3}{2}\theta}{\cosh\frac{3}{2}y} + \cdots$$

とすると

$$S^2 + C^2 = \frac{1}{4}k^2\phi^4(y).$$

実際

$$S(\theta, y) = \frac{kK}{\pi}\operatorname{sn}\frac{K\theta}{\pi}, \quad C(\theta, y) = \frac{kK}{\pi}\operatorname{cn}\frac{K\theta}{\pi}$$

であり

$$K = \frac{1}{2}\pi\vartheta_3^2(0, \tau) = \frac{1}{2}\pi\phi^2(y).$$

級数を直接二乗することによるこれらの公式の証明が，Jacobi の *Fundamenta nova* や Enneper の *Elliptische Funktionen* にある．Ramanujan がそれらの本を見たということは到底ありそうもないことだが，このような類の議論は彼には馴染みのものであった．

3 次のモジュラー方程式

12.4 n 次のモジュラー方程式とは，q を $q^{1/n}$ に変えたとき[4]，すなわち，

(12.4.1) $$n\frac{L'}{L} = \frac{K'}{K}$$

に対応する母数 k と l の間の関係式のことである．ここで K, K', L, L' は母数 k および l の完全楕円積分である．

Ramanujan は彼のモジュラー方程式を，彼の関数 f, ϕ, ψ の間の関係式から，すなわち ϑ-関数の間の関係式から導き出した．例えば，彼の 5 次の方程式は恒等式[5]

$$\phi^2(q) - \phi^2(q^5) = 4qf(q, q^9)f(q^3, q^7)$$

および[6]

$$\psi^2(q) - q\psi^2(q^5) = f(q, q^4)f(q^2, q^3)$$

---
[4] ［原註］あるいは $L'/L = nK'/K$ とすれば q^n へ．§12.7 を見よ．
[5] ［原註］19.10.(iv)
[6] ［原註］19.10.(v)

から導かれた．これらの中で最初のものは，通常の記号では

$$\vartheta_3^2(0,\tau) - \vartheta_3^2(0,5\tau) = 4e^{\pi i\tau}\vartheta_3(-2\tau,5\tau)\vartheta_3(-\tau,5\tau)$$

である．これらの恒等式は「初等的な」議論で証明されていて，全体の過程は「代数的」なものである．

話を3次の方程式に限ることにして，二つの標準的な証明法の説明から始める．最初のものは積分を直接変形することによるもので，Legndre のもともとの証明を Jacobi が書き直したものである．二つ目のものは，だいぶ後になって Schröter により発見された方法であるが，Ramanujan の証明にずっと近いものである．

12.5 Jacobi の議論は多くの教科書に詳述されている．我々は方程式

$$\text{(12.5.1)} \qquad \frac{m\,dy}{\sqrt{Y}} = \frac{dx}{\sqrt{X}}$$

を満たすようにしたいのである．ここで

$$X = (1-x^2)(1-k^2x^2), \quad Y = (1-y^2)(1-l^2y^2)$$
$$0 < k < 1, \quad 0 < l < 1$$

であり，

$$\text{(12.5.2)} \qquad y = \frac{U}{V}$$

で，U と V は互いに素な x の3次以下の多項式であって，y は x と共に消えかつ x が正なら正であるようにとるのである．容易に分かるように（y は x の奇関数だから），

$$U = x(\alpha + \beta x^2), \quad V = \gamma + \delta x^2$$

で，$\alpha, \beta, \gamma, \delta$ は定数である．

次に，小さい x に対して

$$m\frac{dy}{dx} = \sqrt{\left\{\frac{(1-y^2)(1-l^2y^2)}{(1-x^2)(1-k^2x^2)}\right\}} > 0$$

だから，m は正である；さらに $x=1$ のとき $y=1$ である，なぜなら，さもなくば y は $x=1$ に分岐点を持つだろうから．さらに，(12.5.1) したがって (12.5.2) は x と y に $1/kx$ と $1/ly$ を代入しても変化しないから，値

$$y = 1, \ -1, \ \frac{1}{l}, \ -\frac{1}{l}$$

は

$$x = 1, \ -1, \ \frac{1}{k}, \ -\frac{1}{k}$$

に対応する．

$$\frac{dy}{\sqrt{Y}} = \frac{U'V - UV'}{\sqrt{\{(V^2 - U^2)(V^2 - l^2 U^2)\}}} dx$$

だから

$$(V^2 - U^2)(V^2 - l^2 U^2) = T^2(1-x^2)(1-k^2 x^2)$$

でなければならない．ここで T は 4 次である；したがって

$$\frac{dy}{\sqrt{Y}} = \frac{U'V - UV'}{T\sqrt{X}} dx$$

$$U'V - UV' = \frac{T}{m}.$$

次に，$V \pm U$, $V \pm lU$ のどの二つも共通因子を持ちえないので

$$V + U = (1+x)A^2, \quad V + lU = (1+kx)C^2,$$
$$V - U = (1-x)B^2, \quad V - lU = (1-kx)D^2$$

でなければならない．ここで A, B, C, D は線形である．したがって（y は奇だから），適当な c に対して

$$\frac{1-y}{1+y} = \frac{1-x}{1+x}\left(\frac{1-cx}{1+cx}\right)^2,$$

いいかえれば適当な c に対して

$$y = \frac{x(2c + 1 + c^2 x^2)}{1 + c(c+2)x^2}.$$

この等式は x, y に $1/kx, 1/ly$ を代入しても不変でなければならないが，このとき

$$y = \frac{kx}{l} \frac{c(c+2) + k^2 x^2}{c^2 + (2c+1)k^2 x^2}$$

となるから，それゆえ

(12.5.3) $\qquad k^2 = \dfrac{c^3(c+2)}{2c+1}, \quad l^2 = c\left(\dfrac{c+2}{2c+1}\right)^3.$

c を消去して我々は k と l の間の関係式を得る．実際，

(12.5.4)
$$k'^2 = 1 - k^2 = \frac{(1+c)^3(1-c)}{2c+1}, \quad l'^2 = 1 - l^2 = (1+c)\left(\frac{1-c}{2c+1}\right)^3$$

だから，平方根の適当な値をとれば

(12.5.5) $\qquad \sqrt{(kl)} + \sqrt{(k'l')} = \dfrac{c(c+2)}{2c+1} + \dfrac{(1+c)(1-c)}{2c+1} = 1$

となる．これが Legendre の形の関係式である．Jacobi の形

(12.5.6) $\qquad u^4 - v^4 + 2uv(1 - u^2 v^2) = 0$

を導くことは容易である，ここで $k = u^4$ および $l = v^4$ である．

小さい x に対する x と y の値を比べると

(12.5.7) $\qquad m = \dfrac{1}{2c+1}$

であることが分かる．

12.6 等式 (12.5.3), (12.5.5) および (12.5.6) は事実 3 次のモジュラー方程式の異なる形である；しかしそのことを見るためには，我々はそれらが (12.5.1) と同時に $n = 3$ とした (12.4.1) に対応していることを示さねばならない．

容易に見て取れるが[7], $0 < k^2 < 1$ ならば, c の方程式

(12.6.1) $$k^2 = c^3 \frac{c+2}{2c+1}$$

はちょうど二つの実根を持ち, 一つは 0 と 1 の間に, いま一つは -2 と -1 の間にあり, それらの根はそれぞれ $l^2 > k^2$ および $l^2 < k^2$ と成らしめる. 等式 (12.5.4) で

(12.6.2) $$\frac{1-c}{2c+1} = \gamma, \quad \frac{1-\gamma}{2\gamma+1} = c$$

とおくならば,

(12.6.3) $$k'^2 = \gamma\left(\frac{\gamma+2}{2\gamma+1}\right)^3, \quad l'^2 = \gamma^3 \frac{\gamma+2}{2\gamma+1}.$$

さて §12.5 での解析から

$$\frac{1}{m'}\frac{dx}{\sqrt{\{(1-x^2)(1-l'^2 x^2)\}}} = \frac{dy}{\sqrt{\{(1-y^2)(1-k'^2 y^2)\}}}$$

が従う. ここで

$$m' = \frac{1}{2\gamma+1}.$$

よって, 0 と 1 の間で積分して

$$\frac{L'}{m'} = K',$$

一方 (12.5.1) は

$$mL = K$$

を与える. したがって

$$\frac{L'}{L} = mm'\frac{K'}{K}$$

---

[7] ［原註］「図形的な」考察と等式

$$\frac{k^2}{l^2} = \left(c\frac{2c+1}{c+2}\right)^2$$

による.

となり，
$$mm' = \frac{1}{3}$$
であることを示しさえすればよい．しかし
$$mm' = \frac{1}{(2c+1)(2\gamma+1)}$$
であり，(12.6.2) より
$$2\gamma + 1 = \frac{3}{2c+1}, \quad mm' = \frac{1}{3}.$$

12.7 (12.5.5) は k と l に関して対称的であって，(12.4.1) と同時に
$$\frac{L'}{L} = n\frac{K'}{K}$$
に（すなわち，q から q^n への変更に）対応している．我々はこのことをもっと直接的に見ることができる．(12.5.3) で
$$c = -\frac{c'+2}{2c'+1}, \quad c' = -\frac{c+2}{2c+1}$$
とおくならば
$$k^2 = c'\left(\frac{c'+2}{2c'+1}\right)^3, \quad l^2 = \frac{c'^3(c'+2)}{2c'+1}$$
を得る．すなわち，(12.5.3) で c が c' で k と l を取り替えたものである．さらに c が 0 と 1 の間にあれば c' は -2 と -1 の間にあり，逆もしかりだから，c' は (12.6.1) の二つ目の根である．γ が c に付随するように γ' が c' に付随するならば
$$(1+2c)(1+2c') = -3, \quad (1+2\gamma)(1+2\gamma') = -3$$
となり，よって
$$(1+2c')(1+2\gamma') = 3$$
で

$$\frac{L'}{L} = 3\frac{K'}{K}$$

となる.

12.8 二つ目の証明法はテータ級数を直接取り扱うことによる. 等式 (12.5.5) は

(12.8.1) $\qquad \vartheta_3(0,\tau)\vartheta_3(0,3\tau) - \vartheta_4(0,\tau)\vartheta_4(0,3\tau) = \vartheta_2(0,\tau)\vartheta_2(0,3\tau)$

あるいは

(12.8.2) $\qquad 2\sum\nolimits' q^{m^2+3n^2} = \sum q^{(\mu+\frac{1}{2})^2 + 3(\nu+\frac{1}{2})^2}$

と同値である. ここで $\sum$ はすべての整数上の和を表し, $\sum'$ は偶奇が反対のすべての整数上の和を表す. さて

$$m+n=u, \quad m-n=v$$

とおくならば

$$m^2 + 3n^2 = \left(\frac{u+v}{2}\right)^2 + 3\left(\frac{u-v}{2}\right)^2$$
$$= u^2 - uv + v^2 = \left(u - \frac{1}{2}v\right)^2 + 3\left(\frac{1}{2}v\right)^2$$

となり, (12.8.2) の左辺は

$$2\sum_{u,v\,奇数} q^{(u-\frac{1}{2}v)^2 + 3(\frac{1}{2}v)^2}$$

となる.
次に

$$u - \frac{1}{2}v = \mu + \frac{1}{2}, \quad \frac{1}{2}v = \nu + \frac{1}{2}$$

とおくならば

$$u = \mu + \nu + 1, \quad v = 2\nu + 1$$

となり，μ と ν を偶奇が反対のすべての値を走らせれば[8]，u と v はすべての奇数値を走り

$$\sum_{u,v \text{ 奇数}} q^{(u-\frac{1}{2}v)^2+3(\frac{1}{2}v)^2} = {\sum}' q^{(\mu+\frac{1}{2})^2+3(\nu+\frac{1}{2})^2}$$

となる．ここでダッシュは上と同じ意味である．最後に

$$\mu' = -\mu - 1, \quad \nu' = \nu$$

とすれば

$$\left(\mu' + \frac{1}{2}\right)^2 + 3\left(\nu' + \frac{1}{2}\right)^2 = \left(\mu + \frac{1}{2}\right)^2 + 3\left(\nu + \frac{1}{2}\right)^2$$

となり，μ' と ν' は同じ偶奇ですべての値を走る．よって

$$\sum_{-\infty}^{\infty} q^{(\mu+\frac{1}{2})^2+3(\nu+\frac{1}{2})^2} = 2{\sum}' q^{(\mu+\frac{1}{2})^2+3(\nu+\frac{1}{2})^2} = 2{\sum}' q^{m^2+3n^2}$$

となり，これが (12.8.2) である．

12.9 この証明は，Schröter により与えられた 3 次およびいくつかの高次の方程式の証明とよく似ている．Schröter は一般的な恒等式

(12.9.1) $\quad \vartheta_3(x, \alpha\tau)\vartheta_3(y, \beta\tau) =$

$$\sum_{r=1}^{\alpha+\beta-1} q^{\alpha r^2} e^{2r\pi i x} \vartheta_3\{x+y+r\alpha\tau, (\alpha+\beta)\tau)\} \vartheta_3\{\beta x - \alpha y + r\alpha\beta\tau, \alpha\beta(\alpha+\beta)\tau\}$$

を発見した．ここで α と β は任意の正の整数である．この公式の全く簡単な証明が Tannery–Molk にあり，そこではこれが $n = 3$ および $n = 5$ の場合に応用されている．Schröter は 11, 23 および 31 の場合にも計算した；ちなみに彼の 23 次の方程式は

---

[8] ［訳註］「偶奇が反対の」は「偶奇が同じ」とすべき．それに伴い $\sum'$ の意味の変更が必要．

$$(kl)^{\frac{1}{4}} + (k'l')^{\frac{1}{4}} + 2^{\frac{2}{3}}(klk'l')^{\frac{1}{12}} = 1$$

となり，これもノートに書かれている[9]．Ramanujan は (12.9.1) を知っていたに違いないと思えるだろう．彼は

$$f(a,b)f(c,d)$$

すなわち $\vartheta_3(v,\tau)\vartheta_3(v',\tau')$ の公式[10]を得ている．それは無限級数の和として表すもので，Schröter によっても見いだされたものだが，ある場合にはこの級数は有限になるのである．「これらのまとまった公式は」と Watson はいう，「ノートには書かれていないが，彼が現に与えている多数の特殊な場合から見て，彼はその存在に気づいていたに違いない」．

Ramanujan は

$$3,\ 5,\ 7,\ 11,\ 23$$

に対する知られていた式を（簡単な場合には様々の変形と共に）与え，

$$13,\ 17,\ 19,\ 31,\ 47,\ 71$$

に対して新しい式を与えた．ちなみに 13 次の方程式は

$$\begin{cases} m = \left(\dfrac{l}{k}\right)^{\frac{1}{2}} + \left(\dfrac{l'}{k'}\right)^{\frac{1}{2}} - \left(\dfrac{ll'}{kk'}\right)^{\frac{1}{2}} - 4\left(\dfrac{ll'}{kk'}\right)^{\frac{1}{3}}, \\ \dfrac{13}{m} = \left(\dfrac{k}{l}\right)^{\frac{1}{2}} + \left(\dfrac{k'}{l'}\right)^{\frac{1}{2}} - \left(\dfrac{kk'}{ll'}\right)^{\frac{1}{2}} - 4\left(\dfrac{kk'}{ll'}\right)^{\frac{1}{3}} \end{cases}$$

となり[11]，17 次のそれは

$$\begin{cases} m = \left(\dfrac{l}{k}\right)^{\frac{1}{2}} + \left(\dfrac{l'}{k'}\right)^{\frac{1}{2}} + \left(\dfrac{ll'}{kk'}\right)^{\frac{1}{2}} - 2\left(\dfrac{ll'}{kk'}\right)^{\frac{1}{4}}\left\{1 + \left(\dfrac{l}{k}\right)^{\frac{1}{4}} + \left(\dfrac{l'}{k'}\right)^{\frac{1}{4}}\right\}, \\ \dfrac{17}{m} = \left(\dfrac{k}{l}\right)^{\frac{1}{2}} + \left(\dfrac{k'}{l'}\right)^{\frac{1}{2}} + \left(\dfrac{kk'}{ll'}\right)^{\frac{1}{2}} - 2\left(\dfrac{kk'}{ll'}\right)^{\frac{1}{4}}\left\{1 + \left(\dfrac{k}{l}\right)^{\frac{1}{4}} + \left(\dfrac{k'}{l'}\right)^{\frac{1}{4}}\right\} \end{cases}$$

となる[12]．今では Watson がこれらすべての証明を与えている．「13, 17 お

---

[9] ［原註］20.15 (i).
[10] ［原註］16.36 (i), (ii).
[11] ［原註］20.8 (iii), (iv).
[12] ［原註］20.12 (iii), (iv).

よび 19 次のモジュラー方程式は他の書き手により得られていたとはいえ，それらは通常もっと複雑な形で与えられてきたのである；そして事実，Ramanujan のモジュラー方程式を一般に扱ってみると，他の人々の仕事に関する知識は最短の道筋から人を逸らせる傾向があるという意味でひどく不利なものであると，私はいつも思えるのである」と彼は注意を述べている．

また，「混合」モジュラー方程式，つまり次数が合成数である方程式が多数ある．例えば，母数 k, κ, l, λ がそれぞれ q, q^3, q^5 および q^{15} に対応するならば

$$(k\lambda)^{\frac{1}{4}} - (k'\lambda')^{\frac{1}{4}} = (\kappa l)^{\frac{1}{4}} - (\kappa' l')^{\frac{1}{4}}$$

であり[13]，

$$(k\lambda)^{\frac{1}{8}}\{(1+k)^{\frac{1}{4}}(1+\lambda)^{\frac{1}{4}} + (1-k)^{\frac{1}{4}}(1-\lambda)^{\frac{1}{4}}\}$$
$$+ (k'\lambda')^{\frac{1}{8}}\{(1+k')^{\frac{1}{4}}(1+\lambda')^{\frac{1}{4}} + (1-k')^{\frac{1}{4}}(1-\lambda')^{\frac{1}{4}}\} = \sqrt{2}$$

である[14]．

この種の結果についてはこれ以上述べないでおく．私がむしろ行いたいことは，絡み合ったノートを解きほぐして，3 次の方程式の Ramanujan 自身の証明を取り出すことである．それは非常に入り組んだ推論の連鎖の頂点として現れるのである．もちろん彼が §12.8 の線にそった短い証明を有していたということは大いにありそうなことではある．

12.10 Ramanujan は実際には (12.8.1) と (12.5.5) を "Lambert" 型の級数が関係した二つの恒等式[15]から導くのである．すなわち，

(12.10.1)
$$q\psi(q^2)\psi(q^6) = \frac{q}{1-q^2} - \frac{q^5}{1-q^{10}} + \frac{q^7}{1-q^{14}} - \frac{q^{11}}{1-q^{22}} + \cdots,$$

---

[13] ［原註］20.11 (iii).
[14] ［原註］20.11 (vi).
[15] ［原註］19.3 (i), (ii).

(12.10.2)
$$\phi(q)\phi(q^3) = 1 + 2\left(\frac{q}{1-q} - \frac{q^2}{1+q^2} + \frac{q^4}{1+q^4} - \frac{q^5}{1-q^5} + \cdots\right),$$

それぞれの級数での符号は 6 を法として循環する．これらから

(12.10.3) $\qquad 4q\psi(q^2)\psi(q^6) = \phi(q)\phi(q^3) - \phi(-q)\phi(-q^3)$

が従い[16]，

$$\phi(q) = \vartheta_3(0,\tau), \quad \phi(-q) = \vartheta_4(0,\tau), \quad \psi(q^2) = \frac{1}{2}q^{-\frac{1}{4}}\vartheta_2(0,\tau)$$

だから (12.10.3) は (12.8.1) と同値である．残るは (12.10.1) と (12.10.2) の起源をたどることのみである：それは Watson の解答の助けがあって初めて可能となったことである．

私は f, ϕ, ψ の間の関係が積表示の直接の帰結であるならば，その関係を「自明」と呼ぶ．だから

(12.10.4) $\qquad \dfrac{f(q,-q^2)}{f(-q,q^2)} = \dfrac{\phi(q)}{\phi(q^3)}$

は「自明」である．というのは

$$1 - q^n = (n), \quad 1 + q^n = (\overline{n})$$

と書くならば，上の等式は

$$\frac{(\overline{1})(4)(\overline{7})(10)\cdots}{(1)(\overline{4})(7)(\overline{10})\cdots} \cdot \frac{(2)(\overline{5})(8)(\overline{11})\cdots}{(\overline{2})(5)(\overline{8})(11)\cdots} = \frac{(2)(4)(6)\cdots(\overline{1})^2(\overline{3})^2(\overline{5})^2\cdots}{(6)(12)(18)\cdots(\overline{3})^2(\overline{9})^2(\overline{15})^2\cdots}$$

となる．このような公式は

$$(\overline{n}) = \frac{(2n)}{(n)}$$

に注意して因子を比較すれば確かめられるであろう．

同様に

---

[16] ［原註］この公式はノートに明示的には現れてない．

336　講義 XII　楕円およびモジュラー関数

(12.10.5) $$\frac{qf(-q^4,-q^8)}{f(-q^2,-q^{10})}\phi(q^6)\phi(q^{12}) = q\psi(q^2)\psi(q^6)$$

は「自明」である．

12.11 (12.10.1) と (12.10.2) の証明はそれ以前の公式に溯ることができよう，すなわち[17],

(12.11.1) $$\frac{f(a,b)}{f(-a,-b)}\phi^2(-ab) = 1 + 2\left(\frac{a+b}{1+ab} + \frac{a^2+b^2}{1+a^2b^2} + \cdots\right)$$

および[18]

(12.11.2) $$f^2(a,b) - f^2(-a,-b) = 4af\left(\frac{b}{a}, a^3b\right)\psi(a^2b^2).$$

とりあえずこれらの公式を仮定しておこう．(12.11.1) の括弧の中の級数は

$$\sum_{n=1}^{\infty}\frac{a^n+b^n}{1+a^nb^n} = \sum_{n=1}^{\infty}\sum_{m=0}^{\infty}(-1)^m\{a^{(m+1)n}b^{mn} + a^{mn}b^{(m+1)n}\}$$
$$= \sum_{m=0}^{\infty}(-1)^m\left(\frac{a^{m+1}b^m}{1-a^{m+1}b^m} + \frac{a^mb^{m+1}}{1-a^mb^{m+1}}\right)$$

である．よって (12.11.1) は

(12.11.3)
$$\frac{f(a,b)}{f(-a,-b)}\phi^2(-ab) = 1 + 2\sum_{m=0}^{\infty}(-1)^m\left(\frac{a^{m+1}b^m}{1-a^{m+1}b^m} + \frac{a^mb^{m+1}}{1-a^mb^{m+1}}\right)$$

と同値である．$a=q, b=-q^2$ とおいて (12.10.4) を用いるならば，(12.11.3) は (12.10.2) を与える．

また (12.11.3) から

$$\left\{\frac{f(a,-b)}{f(-a,b)} - \frac{f(-a,b)}{f(a,-b)}\right\}\phi^2(ab) = 4\sum_{m=0}^{\infty}\left(\frac{a^{m+1}b^m}{1-a^{2m+2}b^{2m}} - \frac{a^mb^{m+1}}{1-a^{2m}b^{2m+2}}\right)$$

---
[17] ［原註］16.33 (corollary).
[18] ［原註］16.30 (vi).

が従う．左辺を (12.11.2) と「自明な」恒等式

$$f(a,-b)f(-a,b) = f(-a^2,-b^2)\phi(ab)$$

により変形するならば

$$\frac{f^2(a,-b) - f^2(-a,b)}{f(a,-b)f(-a,b)}\phi^2(ab) = \frac{4af\left(-\dfrac{b}{a},-a^3b\right)}{f(a,-b)f(-a,b)}\phi^2(ab)\psi(a^2b^2)$$

$$= \frac{4af\left(-\dfrac{b}{a},-a^3b\right)}{f(-a^2,-b^2)}\phi(ab)\psi(a^2b^2)$$

を得る．よって

$$\frac{af\left(-\dfrac{b}{a},-a^3b\right)}{f(-a^2,-b^2)}\phi(ab)\psi(a^2b^2) = \sum_{m=0}^{\infty}\left(\frac{a^{m+1}b^m}{1-a^{2m+2}b^{2m}} - \frac{a^m b^{m+1}}{1-a^{2m}b^{2m+2}}\right).$$

最後に，a と b を q と q^5 に取り替えて (12.10.5) を用いるならば

$$q\psi(q^2)\psi(q^6) = \sum_{m=0}^{\infty}\left(\frac{q^{6m+1}}{1-q^{12m+2}} - \frac{q^{6m+5}}{1-q^{12m+10}}\right)$$

を得て，これが (12.10.1) である．

だからすべては (12.11.1) と (12.11.2) を証明することに帰着される．

12.12 それらの公式のうち最初のものは

(12.12.1) $$\frac{1}{4} + \sum_{1}^{\infty}\frac{q^n}{1+q^{2n}}\cos 2n\pi v = \frac{1}{4\pi}\frac{\vartheta_1'(0,\tau)\vartheta_4(v+\tfrac{1}{2},\tau)}{\vartheta_2(0,\tau)\vartheta_3(v+\tfrac{1}{2},\tau)}$$

と同値である．Tannery–Molk ではこの形の公式を Cauchy の定理を用いて証明している．我々は (12.11.1) を (12.12.1) から

$$q = e^{\pi i\tau} = (ab)^{\frac{1}{2}}, \quad z = e^{2\pi iv} = \left(\frac{a}{b}\right)^{\frac{1}{2}}$$

とおいて「自明な」変形をすれば導くことができる．Ramanujan の証明は当然のことながら非常に異なっている．彼は (12.12.1) を多数のパラメータ

を持った注目すべき公式[19]，すなわち

(12.12.2)
$$\frac{\Pi(xy,x^2)\Pi\left(\frac{x}{y},x^2\right)\Pi(-x^2,x^2)\Pi(-\alpha\beta x^2,x^2)}{\Pi(\alpha xy,x^2)\Pi\left(\frac{\beta x}{y},x^2\right)\Pi(-\alpha x^2,x^2)\Pi(-\beta x^2,x^2)}$$
$$= 1 + \left(xy\frac{1-\alpha}{1-\beta x^2} + \frac{x}{y}\frac{1-\beta}{1-\alpha x^2}\right)$$
$$+ \left\{(xy)^2\frac{(1-\alpha)(x^2-\alpha)}{(1-\beta x^2)(1-\beta x^4)} + \left(\frac{x}{y}\right)^2\frac{(1-\beta)(x^2-\beta)}{(1-\alpha x^2)(1-\alpha x^4)}\right\}$$
$$+ \left\{(xy)^3\frac{(1-\alpha)(x^2-\alpha)(x^4-\alpha)}{(1-\beta x^2)(1-\beta x^4)(1-\beta x^6)} + \cdots\right\} + \cdots$$

から導く．この公式は新しいものに見える．しかしながら，これは馴染みの，恐らくは Euler まで遡る公式，すなわち
$$\frac{\Pi(b,x)}{\Pi(-a,x)} = 1 + \frac{a+b}{1-x} + \frac{(a+b)(a+bx)}{(1-x)(1-x^2)} + \cdots \text{[20]}$$
から導かれる．

(12.12.2) を (12.11.1) の証明に応用するには
$$xy = a, \quad \frac{x}{y} = b, \quad \alpha = \beta = -1$$

とする．

12.13 最後に (12.11.2) は
$$\vartheta_3^2(v,\tau) - \vartheta_4^2(v,\tau) = 2\vartheta_2(0,2\tau)\vartheta_2(2v,2\tau)$$

と同値であり，これは Tannery–Molk では Landen の二次変換の理論から導かれる．Ramanujan はこれを
$$f(a,b)f(c,d) - f(-a,-b)f(-c,-d) = 2af\left(\frac{b}{c},\frac{c}{b}abcd\right)f\left(\frac{b}{d},\frac{d}{b}abcd\right)$$

---
[19] ［原註］16.17.
[20] ［原註］16.2. この公式の簡単な証明が『全集』no. 11, 57–58 にある．

から導くのである[20]．ただし

$$ab = cd.$$

左辺を

$$2 \sum_{m+n \text{ 偶}} a^{\frac{1}{2}m(m+1)} b^{\frac{1}{2}m(m-1)} c^{\frac{1}{2}n(n+1)} d^{\frac{1}{2}n(n-1)}$$

と書いて

$$m + n = 2M, \quad m - n = 2N$$

とおくならば，この公式の直接証明はいたって簡単である．ここで和はすべての整数 M, N をわたる．

12.14 明らかに §§12.10–12.13 の議論は，単に Legendre の公式の証明と見なせば非常に長くて複雑なものであり，§§12.5–12.8 の簡潔な証明とは比ぶべくもないであろう．しかしながら，そのような比較は全く公平なものではない．例えば，§12.8 の証明は**特別あつらえ**の証明であり，特定の公式への近道なのである；そして Ramanujan が同様の近道を有していたことはほとんど確実と思われる．彼は確かに同様の方法を（私が §12.13 で引用した議論が示すように）時々用いたのであり，§12.8 の証明は彼がそれを知っていたか否かはともかく彼が間違いなく構成できた類のものである．私が §§12.10–12.13 で繋ぎ合わせた証明は全く異なる性質のものである；それは楕円関数の理論の多くの部分を渡り歩き，モジュラー方程式は Ramanujan による理論の再構成の一つの頂点として現れるにすぎないのである．

特異母数

12.15 密接に関連した「特異母数」の理論に関する Ramanujan の仕事については，私がいうことはさらに少ない．この仕事の相当部分は既に印刷

---

[20] ［原註］16.29 (ii).

されている[21]；そして Watson は，特異母数に関する彼の一連の論文で Ramanujan のすべての結果を証明しており，さらに彼が証明の過程で用いたであろう方法を明らかにするためにかなりのことをなしている．私は標準的な理論の基礎について，非常に短い要約から始める．

馴染みのように，μ が整数のとき

(12.15.1) $$\wp(\mu u, \omega_1, \omega_2) = R(\wp),$$

ここで

$$\wp = \wp(u) = \wp(u, \omega_1, \omega_2)$$

で R は有理関数である．これは他の μ に対して正しくなり得るだろうか．もしそうならば，$2\mu\omega_1, 2\mu\omega_2$ は $\wp(u)$ の周期となり，

$$\mu\omega_1 = \alpha\omega_1 + \beta\omega_2, \quad \mu\omega_2 = \gamma\omega_1 + \delta\omega_2$$

となる，ここで $\alpha, \beta, \gamma, \delta$ は

(12.15.2) $$\beta \neq 0, \quad \gamma \neq 0, \quad \alpha\delta - \beta\gamma \neq 0$$

なる整数である．

(12.15.3) $$\beta > 0$$

と仮定してよい（さもなくば，$\alpha, \beta, \gamma, \delta$ と μ の符号を変えればよいから）．逆にこれらの条件が満たされるならば，$\wp(\mu u)$ は ω_1, ω_2 を周期とする楕円関数となるから，$\wp$ と $\wp'$ の有理関数である．最後に，それは偶だからそれは $\wp$ のみの有理関数となる．

ω_1 と ω_2 を $\lambda\omega_1$ と $\lambda\omega_2$ で置き換えても状況は変わらないから，比

$$\tau = \omega_1/\omega_2$$

のみが関係する．このような状況のとき，我々は「τ に対して μ による虚数乗法がある」というのである．そのためには，(12.15.2) と (12.15.3) を満た

---

[21] ［原註］『全集』，no. 6, 23–39.

す整数 $\alpha, \beta, \gamma, \delta$ に対して

(12.15.4) $$\mu = \alpha + \beta\tau, \quad \mu\tau = \gamma + \delta\tau$$

したがって

(12.15.5) $$\tau = \frac{\gamma + \delta\tau}{\alpha + \beta\tau}$$

なることが必要かつ十分である.すなわち τ は

(12.15.6) $$\beta\tau^2 + (\alpha - \delta)\tau - \gamma = 0$$

の虚部が正なる根である.

容易に確かめられることだが,もし μ が τ に対する虚数乗法ならば,任意の整数 A と B に対して $A + B\mu$ もそうである.

12.16

(12.16.1) $$\rho = (-\gamma, \alpha - \delta, \beta) > 0$$

および

(12.16.2) $$-\gamma = a\rho, \quad \alpha - \delta = b\rho, \quad \beta = c\rho$$

と書く.

すると

(12.16.3) $$a + b\tau + c\tau^2 = 0$$

ここで

(12.16.4) $$a > 0, \quad c > 0, \quad b^2 - 4ac = -n < 0$$

で

(12.16.5) $$\tau = -\frac{b - i\sqrt{n}}{2c}.$$

さらに

(12.16.6) $$\alpha + \delta = \rho_1$$

と書く．すると

$$\rho_1 + b\rho = 2\alpha \equiv 0 \pmod{2},$$

(12.16.7) $\alpha = \frac{1}{2}(\rho_1 + b\rho), \quad \beta = c\rho, \quad \gamma = -a\rho, \quad \delta = \frac{1}{2}(\rho_1 - b\rho)$

となり

(12.16.8) $$\mu = \alpha + \beta\tau = \frac{1}{2}(\rho_1 + i\rho\sqrt{n}).$$

逆に，(12.16.4) を満たす整数 a, b, c と，

(12.16.9) $$\rho > 0, \quad \rho_1 + b\rho \equiv 0 \pmod{2}$$

を満たす ρ, ρ_1 があれば，$\alpha, \beta, \gamma, \delta$ を (12.16.7) により定義し，τ を (12.16.5) により定義して $\mu = \alpha + \beta\tau$ とおくと，τ に対して μ による虚数乗法がある．
しかも

(12.16.10) $\epsilon = 0 \quad (b \text{ 偶数}), \quad \epsilon = 1 \quad (b \text{ 奇数})$

(12.16.11) $$M = \frac{1}{2}(-\epsilon + i\sqrt{n})$$

とおくならば，M もまた τ に対する虚数乗法を与える．というのは

(12.16.12) $$\mu = \alpha - \frac{1}{2}(b - \epsilon)\rho + \rho M,$$

(12.16.13) $M = \frac{1}{2}(b - \epsilon) + c\tau, \quad M\tau = -a - \frac{1}{2}(b + \epsilon)\tau$

が容易に確かめられるからである．最後の等式は (12.15.4) の形をしているから，M は（もし μ がそうなら）虚数乗法である．
　一方，もし M が τ に対する虚数乗法ならば，(12.16.12) と §12.15 の最後の注意から μ が虚数乗法であることが従う．

12.17　もし τ が (12.15.5) を満たし，A, B, C, D は $AD - BC = 1$ なる整数で

(12.17.1)
$$\tau' = \frac{C + D\tau}{A + B\tau},$$

したがって

(12.17.2)
$$J(\tau') = J(\tau)$$

とすると，τ' は (12.16.3) と同じ判別式の方程式

(12.17.3)
$$a' + b'\tau' + c'\tau'^2 = 0$$

を満たすから b' は b と同じ偶奇であり，τ' に対応する ϵ' と M' は ϵ と M と同じである．したがって τ' に対する M による虚数乗法があり，それゆえ τ に対する虚数乗法を与える任意の μ による τ' に対する虚数乗法がある．虚数乗法を持つ τ の値および対応する虚数乗法は，$J(\tau)$ の値によって一意的に決定される．

12.18 τ と任意の正の整数 m が与えられたとすると，

$$\alpha\delta - \beta\gamma = m$$

なる相異なる $\alpha, \beta, \gamma, \delta$ に対する値

$$J\left(\frac{\gamma + \delta\tau}{\alpha + \beta\tau}\right)$$

は，$m \prod_{p|m}(1 + p^{-1})$ 次のある方程式

$$F(x, J) = 0$$

の根である．ここで

$$J = J(\tau).$$

もし τ が (12.15.5) を満たすならば

(12.18.1)
$$F(J, J) = 0.$$

よって，虚数乗法を持つ τ に対応する $J(\tau)$ はある代数方程式を満たす．我々はそれらの $J(\tau)$ を特異不変量と呼び，対応する $k^2(\tau)$ を特異母数と呼

ぶ；特異母数もまた代数方程式を満たす．それらの方程式はすべて根号で解ける（もっともこのことは群論の考察に基づいており，Ramanujan はそれについて何も知らなかった）．

12.19 このことすべては，数論的形式の理論と結びついている．

$$(a,b,c) = 1$$

なる

$$f = ax^2 + bxy + cy^2$$

は

$$x' = \alpha x + \beta y, \quad y' = \gamma x + \delta y, \quad \alpha\delta - \beta\gamma = 1$$

によって

$$f' = a'x'^2 + b'x'y' + c'y'^2$$

と同等であるとすると,

(12.19.1)
$$a = a'\alpha^2 + b'\alpha\gamma + c'\gamma^2,$$
$$b = 2a'\alpha\beta + b'(\beta\gamma + \alpha\delta) + 2c'\gamma\delta,$$
$$c = a'\beta^2 + b'\beta\delta + c'\delta^2,$$
$$(a', b', c') = 1,$$
$$b^2 - 4ac = b'^2 - 4a'c' = -n$$

となる．すると b と b' は同じ偶奇を持ち，τ と τ' を

(12.19.2) $\quad a + b\tau + c\tau^2 = 0, \quad a' + b'\tau' + c'\tau'^2 = 0$

の根とすると，§12.16 の M は τ と τ' に対して同じ値を持つ．よって τ と τ' 両方に対して M による虚数乗法がある．また τ と τ' は

(12.19.3) $\quad \tau' = \dfrac{\gamma + \delta\tau}{\alpha + \beta\tau} \quad (\alpha\delta - \beta\gamma = 1)$

を満たし，よって

(12.19.4) $$J(\tau') = J(\tau).$$

逆に，(12.19.4) が成り立ち，τ と τ' に対する虚数乗法があり，τ と τ' は $(a,b,c) = 1$ および $(a',b',c') = 1$ なる方程式 (12.19.2) を満たすと仮定する．(12.19.4) が成り立つので (12.19.3) を満たす整数 $\alpha, \beta, \gamma, \delta$ がある．よって方程式

$$a'(\alpha+\beta\tau)^2 + b'(\alpha+\beta\tau)(\gamma+\delta\tau) + c'(\gamma+\delta\tau)^2 = 0$$

は

$$a + b\tau + c\tau^2 = 0$$

と同じ根を持つ．このことから容易に a, b, c は (12.19.1) を満たし，形式 f と f' は同等であることが従う．

すなわち (12.19.4) は同等であるための必要かつ十分条件であり，(12.18.1) の次数は判別式 $-n$ に対応する類数 $h(-n)$ である．

Ramanujan は理論の数論的な側面については何も知らなかったことは明らかのように思える．

12.20 この理論は $J(\tau)$ を用いて述べると最も明確な光の下に立ち現れる．数値的なことを行うには他のモジュラー関数の方が便利である，というのは $J(\tau)$ が満たす方程式は大きな係数を持つ傾向があるからである．

$$f(\tau) = q^{-\frac{1}{24}} \prod_1^\infty (1+q^{2n-1}) = \left(\frac{4}{kk'}\right)^{\frac{1}{12}},$$

$$f_1(\tau) = q^{-\frac{1}{24}} \prod_1^\infty (1-q^{2n-1}) = \left(\frac{4k'^2}{k}\right)^{\frac{1}{12}},$$

$$f_2(\tau) = 2^{\frac{1}{2}} q^{\frac{1}{12}} \prod_1^\infty (1+q^{2n}) = \left(\frac{4k^2}{k'}\right)^{\frac{1}{12}}$$

と書くのが通例である．すると

$$f^8 = f_1^8 + f_2^8, \quad ff_1 f_2 = \sqrt{2}.$$

もしも

$$n = 4ac - b^2 = 8m + 3 \not\equiv 0 \pmod{3}$$

ならば,最も単純な不変量は

$$f\{\sqrt{(-n)}\} = f_n = f$$

であり,一方もしも

$$n = 8m - 1 \not\equiv 0 \pmod{3}$$

ならば,それは

$$2^{-\frac{1}{2}} f\{\sqrt{(-n)}\} = F_m = F$$

である.しかしながら Ramanujan は不変量

$$G_n = 2^{-\frac{1}{4}} f\{\sqrt{(-n)}\} = 2^{-\frac{1}{4}} f_n \quad (n \text{ 奇数})$$
$$g_n = 2^{-\frac{1}{4}} f_1\{\sqrt{(-n)}\} \quad (n \text{ 偶数})$$

を用いる.

f, f_1 および f_2 を $J(\tau)$ と結びつける方程式は

$$j(\tau) = 1728 J(\tau) = 256 \frac{(1 - k^2 + k^4)^3}{k^4 (1 - k^2)^2}$$
$$= \frac{(f^{24} - 16)^3}{f^{24}} = \frac{(f_1^{24} + 16)^3}{f_1^{24}} = \frac{(f_2^{24} + 16)^3}{f_2^{24}}$$

であり,$f^{24}, -f_1^{24}, -f_2^{24}$ は

$$(x - 16)^3 - xj(\tau) = 0$$

の三つの根である.

12.21 Ramanujan は彼の特異母数の中で最も簡単なものの値を,モジュラー方程式から直接求めた.彼は完全な証明を一つの場合のみ与えている,

すなわち $n=5$ である．このとき
$$G_5 = 2^{-\frac{1}{4}} f\{\sqrt{(-5)}\} = \left(\frac{1}{2kk'}\right)^{\frac{1}{12}}$$
で
$$G_{\frac{1}{5}} = G_5$$
である（変換 $\tau' = -1/\tau$ による）．
$$u = 2^{-\frac{1}{4}} f(\tau), \quad v = 2^{-\frac{1}{4}} f(5\tau)$$
とすると
$$\left(\frac{u}{v}\right)^3 + \left(\frac{v}{u}\right)^3 = 2\left(u^2 v^2 - \frac{1}{u^2 v^2}\right)$$
である．これは Schläfli の形の 5 次のモジュラー方程式であって，これもまたノートに出ている[22]．$\tau = i/\sqrt{5}, q = e^{-\pi/\sqrt{5}}$ とすると
$$u = G_{\frac{1}{5}}, \quad v = G_5, \quad v = u,$$
$$u^4 - u^{-4} = 1$$
となり
$$G_5 = \left(\frac{\sqrt{5}+1}{2}\right)^{\frac{1}{4}}.$$

同様に
$$P = 2^{\frac{1}{2}} (kk'll')^{\frac{1}{4}}, \quad Q = \left(\frac{ll'}{kk'}\right)^{\frac{1}{3}}$$
に対して
$$Q + \frac{1}{Q} + 7 = 2^{\frac{3}{2}}\left(P + \frac{1}{P}\right)$$

---

[22] ［原註］19.13 (xiv).

の形[23]の 7 次のモジュラー方程式を用いるならば

$$G_7 = 2^{\frac{1}{4}}$$

を示すことができる．Watson は彼の論文 **20** で Ramanujan の新しい特異母数の値すべてを調べ尽くしているが，彼がこのようにして値を得ることができたのであろうことはありそうに思える．

12.22　その他にも，厳密には決定し難かったものの Ramanujan が特異母数の値を与えている多くの場合がある．

考えを定めるために

$$n = 8m - 1 \not\equiv 0 \pmod{3}$$

と仮定しよう．判別式 $-n$ の形式の種の個数が N で，それぞれの種の中の類の個数が r とすると，類数は $h = Nr$ で，$j(\tau)$ と F_n は h 次の方程式を満たし，冪根で解ける．その方程式の解はいくつかの補助的な方程式の解に依存しており，それらの方程式の個数と次数は N と r から決定できるものである．例えば $n = 7$ のときには，$N = 1, r = 1$ で $F_7 = 1$ は有理数である，また，$n = 23$ のときには，$N = 1, r = 3$ で F_{23} は一つの 3 次方程式

$$F^3 - F - 1 = 0$$

によって与えられる．Watson の論文 **13** で彼は $N = 1$ の場合を取り扱い，**25** では $N = 2$ あるいは $N = 4$ の場合を扱っている．$N = 2$ のときには，二つの方程式が必要である．例えば $n = 55$ ならば，$N = 2, r = 2, h = 4$ で，F は 4 次方程式

$$F^4 - 2F^3 + F - 1 = 0$$

を満たし，これは $\sqrt{5}$ を添加すれば

$$(F - \tfrac{1}{2})^2 = \frac{3 + 2\sqrt{5}}{4}$$

---

[23]　[原註] 19.19 (ix).

に帰着される．$n = 455$ ならば，$N = 4, r = 5, h = 20$；そして F は 20 次の方程式を満たし，それは $\sqrt{5}$ と $\sqrt{13}$ を添加すれば 5 次方程式に帰着する．

Ramanujan はこの数論的な理論については何一つ知らなかったのであり，彼がモジュラー方程式を利用できないような n の大きな値を扱う際には，相当部分は当て推量と直観によって導かれたに違いない．Watson は彼の論文 **8**, **9**, および **19** で Ramanujan が用いたと思われる議論の再構成を行ったが，それはいかにもさもありなんと思わせるものである．それらはすべて，ある種の数がしかるべき次数の方程式を満たすということを仮定している．それらの仮定については数論的な理論と常に合致しているものだが，彼は直観と計算が相混じって導かれていたものと思われる．

例えば Watson は論文 **8** で Ramanujan の g_{210} の計算（Weber によっても見いだされた値だが）を再構成し，Ramanujan の結果の中でも最も衝撃的なものの一つを導くのである，すなわち

$$q = e^{-\pi\sqrt{210}}$$

のとき

$$k = (\sqrt{2}-1)^2(2-\sqrt{3})(\sqrt{7}-\sqrt{6})^2(8-3\sqrt{7})(\sqrt{10}-3)(4-\sqrt{15})^2$$
$$\times (\sqrt{15}-\sqrt{14})(6-\sqrt{35}).$$

Ramanujan は，g_{210} の値を仮定した上で，この結果を厳密に証明したのだが，それは非常に不可思議な代数的な補題をもってしたのである．

講義 XII に関する注釈

§12.1. 28 ページで参照した目録（13 ページに関する注釈）には，Cayley, Greenhill, Tannery–Molk, A. C. Dixon の *The elementary properties of elliptic functions*, Appell と Lacour の *Principes de la théorie des fonctions elliptiques*, および Whittaker の *Modern analysis* の最初の版が含まれている．しかしながら，Ramanujan が（Tannery–Molk や Whittaker にあるごとく）一般の関数論に基づいた楕円関数の解説は何も読んだことがなかったことは明らかである．

Littlewood からの引用は『全集』に関する評論からのもである．

§12.2. Jacobi の恒等式の証明と，Euler および Gauss の恒等式の導出は，Hardy and Wright, §§19.8–9 にある．

§12.3. Watson の講義 **10**, Jacobi, *Fundamenta nova*, §41，および Enneper, *Elliptische Funktionen*, §13 を見よ．

最後の一文は，§9.2 で再録した証明（『全集』の no. 18 から）によって正当であることが示されている．

§12.5. Cayley, VII 章と VIII 章（特に pp.188–190), Greenhill, X 章（特に p.323）を見よ．Enneper, IX 章（特に pp.225–237) に一般的な理論のよりよい解説があるが，$n = 3$ の特殊な場合の Jacobi による扱いについて付録 (p.518) に非常に簡潔に述べられている．

§12.9. Tannery–Molk, ii, 163–166，および iv, 230–231, 242–244 を見よ．

§12.12. (12.12.1) については，Tannery–Molk, iii, 120–134 および iv, 105 (表 CVIII) を見よ．

$\alpha = \beta = 0$ のとき (12.12.2) は §12.2 で引用した Jacobi の公式に帰着する．

§12.13. Tannery–Molk, ii, 114–119 および 268（表 XLVII）を見よ．

§§12.15–19. 正統的な理論の概略は Tannery–Molk, iv, 254–260 に基づいている．

§12.19. ここでの類数は判別式 $-n$ の**原始的類**の個数である；我々は全体を通じて $(a, b, c) = 1$ と仮定したのである．全体の議論は形式 $ax^2 + bxy + cy^2$ の Kronecker の理論に基づいているが，そこでは b は必ずしも偶数ではなく判別式は $b^2 - 4ac$ である：例えば $x^2 + 7y^2$ の判別式は -28 である．Gauss の古い理論では形式は $ax^2 + 2bxy + cy^2$ であって，判別式は $b^2 - ac$ である，よって $x^2 + 7y^2$ の判別式は -7 である．

私は W. E. H. Berwick 教授から Ramanujan への一通の手紙を所持しているが，それがこの節の最後の一文に何がしかの光を当ててくれる．Berwick 教授は，Ramanujan の論文 "Modular equations and approximations to π"（『全集』の no. 6）を受け取ったことのお礼を述べていくつかの参考資料を示した後，J は h 次の既約方程式を満たすことを説明し，k^2 は常にではないが，往々にして J によって有理的に表すことができることを説明している．特に彼は，$J(i\sqrt{257})$ と $k^2(i\sqrt{257})$ は，四つの平方根の連鎖により解ける 16 次の方程式を満たすことを指摘している．

§12.20. Watson (**13**) を見よ．

§12.21. $n = 5$ に対する証明は『全集』の no. 6 に与えられている．

§12.22. すべての例は Watson の諸論文から取られたものである．

参考文献

A. 書籍

L. E. Dickson. *Introduction to the theory of numbers*, Chicago 1929 [Dickson, Introduction].

L. E. Dickson. *History of the theory of numbers*, 3 vols., Washington 1919–1923 [Dickson, History].

G. H. Hardy. *Ramanujan's work* (lithographed lectures at the Institute for Advanced Study, Princeton 1936).

G. H. Hardy and E. M. Wright. *An introduction to the theory of numbers*, Oxford 1938 [Hardy and Wright].

A. E. Ingham. *The distribution of prime numbers*, Cambridge tracts in mathematics, no. 30, 1932 [Ingham].

E. Landau. *Handbuch der Lehre von der Verteilung der Primzahlen*, 2 vols. (paged consecutively), Leipzig 1909 [Landau, *Handbuch*].

E. Landau. *Vorlesungen über Zahlenthcorie*, 3 vols., Leipzig 1927 [Landau, *Vorlesungen*].

Collected papers of Srinivasa Ramanujan, Cambridge 1927 [*Papers*].

B. 短評, 論評, ほか

[In references to periodicals the following abbreviations are used: *JLMS*, Journal of the London Mathematical Society; *PLMS*, Proceedings of the London Mathematical Society; *PCPS*, Proceedings of the Cambridge Philosophical Society; *QJM*, Quarterly Journal of Mathematics; *OQJ*, Quarterly Journal of Mathematics (Oxford).]

P. V. Seshu Aiyar. The late Mr Srinivasa Ramanujan, B. A., F. R. S. *Journal Indian Math. Soc.*, 12 (1920), 81–86.

G. H. Hardy. Mr S. Ramanujan's mathematical work in England. *Journal Indian Math. Soc.*, 9 (1917), 30–48.

G. H. Hardy. S. Ramanujan, F. R. S. *Nature*, 105 (1920), 494. [Also printed in *Journal Indian Math. Soc.*, 12 (1920), 90–91.]

G. H. Hardy. Srinivasa Ramanujan. *PLMS* (2), 19 (1921), xl–lviii. [Also printed, in slightly different form, in *Proc. Royal Soc.* (A), 99 (1921), xiii–xxix.]

J. E. Littlewood. Collected papers of Srinivasa Ramanujan. *Math. Gazette*, 14 (1929), 425–428. [Also printed, in slightly different form, in *Nature*, 123 (1929), 631–633.]

R. Ramachaunder Rao. In memoriam S. Ramanujan. *Journal Indian Math. Soc.*, 12 (1920), 87–90.

C. 原論文

S. Narayana Aiyar

1. Mr S. Ramanujan's theorems on prime numbers. *Journal Indian Math. Soc.*, 5 (1913), 60–61.
2. Some theorems in summation. *Journal Indian Math. Soc.*, 5 (1913), 183–186.

W. N. Bailey

1. A generalization of an integral due to Ramanujan. *JLMS*, 5 (1930), 200–202.
2. The partial sum of the coefficients of the hypergeometric series. *JLMS*, 6 (1931), 40–41.
3. A note on an integral due to Ramanujan. *JLMS*, 6 (1931), 216–217.
4. On one of Ramanujan's theorems. *JLMS*, 7 (1932), 34–36.

S. Chowla

1. Congruence properties of partitions. *JLMS*, 9 (1934), 247.

E. T. Copson

1. An approximation connected with e^{-x}. *Proc. Edinburgh Math. Soc.* (2),

3 (1933), 201–206.

H. B. C. Darling
1. On a proof of one of Ramanujan's theorems. *JLMS*, 5 (1930), 8–9.
2. Proofs of certain identities and congruences enunciated by S. Ramanujan. *PLMS* (2), 19 (1921), 350–372.
3. On Mr Ramanujan's congruence properties of $p(n)$. *PCPS*, 19 (1919), 217–218.

P. Erdös
1. Note on the number of prime divisors of integers. *JLMS*, 12 (1937), 308–314.

T. Estermann
1. On the divisor problem in a class of residues. *JLMS*, 3 (1928), 247–250.

F. M. Goodspeed
1. Some generalisations of a formula of Ramanujan. *OQJ*, 10 (1939), 210–218.

H. Gupta
1. A table of partitions. *PLMS* (2), 39 (1935), 142–149.
2. A table of partitions (II). *PLMS* (2), 42 (1937), 546–549.
3. On a conjecture of Ramanujan. *Proc. Indian Acad. Sci.* (A), 4 (1936), 625–629.

G. H. Hardy
1. A formula of Ramanujan. *JLMS*, 3 (1928), 238–240.
2. A formula of Ramanujan in the theory of primes. *JLMS*, 12 (1937), 94–98.
3. Another formula of Ramanujan. *JLMS*, 12 (1937), 314–318.
4. Some formulae of Ramanujan. *PLMS* (2), 22 (1924), *Records of proceedings at meetings*, xii–xiii.
5. Proof of a formula of Mr Ramanujan. *Messenger of Math.*, 44 (1915), 18–21.
6. Notes on some points of the integral calculus (LII): on some definite integrals considered by Mellin. *Messenger of Math.*, 49 (1920), 85–91.

7. Note on Ramanujan's trigonometrical function $c_q(n)$, and certain series of arithmetical functions. *PCPS*, 20 (1921), 263–271.
8. A chapter from Ramanujan's notebook. *PCPS*, 21 (1923), 492–503.
9. Note on Ramanujan's arithmetical function $\tau(n)$. *PCPS*, 23 (1927), 675–680.
10. A further note on Ramanujan's arithmetical function $\tau(n)$. *PCPS*, 34 (1938), 309–315.
11. Ramanujan and the theory of Fourier transforms. *OQJ*, 8 (1937), 245–254.

J. Hodgkinson
1. Note on one of Ramanujan's theorems. *JLMS*, 6 (1931), 42–43.

A. E. Ingham
1. Some asymptotic formulae in the theory of numbers. *JLMS*, 2 (1927), 202–208.
2. Note on Riemann's ζ-function and Dirichlet's L-functions. *JLMS*, 5 (1930), 107–112.

W. Krečmar
1. Sur les propriétés de la divisibilité d'une fonction additive. *Bull. Acad. Sci. URSS*, 7 (1933), 763–800.

D. H. Lehmer
1. On a conjecture of Ramanujan. *JLMS*, 11 (1936), 114–118.
2. On the Hardy–Ramanujan series for the partition function. *JLMS*, 12 (1937), 171–176.
3. An application of Schläfli's modular equation to a conjecture of Ramanujan. *Bull. Amer. Math. Soc.*, 44 (1938), 84–90.
4. The series for the partition function. *Trans. Amer. Math. Soc.*, 43 (1938), 271–295.
5. On the remainders and convergence of the series for the partition function. *Trans. Amer. Math. Soc.*, 46 (1939), 362–373.

P. A. MacMahon
1. The parity of $p(n)$, the number of partitions of n, when $n \leq 1000$. *JLMS*, 1 (1926), 225–226.

2. Note on the parity of the number which enumerates the partitions of a number. *PCPS*, 20 (1921), 281–283.

L. J. Mordell

1. Note on certain modular relations considered by Messrs Ramanujan, Darling and Rogers. *PLMS* (2), 20 (1922), 408–416.
2. On Mr Ramanujan's empirical expansions of modular functions. *PCPS*, 19 (1917), 117–124.
3. On the representation of numbers as a sum of $2r$ squares. *QJM*, 48 (1920), 93–104.
4. The value of the definite integral $\int_{-\infty}^{\infty} \dfrac{e^{at^2+bt}}{e^{ct}+d} dt$. *QJM*, 48 (1920), 329–342.
5. On the representation of a number as a sum of an odd number of squares. *Trans. Camb. Phil. Soc.*, 23 (1919), 361–372.
6. The definite integral $\int_{-\infty}^{\infty} \dfrac{e^{at^2+bt}}{e^{ct}+d} dt$ and the analytical theory of numbers. *Acta math.*, 61 (1933), 323–360.

A. Page

1. A statement by Ramanujan. *JLMS*, 7 (1932), 105–112.

E. G. Phillips

1. Note on summation of series. *JLMS*, 4 (1929), 114–116.
2. Note on a problem of Ramanujan. *JLMS*, 4 (1929), 310–313.

S. S. Pillai

1. On the sum function of the number of prime factors of N. *Journal Indian Math. Soc.*, 20 (1933), 70–86.

C. T. Preece

1. Theorems stated by Ramanujan (I): theorems on integrals. *JLMS*, 3 (1928), 212–216.
2. Theorems stated by Ramanujan (III): theorems on transformation of series and integrals. *JLMS*, 3 (1928), 274–282.
3. Theorems stated by Ramanujan (VI): theorems on continued fractions. *JLMS*, 4 (1929), 34–39.
4. Theorems stated by Ramanujan (X). *JLMS*, 6 (1931), 22–32.

5. Theorems stated by Ramanujan (XIII). *JLMS*, 6 (1931), 95–99.
6. The product of two generalised hypergeometric series. *PLMS* (2), 22 (1924), 370–380.

H. Rademacher
1. Bestimmung einer gewissen Einheitswurzel in der Theorie der Modulfunktionen. *JLMS*, 7 (1932), 14–19.
2. On the partition function $p(n)$. *PLMS* (2), 43 (1937), 241–254.
3. A convergent series for the partition function $p(n)$. *Proc. Nat. Acad. Sci.*, 23 (1937), 78–84.

H. Rademacher and H. S. Zuckermann
1. On the Fourier coefficients of certain modular forms of positive dimension. *Annals of Math.*, 39 (1938), 433–462.
2. A new proof of two of Ramanujan's identities. *Annals of Math.*, 40 (1939), 473–489.

R. A. Rankin
1. Contributions to the theory of Ramanujan's function $\tau(n)$ and similar arithmetical functions (I). *PCPS*, 35 (1939), 351–356.
2. Contributions to the theory of Ramanujan's function $\tau(n)$ and similar arithmetical functions (II). *PCPS*, 35 (1939), 357–372.
3. Contributions to the theory of Ramanujan's function $\tau(n)$ and similar arithmetical functions (III). *PCPS*, 36 (1940), 150–151.

L. J. Rogers
1. Second memoir on the expansion of certain infinite products. *PLMS* (1), 25 (1894), 318–343.
2. On two theorems of combinatory analysis and some allied identities. *PLMS* (2), 16 (1917), 315–336.
3. On a type of modular relation. *PLMS* (2), 19 (1921), 387–397.
4. Proof of certain identities in combinatory analysis. *PCPS*, 19 (1919), 211–214.

G. K. Stanley
1. Two assertions made by Ramanujan. *JLMS*, 3 (1928), 232–237 [*Corrigenda JLMS*, 4 (1929), 32].

G. Szegö
1. Über einige von S. Ramanujan gestellte Aufgaben. *JLMS*, 3 (1928), 225–232.

P. Turan
1. On a theorem of Hardy and Ramanujan. *JLMS*, 9 (1934), 274–276.
2. Über einige Verallgemeinerungen eines Satzes von Hardy und Ramanujan. *JLMS*, 11 (1936), 125–133.

G. N. Watson
1. Theorems stated by Ramanujan (II): theorems on summation of series. *JLMS*, 3 (1928), 216–225.
2. Theorems stated by Ramanujan (IV): theorems on approximate integration and summation of series. *JLMS*, 3 (1928), 282–289.
3. A new proof of the Rogers–Ramanujan identities. *JLMS*, 4 (1929), 4–9.
4. Theorems stated by Ramanujan (VII): theorems on continued fractions. *JLMS*, 4 (1929), 39–48.
5. Theorems stated by Ramanujan (VIII): theorems on divergent series. *JLMS*, 4 (1929), 82–86.
6. Theorems stated by Ramanujan (IX): two continued fractions. *JLMS*, 4 (1929), 231–237.
7. Theorems stated by Ramanujan (XI). *JLMS*, 6 (1931), 59–65.
8. Theorems stated by Ramanujan (XII): a singular modulus. *JLMS*, 6 (1931), 65–70.
9. Theorems stated by Ramanujan (XIV): a singular modulus. *JLMS*, 6 (1931), 126–132.
10. Ramanujan's note books. *JLMS*, 6 (1931), 137–153.
11. The final problem: an account of the mock theta functions. *JLMS*, 11 (1936), 55–80.
12. Theorems stated by Ramanujan (V): approximations connected with e^x. *PLMS* (2), 29 (1929), 293–308.
13. Singular moduli (III). *PLMS* (2), 40 (1936), 83–142.
14. The mock theta functions (II). *PLMS* (2), 42 (1937), 274–304.
15. Singular moduli (V). *PLMS* (2), 42 (1937), 377–397.
16. Singular moduli (VI). *PLMS* (2), 42 (1937), 398–409.
17. Two tables of partitions. *PLMS* (2), 42 (1937), 550–556.
18. Ramanujan's continued fraction. *PCPS*, 31 (1935), 7–17.

19. Some singular moduli (I). *OQJ*, 3 (1932), 81–98.
20. Some singular moduli (II). *OQJ*, 3 (1932), 189–212.
21. Ramanujan's integrals and Gauss's sums. *OQJ*, 7 (1936), 175–183.
22. Proof of certain identities in combinatory analysis. *Journal Indian Math. Soc.*, 20 (1933), 57–69.
23. Über Ramanujansche Kongruenzeigenschaften der Zerfällungsanzahlen. *Math. Zeitschrift*, 39 (1935), 712–731.
24. Ramanujans Vermutung über Zerfällungsanzahlen. *Journal für Math.*, 179 (1938), 97–128.
25. Singular moduli (IV). *Acta arithmetica*, 1 (1936), 284–323.

F. J. W. Whipple
1. A fundamental relation between generalised hypergeometric series. *JLMS*, 1 (1926), 138–145.
2. The sum of the coefficients of a hypergeometric series. *JLMS*, 5 (1930), 192.
3. On well-poised series, generalised hypergeometric series having parameters in pairs, each pair with the same sum. *PLMS* (2), 24 (1926), 247–263.

B. M. Wilson
1. Proofs of some formulae enunciated by Ramanujan. *PLMS* (2), 21 (1923), 235–255.

J. R. Wilton
1. A note on Ramanujan's arithmetical function $\tau(n)$. *PCPS*, 25 (1929), 121–129.
2. On Ramanujan's arithmetical function $\Sigma_{r,s}(n)$. *PCPS*, 25 (1929), 255–264.

H. S. Zuckermann
1. The computation of the smaller coefficients of $J(\tau)$. *Bull. Amer. Math. Soc.*, 45 (1939), 917–919.
2. Identities analogous to Ramanujan's identities involving the partition function. *Duke Math. Journal*, 5 (1939), 88–110.
3. On the expansions of certain modular forms of positive dimension. *Amer. Journal of Math.*, 42 (1940), 127–152.

G. H. Hardy 著 "*Ramanujan*" についての注釈

BRUCE C. BERNDT

第 1 章

Ramanujan の最も完全な伝記については R. Kanigel の本 [65] を見よ.

13 ページにある「インドでの最良の仕事のうちおおよそ三分の二は再発見であった」という Hardy の評価は恐らく高すぎる.

15 ページにある Hardy の主張とは反対に,Ramanujan は Euler の不定方程式の最も一般的な有理解を発見していた.それは彼の三番目のノート [85], [15, p.107] に見ることができる.

第 2 章

Ramanujan の素数の理論に関する議論に焦点をあてた Ramanujan と Hardy の間の往復書簡は Berndt と R. A. Rankin による本 [25, pp.76–78, 81–85, 87–93] に見ることができる.往復書簡の内 Ramanujan 側の一部の写真複製は失われたノートと共に出版された [87, pp.372–377].彼のノートの整理されていない部分 [85] で Ramanujan は素数についての数多くの彼の発見を記録していて,Hardy との往復書簡には見られないものが含まれている.[15, 24 章] の報告を見よ.

素数の理論に関するさらなる情報について,読者は P. T. Bateman と

H. G. Diamond による解説記事 [9] および P. Ribenboim の愛すべき専門書 [92] を調べるとよいだろう．

　何年にもわたってかなりの考察と論争がこの疑問をめぐってなされてきた；Ramanujan はどの本から数学を学んだのか？ この文章の編者と Rankin[26] は 60–63 ページの Hardy による興味深い論説にさらにいくつかの所見をつけ加えた．

第 3 章

　この章は，**確率論的数論**の主題を確立した Hardy と Ramanujan による壮大な論文 [56], [86, pp.262–275] からのいくつかの結果の簡潔な解説を与える．この分野は 20 世紀後半に大きく花開き，その主要な進展の多くについての解説は J. Kubilius [67], P. D. T. A. Elliott [45], [46] および G. Tenenbaum [108] などの本に見ることができる．

　76 ページと 79 ページで論じられた Hardy と Ramanujan の主定理を，$f(n)$ を $\omega(n)$ で置き換えてより慣例の記号で述べ直す．$\psi(x)$ を $x \to \infty$ のとき ∞ に行く任意の実数値関数とすると，不等式

$$(1) \qquad |\omega(n) - \log\log x| < \psi(x)\sqrt{\log\log x}$$

がほとんどすべての正の整数 $n \leq x$ に対して成り立つ（例外となる n の個数は $x \to \infty$ のとき $o(x)$ であるという意味で）．Hardy により指摘されたように，$\omega(n)$ を $F(n)$，あるいはより現代的な記号である $\Omega(n)$ で置き換えても同様な定理が成り立つ．P. Erdös と M. Kac [47], [48] は (1) の注目すべき精密化を得た．a と b を $a < b$ なる任意の実数とすると

$$\lim_{x\to\infty} \frac{1}{x} \sharp\left\{n \leq x : \frac{\omega(n) - \log\log x}{\sqrt{\log\log x}} \in [a,b]\right\} = \frac{1}{\sqrt{2\pi}} \int_a^b e^{-t^2/2}\,dt.$$

実際には，彼らは大きな範囲の加法的な数論的関数に対してこのような形の結果を得た．$\omega(n)$ に対する Erdös–Kac の定理は確率論における中心極限定理の類似であると見なすことができよう．特に Hardy–Ramanujan の評価 (1) は，関数 $\psi(x)$ が無限大に行かないとしたら誤りとなるという意味で最良であることを示している．

79 ページで Hardy は $\log d(n)$ の正規の大きさが $(\log 2)(\log\log n)$ であることを示したが, $d(n)$ 自身に関する疑問にはっきりと決着をつけてはいない. これは B. J. Birch [30] により解決された, そこでは $d(n)$ は（非減少の）正規の大きさを持たないことが示された.

第 4 章

漸近公式

(1) $$B(x) \sim \frac{Kx}{\sqrt{\log x}}, \quad x \to \infty$$

は, Hardy が 89 ページで示唆しているように E. Landau [68], [69, pp.59–66] により 1908 年に最初に確立された. いまでは, 例えば Hardy, Littlewood および Karamata (Schwarz [95, pp.128–129]), あるいは H. Delange [39] の Tauber 型定理を用いることにより証明することができる.

$$B(x) = \frac{Kx}{\sqrt{\log x}} + E(x)$$

とおく. 初等的な方法を用いて, G. J. Rieger [93], W. J. LeVeque [72, pp.257–263], および A. Selberg [97, pp.183–185] はそれぞれ

$$B(x) = O\left(\frac{x}{\sqrt{\log x} \log\log x}\right), \quad O\left(\frac{x}{(\log x)^{3/4}}\right), \quad O\left(\frac{x}{(\log x)^{3/2}}\right)$$

を証明した[1].

一層一般的に, 判別式 $d \le -3$ の原始的二変数整二次形式により表される正整数 $n \le x$ の個数を $B(x,d)$ とし, 判別式 $d \le -3$ の原始的二変数整二次形式により表される d と互いに素な正整数 $n \le x$ の個数を $B'(x,d)$ とする. $B(x,-4) = B(x)$ に注意せよ. すると $B'(x,d)$ は (1) と同じ漸近公式を満たすが, 定数 K は別の明示的な正の定数で置き換えられる. より正確には

$$B'(x,d) = \frac{bx}{\sqrt{\log x}} + E'(b,x)$$

とせよ. すると R. D. James [63], W. Heupel [61] および K. S. Williams

---

[1] ［訳註］ $B(x)$ は $E(x)$ の間違い.

[111] はそれぞれ

$$E'(b,x) = O\left(\frac{x}{\log x}\right), \quad O\left(\frac{x}{(\log x)^{3/2}}\right), \quad O\left(\frac{x}{\sqrt{\log x \log \log x}}\right)$$

であることを証明した．ここで後者の評価は初等的な方法のみを用いて得られたものである．同様の結果を $B(x,d)$ に関して導くことができる．

G. K. Stanley [104] は (4.6.4) の定数 α_1 の決定を試みたが彼女はいくつかの間違いを犯していて，それは D. Shanks [101] により発見され彼女の結果を訂正して $K = 0.764223654\cdots$ および $\alpha_1 = 0.581948659\cdots$ なる値を計算した．さらなる参考文献が [15, pp.60–62] にある．

明らかに E. Landau と Hardy は共に (4.6.4) を証明できたのであろうが，実際には 1976 年に J.-P. Serre [100] が一層一般的な定理を確立していくつかの見事な応用をなすまで，出版された証明はなかった．

1967 年に B. V. Levin と A. S. Fainleib [74] は初等的な，しかし入り組んだ方法を用いて，展開 (4.6.4) も特殊な場合として従うような一般的な定理を証明した．しかしながら，彼らの諸条件は確認するのが非常に難しく，さらに係数は計算するのがなお一層困難なものである．より単純な一群の条件が P. Moree と J. Cazaran [79] により与えられた．とりわけ彼らは Serre の定理と，89 ページの最後にある平方数の和に関する Ramanujan の主張の徹底した吟味を与えている．

93 ページで Hardy は「Ramanujan が一体どのようにしてこの結論に至ったかを知ることは非常に興味深いことであろう」と注意している．実際には，Ramanujan は彼の議論を厳密なものではないが彼の第三のノートに書いている（[85] のページづけで 363 ページである）．Ramanujan の理由づけの詳細については Berndt の本 [15, pp.60–65] を見よ．

Hardy が 4.8 節で言及している Ramanujan の未発表の原稿の写真複写は [87, pp.135–177, 238–243] に見ることができるし，印刷されたものは Berndt と K. Ono [24] にある．そこには詳細かつ広範な注釈も追加されている．

第 5 章

いつものように

$$P(x) := \sum_{n \leq x} r(n) - \pi x$$

および

$$\Delta(x) := \sum_{n \leq x} d(n) - x \log x - (2\gamma - 1)x$$

とおく．$x \to \infty$ のとき，任意の $\epsilon > 0$ に対して

$$P(x) = O(x^{\frac{1}{4}+\epsilon}) \quad \text{および} \quad \Delta(x) = O(x^{\frac{1}{4}+\epsilon})$$

ということが予想されている．それらは解析的数論で最も難しい予想に属するものと思われている．現在のところの最良の結果は M. Huxley [62] によるもので

$$P(x) = O(x^{\frac{23}{73}+\epsilon}) \quad \text{および} \quad \Delta(x) = O(x^{\frac{23}{73}+\epsilon})$$

を証明した[2]．

この章で扱われた本来の格子点問題を検討する．(5.9.1) により定義された $S(\eta)$ について，M. Hausman と H. N. Shapiro [58] は，実際には η_j が ∞ に行くある数列 $\{\eta_j\}$ 上で $S(\eta)$ は有界であることを証明した．Ramanujan, Ostrowski および Hardy と Littlewood により考察された二次元格子点問題の n 次元の類似を最初に考察したのは D. H. Lehmer [70] であった．D. C. Spencer [103] は複素関数論の方法を用いて，また F. Beukers [29] は初等的な方法を用いて Hardy と Littlewood の定理の n 次元の類似を得た．さらなる一般化が A. Granville [55] により与えられている．

第 6 章

n が $5, 7$ あるいは 11 の任意の冪のときに $p(n)$ が満たす合同に関する Ramanujan の一般的な予想は，いまでは証明されている．Ramanujan 自身，死ぬ直前に（手書きの）未発表の原稿 [87, pp.238–243] で 5 の任意の冪に対する彼の予想を証明し，さらに 7 の任意の冪に対する証明を始めていた

---

[2] ［訳註］M. Huxley により $O(x^{\frac{131}{416}+\epsilon})$ に改良された（Proc. London Math. Soc. (3) 87 (2003), no. 3, 591–609）．

が，原稿は後者の証明の初めの段階で突如として終わっている．Ramanujan の未発表の原稿の印刷されたものは，追加された詳細な事項や注釈と共に Berndt と Ono の論文 [24] を見よ．G. N. Watson [110] は 5 と 7 の冪に対する一般的な予想の証明を発表した；5 の冪に対する彼の証明は Ramanujan のものと同じものであるが，詳細の多くが Ramanujan の原稿には書かれていないことは強調しておくべきだろう．11 の任意の冪に対する最初の証明は A. O. L. Atkin [7] により 1967 年に与えられた．Ramanujan の時代以降 $p(n)$ に対する他の合同が発見されてきたが，Ono [82] の仕事は最も広範かつ壮観なものである．

とりわけ 5, 5^2, 7 および 7^2 を法とする合同に関しては，多くの証明が知られている．特に (6.7.1) と (6.7.2) についてはいくつかの証明がある．L. Winquist [112] は合同

$$(1) \qquad p(11m+6) \equiv 0 \pmod{11}$$

のとりわけ単純な証明を見つけた．Ramanujan の合同の証明に関する多くの参考文献については，米国数学会により出版された Ramanujan の『全集』[86] の論文 25 の注釈を見よ．

1944 年に F. J. Dyson [44] は分割の階数 (rank) を最大の分割部分引く分割の個数と定義して，5 と 7 を法とする Ramanujan の合同の組合せ論的な解釈の予想を提示した．例えば，階数が t を法として m と合同な n の分割の個数を $N(m,t,n)$ と表すならば，Dyson は

$$N(k,5,5n+4) = \frac{1}{5}p(5n+4), \quad 0 \leq k \leq 4$$

であると予想した．Dyson の予想は Atkin と H. P. F. Swinnerton-Dyer [8] により 1954 年に証明された．1988 年には G. E. Andrew と F. G. Garvan [5] が crank を定義して，それにより (1) の組合せ論的な解釈を初めて与え，5 および 7 を法とする合同の組合せ論的な解釈を合わせて与えた．

いまでは，名高い Rogers–Ramanujan の恒等式の証明が多数存在する．Andrews [4] は 1989 年以前のすべての証明についての非常に興味深い論説を書き，それらを型に従って分類した．1981 年に Rogers–Ramanujan の恒等式の組合せ論的な証明が A. Garsia と S. C. Mile [50] により構成され，そ

の直後に D. M. Bressoud と D. Zeilberger [35] により単純化された．しかしながらそれらの証明はやさしいものではなく，さらに単純な組合せ論的な証明が望まれる．

Rogers–Ramanujan の恒等式の多くの類似と一般化が発見されている．中でも最も重要な三つは，I. Schur [94], B. Gordon [53] および H. Göllnitz [52] と Gordon [54] によるものである．L. J. Slater [102] は大きな影響を及ぼした論文であるが，いくつかの類似を与えている．Andrews [3] と Bressoud [34] の *Memoirs* 論文は広範な一般化を与えている．さらなる証明，類似および一般化に関する文献は米国数学会により出版された [86] の論文 26 の注釈を見よ．

最後に Rogers–Ramanujan の恒等式とその類似がどのような具合に統計力学や共形場理論に現れるかについては，それぞれ R. J. Baxter [10] および A. Berkovich と B. M. McCoy [11] を見よ．

第7章

Hardy は第 7 章を始めるにあたって，「超幾何級数に関する Ramanujan の仕事は彼のノートの二つの章に含まれている……」と書いている．実際には Ramanujan は超幾何級数についてはるかに多くのことを発見した．我々は，主として彼のノートから，超幾何級数の主題に関してさらに四つの題目に対する彼の貢献を述べたい．

第一に，彼の六番目の論文 [84], [86, pp.23–39] で Ramanujan は $1/\pi$ に関する 17 の注目すべき級数を証明なしに表明している．それらは超幾何的な趣のあるもので，超幾何級数の事実（例えば Clausen の公式）が証明で用いられているのである．17 の級数の内の一つは

$$(1) \quad \frac{1}{\pi} = \frac{2\sqrt{2}}{9801} \sum_{n=0}^{\infty} \frac{(4n)!}{4^{4n}(n!)^4} \frac{1103 + 26390n}{99^{4n}}$$

により与えられ，概ね一つの項当たり π の 8 桁を与える．R. W. Gosper は (1) を用いて 1985 年に π の最初の 1700 万桁を計算したものの，それらの 17 の級数は 1980 年代後期に J. M. および P. B. Borwein [32] と D. V. およ

び G. V. Chudnovsky [38] によりなされるまで，印刷された証明はなかったのである．前者の書き手らは $1/\pi$ に対するこのような級数を他にも多数確立していて，参考文献は 1999 年版の [86] にある Ramanujan の論文 [84] の注釈に見ることができる．Borwein の着想は H. H. Chan と W.-C. Liaw [37] により改良と拡張を施され，$1/\pi$ に関するさらなる級数をもたらした．

第二に，彼の第二のノートの第 12 章および第 13 章その他で，Ramanujan は超幾何関数あるいは超幾何関数を含む関数の族に対する深くかつ美しい漸近展開を与えている．例えば [13, p.207][3] の第 13 章の項目 7 は，R. J. Evans [49] が再定式化したように次のような優美な漸近展開を与える．$c, d > 0$ に対して $a = c + d$ とする．$a, c, d \to \infty$ のとき（同値なことだが $a/(cd) \to 0$ のとき）

$$_2F_1\left(a, 1; c; \frac{c}{a}\right) = c\left\{\frac{a^a \Gamma(c)\Gamma(d)}{2\Gamma(a)c^c d^d} + B_1\left(\frac{a}{cd}\right) + B_2\left(\frac{a}{cd}\right)^2 B_3\left(\frac{a}{cd}\right)^3 + \cdots\right\}$$

である[4]．ここで B_k $(k \geq 1)$ は $x = d/a$ を変数とする $\mathbb{Q}$ 上の $2k-1$ 次多項式で $B_k = O(1)$ $(k \geq 1)$ なるものである．Ramanujan の第二のノート [12, pp.57–58] の第 3 章の項目 10 には別の非常に一般的な定理が与えられている．Ramanujan の超幾何関数に関する漸近展開の多くについての洞察に富む総説は Evans による論文 [49] を見よ．実際，彼は Ramanujan の漸近展開のいくつかを証明している．

第三に，超幾何関数は連分数に関する Ramanujan の仕事の大きな部分で核心をなすものである．超幾何関数の比に関する Gauss と Euler の連分数は，彼のノートの第 12 章 [13, pp.136–138] にある．Ramanujan はそれらの連分数の多くの興味深い特別な場合や極限をとった場合を扱った．第 12 章では，Ramanujan はガンマ関数の比に関する多くの優美な連分数も提示している．我々は Ramanujan の証明を知らないが，Ramanujan が超幾何関数に関する古典的な定理を利用したことはもっともらしく見える．超幾何関数経由のそれらの連分数の証明は，D. R. Masson による論文 [75], [76],

---

[3] ［訳註］p.195.
[4] ［訳註］$B_2\left(\frac{a}{cd}\right)^2 B_3\left(\frac{a}{cd}\right)^3$ は $B_2\left(\frac{a}{cd}\right)^2 + B_3\left(\frac{a}{cd}\right)^3$ の間違い．

[77] および L.-C. Zhang [113] を見よ.

第四に，Ramanujan は超幾何関数の新しい変換公式を多数発見した．それらの多くは楕円関数で基を取り替えるという彼の理論に見ることができて，彼の第二のノート [85] の 257–262 ページにあり，Berndt, S. Bhargava および F. G. Garvan [19], [16, Chap. 33] により証明された．例えば，最も重要なのは三次の変換公式

$$(2) \quad {}_2F_1\left(\frac{1}{3},\frac{2}{3};1;1-\left(\frac{1-x}{1+2x}\right)^3\right) = (1+2x){}_2F_1\left(\frac{1}{3},\frac{2}{3};1;x^3\right)$$

である．この変換公式は J. M. と P. B. Borwein [33] により再発見および最初に証明され，Berndt, Bhargava および Garvan [19] で Ramanujan の楕円関数の三次の理論における彼の主張を証明する際に決定的である．(2) の二つの新しい洞察にあふれた証明が H. H. Chan [36] により与えられている．

超幾何関数に関する Ramanujan の仕事の多くに関して，優れた総説が R. A. Askey [6] により書かれている．

第 8 章

$p(n)$ の漸近級数を確立した論文 [57] で Hardy と Ramanujan により導入された Hardy–Littlewood の円周法は，加法的解析数論における最も重要な道具となった．近似母関数の「多くの」特異点を利用するというこの方法の主要な特徴は Ramanujan のノート [85, vol. 2, p.362] までたどることができるが，Ramanujan は彼の洞察を適切に発展させることはなかった．Ramanujan の着想のさらなる詳細については Berndt の本 [15, pp.62–66] を見よ．円周法の多くの応用に関しては R. C. Vaughan の本 [109] を見よ．

179 ページで Hardy は，H. Rademacher によりなされた Hardy と Ramanujan の証明の変更により $p(n)$ の正確な公式が得られたと短く示唆している．A. Selberg [96, pp.695–706] も正確な公式を得ていたが，証明は発表しなかった．

この章は主として Hardy と Ramanujan の論文 [57] から取られたものな

ので，[86] の 1999 年版にある論文 36 の注釈を参照してほしい．そこに漸近理論に関する定理と論文に対するさらなるいくつかの参考文献がある．

第 9 章

リー代数を通して $r_{2k}(n)$ に対する公式に迫ることが Kac と Wakimoto [64] によりなされている．S. C. Milne [78] は $r_{2k}(n)$ の公式を $2k = 4m^2$, $4m(m+1)$ の場合に導いた．彼の論文には $r_{2k}(n)$ の公式に関する文献について非常に完備した総説がある．任意の個数の平方数に対する全く異なった形の公式については Rankin の論文 [88] を見よ．$r_k(n)$ に対する漸近公式を与える Hardy の定理は M. Knopp の本 [66, Chap. 5] に見事に示されている．彼の失われたノート [87] と共に出版された二つの断章で，Ramanujan は $r_{2k}(n)$ ($1 \leq k \leq 4$) や整数を k 個の三角数で表示する個数のような類似したあるいは関係した数論的関数の母関数を，Lambert 級数によって与えている；そのいくつかは新しいものだが，それらの結果の説明は [17] を見よ．

第 10 章

$\tau(n)$ の乗法的性質は Euler 積を持つ尖点形式の係数でも成り立ち，E. Hecke による引き続く二つの重要な論文 [59], [60] で展開されたモジュラー形式の Hecke 理論の中心的なものである．

10.4 節から 10.6 節で与えられた $\tau(n)$ のある種の合同の証明は，分割数とタウ関数に関する Ramanujan の未発表の原稿 [87, pp.135–177, 238–243] の趣旨にそったものである．さらに最近の研究では P. Deligne [40], J.-P. Serre [98] および H. P. F. Swinnerton-Dyer [105], [106] により展開された ℓ-進表現論を用いる．$\tau(n)$ の合同に関しては広範な文献が存在する．合同に焦点を当てた $\tau(n)$ に関する優れた解説が F. van der Blij [31], D. H. Lehmer [71], Serre [98], [99], Rankin [89] および Swinnerton–Dyer [107] により書かれている．*Review in Number Theory* [73] の第 2 巻の F-35 節も見よ．

10.5 節の中ごろで Hardy は「……しかし (10.5.4) は Ramanujan の仕事以外には私は未だ見たことがない」と注意している．実際には (10.5.4) は 1885 年に出版された J. W. L. Glaisher による論文 [51, p.34] に見ることができる．

10.7 節で Hardy が論じている Ramanujan 仮説は H. Petersson [83] により Hecke 作用素の固有値である尖点形式の Fourier 係数に対して一般化された．その Ramanujan–Petersson 予想は 1974 年に P. Deligne [41] により証明された．この非常に重要な論文で Deligne は有限体上の多様体に対する Riemann 仮説を証明し，そこから Ramanujan–Petersson 仮説が従うのである．

Ramanujan のタウ関数は両方向に「大きい」．より正確には，M. Ram Murty [80] は，ある定数 $c > 0$ に対して

$$\tau(n) = \Omega_{\pm}\left(n^{11/2} \exp\left(\frac{c \log n}{\log \log n}\right)\right)$$

であることを証明した．$\tau(n)$ の大きさに関する問題の優れた総説については Murty [81] および Rankin [89] を見よ．

(10.17.6) の総和関数 $T(x)$ の評価は，その後ほんの少し改善されただけである，もっとも Ramanujan 仮説が証明されてしまったのだから，いまさらつけ加えることも必要ないのだろうが．目下のところ最善の結果は R. A. Rankin [91] によるもので，任意の $\epsilon > 0$ に対して

$$T(x) = O(x^{\frac{35}{6}}(\log x)^{-\delta + \epsilon})$$

である，ここで $\delta = (8 - 3\sqrt{6})/10 = 0.065153\cdots$ である．

第 11 章

Ramanujan の『四半期報告』の全文は Berndt の本 [12, pp.295–335] に見ることができる．

定理 (B) は「Ramanujan の主定理」と呼ばれてきた．この主定理がリー群や対称空間上の調和解析の研究における重要な着想に発展したということは注目すべきことである．それについて簡単に述べておく．

関数 F の Mellin 変換 $\widetilde{F}$ を考える,

(1) $$\widetilde{F}(\lambda) = \int_0^\infty F(x) x^{-\lambda} x^{-1}\, dx, \quad \lambda \in \mathbb{C}.$$

すると Ramanujan の主定理は

(2) $$F(x) = \sum_{m=0}^\infty \frac{(-1)^m}{m!} q(m) x^m$$

という形となる. ここで $q(\lambda) = \widetilde{F}(\lambda)/\Gamma(-\lambda)$ である. この結果は関数 q に対する一定の条件の下で成り立つが, その条件は最初に Hardy によって第 11 章で決定された. この主定理の多変数への一般化は W. Bertram [27] と H. Ding, K. I. Gross および D. St. P. Richards [43] により独立に展開された. 後者の論文では, (1) における正の実軸 $(0,\infty)$ は形式的実 Jordan 代数の中の対称錐体 Ω で置き換えられる. 対称錐体の舞台設定の下では, Taylor–Maclaurin 展開 (2) は球多項式による展開で置き換えられ, 古典的なガンマ関数 Γ は, 錐体 Ω のガンマ関数 Γ_Ω で置き換えられる; (1) にある測度 $x^{-1}\, dx$ は Ω 上の不変測度で置き換えられる; さらに (1) にある古典的な Mellin 変換は Ω 上の球変換で置き換えられる. Ding [42] と Bertram [28] は対称錐体よりも一般的な対称空間への主定理の一般化を得ている.

積分に関する Ramanujan の発見の多くについての広範な議論が R. P. Agarwal の本 [1] の三つの章で展開されている.

第 12 章

12.2 節の冒頭で言及されている Ramanujan の第二のノートの第 16 章から第 21 章の諸結果すべてに対する証明は Berndt の本 [14] に見ることができる. 多数のモジュラー方程式が, Ramanujan の第二のノートの未整理の諸ページ [15, Chap. 25], Ramanujan の第一のノート [16, Chap. 36], および彼の失われたノート [18] にも見ることができる. 12.4 節から 12.14 節で主役を演じた Ramanujan の 3 次のモジュラー方程式の大部分は, 第二のノート [14, pp.230–231] の第 19 章の項目 5 に見ることができる. 数学史上 Ramanujan がした以上にモジュラー方程式を導いた者はいない. 明らかに

Ramanujan は，類不変量の計算，Rogers–Ramanujan 連分数の値の計算，およびテータ関数あるいはテータ関数の比の値の計算のためにモジュラー方程式を用いたのである．特に [16, Chaps. 34, 35] を見よ．擬等角写像の理論へのモジュラー方程式の最近の応用については，G. D. Anderson, M. K. Vamanamurthy および M. K. Vuorinen による本 [2, 特に pp.92, 222, 478] を見よ．

338 ページにある定理は Ramanujan の有名な $_1\psi_1$ 和であって，q-級数の理論で最も有用な定理の一つである．1991 年までのすべての知られている証明の要約が Berndt の本 [14, p.32] にある．

この章の最後の八つの節で，Hardy は特異母数に関する Ramanujan の仕事を論じている．より正確には類不変量の計算に関係した論説であって，我々が見るようにそれは特異母数の計算と同等である．Ramanujan に従って正の有理数 n それぞれに対して，類不変量 G_n と g_n を

$$G_n := 2^{-1/4} q^{-1/24} \prod_{k=0}^{\infty} (1 + q^{2k+1})$$

および

$$g_n := 2^{-1/4} q^{-1/24} \prod_{k=0}^{\infty} (1 - q^{2k+1})$$

により定義する，ここで $q = e^{-\pi\sqrt{n}}$ である．特異母数 k_n は $k_n := k(e^{-\pi\sqrt{n}})$ により定義される，ここで $k(q)$ は母数を表す．Ramanujan は $\alpha_n = k_n^2$ とおく．楕円関数の古典的理論から

$$G_n = \{4\alpha_n(1-\alpha_n)\}^{-1/24} \quad \text{および} \quad g_n = \{4\alpha_n(1-\alpha_n)^{-2}\}^{-1/24}$$

を示すことができる．したがって，もし必要な類不変量が知れるなら，特異母数は二次方程式を解くことにより計算できる．しかしながら，通常このようにして得られる根号表示は往々にして複雑なもので，特異母数が単数あるいはそれの単純な倍数であるという事実を明らかに示すものではない．同様の注意は処理を逆にしても成り立つ．Ramanujan は総計 116 の類不変量あるいはそれらが満たす最高次の係数が 1 の既約多項式を計算した．彼は 30

以上の特異母数を明示的に決定した.

12.15 節の冒頭で Hardy は「Watson は，特異母数に関する彼の一連の論文で Ramanujan のすべての結果を証明した」と書いている. もし Watson が本当に Ramanujan の類不変量のすべてを計算したのであれば，彼の仕事の一部は失われてしまったのだ. なぜならば，最近まで Ramanujan の類不変量のうち 18 個は依然として印刷された証明がなかったからである. H. H. Chan, L.-C. Zhang 及び著者による二つの論文 [20], [22] でそれら 18 個の不変量が確立された. 他の論文 [23] で，同じ著者達は Ramanujan の特異母数すべてをも決定した. このすべての題材は [16, Chap. 34] でも見られる. それらの著者が用いた方法のいくつかは Ramanujan が知らなかったであろうものである，であるから Ramanujan の方法は疑いなく依然として我々から隠されたままなのである.

Ramanujan は彼の類不変量のいくつかをテータ関数や Rogers–Ramanujan の連分数の値を明示的に決定するのに用いた；[16, Chap. 35] および [21] を見よ.

Chan は，この章のお終いで言及されている「非常に不可思議な代数的な補題」の自然な証明を発見している；彼の証明は Berndt の本 [16, pp.278–280] に見ることができる.

参考書

1. R. P. Agarwal, *Resonance of Ramanujan's Mathematics, Vol. I*, New Age International, New Delhi, 1996.
2. G. D. Anderson, M. K. Vamanamurthy, and M. Vuorinen, *Conformal Invariants, Inequalities, and Quasiconformal Maps*, Wiley, New York, 1997.
3. G. E. Andrews, *On the General Rogers–Ramanujan Theorem*, Mem. No. 152, American Mathematical Society, Providence, RI, 1974.
4. G. E. Andrews, *On the proofs of the Rogers–Ramanujan identities*, q-series and Partitions (D. Stanton, ed.), Springer-Verlag, New York, 1989, pp.1–14.
5. G. E. Andrews and F. G. Garvan, *Dyson's crank of a partition*, Bull. Amer. Math. Soc. **18** (1988), 167–171.

6. R. A. Askey, *Ramanujan and hypergeometric and basic hypergeometric series*, Russian Math. Surveys **45** (1990), 37–86., Ramanujan International Symposium on Analysis (N. K. Thakare, ed.), Macmillan India, Madras, 1989, pp.1–83.
7. A. O. L. Atkin, *Proof of a conjecture of Ramanujan*, Glasgow Math. J. **8** (1967), 14–32.
8. A. O. L. Atkin and H. P. F. Swinnerton-Dyer, *Some properties of partitions*, Proc. London Math. Soc. **4** (1954), 84–106.
9. P. T. Bateman and H. G. Diamond, *A hundred years of prime numbers*, Amer. Math. Monthly **103** (1996), 729–741.
10. R. J. Baxter, *Ramanujan's identities in statistical mechanics*, Ramanujan Revisited (G. E. Andrews, R. A. Askey, B. C. Berndt, K. G. Ramanathan, and R. A. Rankin, eds.), Academic Press, Boston, 1988, pp.69–84.
11. A. Berkovich and B. M. McCoy, *Rogers–Ramanujan identities: A century of progress from mathematics to physics*, Proceedings of the International Congress of Mathematicians Berlin 1998, Vol. III: Invited Lectures, Documenta Mathematica, J. Deut. Math.-Verein., Bielefeld, 1998, pp.163–172.
12. B. C. Berndt, *Ramanujan's Notebooks, Part I*, Springer-Verlag, New York, 1985.
13. B. C. Berndt, *Ramanujan's Notebooks, Part II*, Springer-Verlag, New York, 1989.
14. B. C. Berndt, *Ramanujan's Notebooks, Part III*, Springer-Verlag, New York, 1991.
15. B. C. Berndt, *Ramanujan's Notebooks, Part IV*, Springer-Verlag, New York, 1994.
16. B. C. Berndt, *Ramanujan's Notebooks, Part V*, Springer-Verlag, New York, 1998.
17. B. C. Berndt, *Fragments by Ramanujan on Lambert series*, Number Theory and Its Applications (K. Györy and S. Kanemitsu, eds.), Kluwer, Dordrecht, 1999.
18. B. C. Berndt, *Modular equations in Ramanujan's lost notebook* (to appear).
19. B. C. Berndt, S. Bhargava, and F. G. Garvan, *Ramanujan's theories of elliptic functions to alternative bases*, Trans. Amer. Math. Soc. **347** (1995), 4163–4244.

20. B. C. Berndt, H. H. Chan, and L.-C. Zhang, *Ramanujan's class invariants and cubic continued fraction*, Acta Arith. **73** (1995), 67–85.
21. B. C. Berndt, H. H. Chan, and L.-C. Zhang, *Explicit evaluations of the Rogers–Ramanujan continued fraction*, J. Reine Angew. Math. **480** (1996), 141–159.
22. B. C. Berndt, H. H. Chan, and L.-C. Zhang, *Ramanujan's class invariants, Kronecker's limit formula, and modular equations*, Trans. Amer. Math. Soc. **349** (1997), 2125–2173.
23. B. C. Berndt, H. H. Chan, and L.-C. Zhang, *Ramanujan's singular moduli*, The Ramanujan J. **1** (1997), 53–74.
24. B. C. Berndt and K. Ono, *Ramanujan's unpublished manuscript on the partition and tau-functions with proofs and commentary*, Sém. Lotharingien de Combinatoire **42** (1999), 63 pp.
25. B. C. Berndt and R. A. Rankin, *Ramanujan: Letters and Commentary*, American Mathematical Society, Providence, 1995; London Mathematical Society, London, 1995.
26. B. C. Berndt and R. A. Rankin, *The books studied by Ramanujan in India*, in preparation.
27. W. Bertram, *Généralisation d'une formule de Ramanujan dans le cadre de la transformation de Fourier sphérique associée à la complexification d'un espace symétrique compact*, C. R. Acad. Sci. Paris, Sér. I **316** (1993), 1161–1166.
28. W. Bertram, *Ramanujan's master theorem and duality of symmetric spaces*, J. Funct. Anal. **148** (1997), 117–151.
29. F. Beukers, *The lattice points of n-dimensional tetrahedra*, Indag. Math. **37** (1975), 365–372; Proc. K. Neder. Akad. Wetens. Ser. A (Math. Sci.) **78** (1975), pp.365–372.
30. B. J. Birch, *Multiplicative functions with non-decreasing normal order*, J. London Math. Soc. **42** (1967), 149–151.
31. F. van der Blij, *The function $\tau(n)$ of S. Ramanujan*, Math. Student **18** (1950), 83–99.
32. J. M. and P. B. Borwein, *Pi and the AGM*, Wiley, New York, 1987.
33. J. M. and P. B. Borwein, *A cubic counterpart of Jacobi's identity and the AGM*, Trans. Amer. Math. Soc. **323** (1991), 691–701.
34. D. M. Bressoud, *Analytic and Combinatorial Generalizations of the Rogers–Ramanujan Identities*, Mem. No. 227, American Mathematical Society, Providence, RI, 1980.

35. D. M. Bressoud and D. Zeilberger, *A short Rogers–Ramanujan bijection*, Discrete Math. **38** (1982), 313–315.
36. H. H. Chan, *On Ramanujan's cubic transformation formula for* $_2F_1(\frac{1}{3}, \frac{2}{3}; 1; z)$, Math. Proc. Cambridge Philos. Soc. **124** (1998), 193–204.
37. H. H. Chan and W.-C. Liaw, *Cubic modular equations and new Ramanujan-type series for* $1/\pi$, Pacific J. Math. (to appear).
38. D. V. Chudnovsky and G. V. Chudnovsky, *Approximations and complex multiplication according to Ramanujan*, Ramanujan Revisited (G. E. Andrews, R. A. Askey, B. C. Berndt, K. G. Ramanathan, and R. A. Rankin, eds.), Academic Press, Boston, 1988, pp.375–472.
39. H. Delange, *Généralisation du théorème de Ikehara*, Ann. Sci. Ecóle Norm. Sup. (3) **71** (1954), 213–242.
40. P. Deligne, *Formes modulaires et représentations ℓ-adiques*, Lecture Notes in Math., No. 179, Springer-Verlag, Berlin, 1971, pp.139–172.
41. P. Deligne, *La conjecture de Weil. I.*, Inst. Hautes Études Sci. Publ. Math. (1974), no. 43, 273–307.
42. H. Ding, *Ramanujan's master theorem for Hermitian symmetric spaces*, The Ramanujan J. **1** (1997), 35–52.
43. H. Ding, K. I. Gross, and D. St. P. Richards, *Ramanujan's master theorem for symmetric spaces*, Pacific J. Math. **175** (1996), 447–490.
44. F. J. Dyson, *Some guesses in the theory of partitions*, Eureka **8** (1944), 10–15.
45. P. D. T. A. Elliott, *Probabilistic Number Theory. I. Mean-value Theorems*, Springer-Verlag, New York, 1979.
46. P. D. T. A. Elliott, *Probabilistic Number Theory. II. Central Limit Theorems*, Springer-Verlag, New York, 1980.
47. P. Erdös and M. Kac, *On the Gaussian law of errors in the theory of additive functions*, Proc. Nat. Acad. Sci. U.S.A. **25** (1939), 206–207.
48. P. Erdös and M. Kac, *The Gaussian law of errors in the theory of additive number theoretic functions*, Amer. J. Math. **62** (1940), 738–742.
49. R. J. Evans, *Ramanujan's second notebook: A symptotic expansions for hypergeometric series and related functions*, Ramanujan Revisited (G. E. Andrews, R. A. Askey, B. C. Berndt, K. G. Ramanathan, and R. A. Rankin, eds.), Academic Press, Boston, 1988, pp.537–560.
50. A. Garsia and S. C. Milne, *A Rogers–Ramanujan bijection*, J. Comb.

Th., Ser. A **31** (1981), 289–339.
51. J. W. L. Glaisher, *Expressions for the first five powers of the series in which the coefficients are the sums of the divisors of the exponents*, Messenger Math. **15** (1885), 33–36.
52. H. Göllnitz, *Partitionen mit Differenzenbedingungen*, J. Reine Angew. Math. **225** (1967), 154–190.
53. B. Gordon, *A combinatorial generalization of the Rogers–Ramanujan identities*, Amer. J. Math. **83** (1961), 393–399.
54. B. Gordon, *Some continued fractions of the Rogers–Ramanujan type*, Duke Math. J. **32** (1965), 741–748.
55. A. Granville, *The lattice points of an n-dimensional tetrahedron*, Aequa. Math. **41** (1991), 234–241.
56. G. H. Hardy and S. Ramanujan, *The normal number of prime factors of a number n*, Quart. J. Math. **48** (1917), 76–92.
57. G. H. Hardy and S. Ramanujan, *Asymptotic formulae in combinatory analysis*, Proc. London Math. Soc. **17** (1918), 75–115.
58. M. Hausman and H. N. Shapiro, *On Ramanujan's right triangle conjecture*, Comm. Pure Appl. Math. **42** (1989), 885–889.
59. E. Hecke, *Über Modulfunktionen und die Dirichletschen Reihen mit Eulerscher Produktentwicklung. I.*, Math. Ann. **114** (1937), 140–156.
60. E. Hecke, *Über Modulfunktionen und die Dirichletschen Reihen mit Eulerscher Produktentwicklung. II.*, Math. Ann. **114** (1937), 316–351.
61. W. Heupel, *Die Verteilung der ganzen Zahlen, die durch quadratische Formen dargestellt werden*, Arch. Math. **19** (1968), 162–166.
62. M. N. Huxley, *Exponential sums and lattice points II*, Proc. London Math. Soc. **66** (1993), 279–301.
63. R. D. James, *The distribution of integers represented by quadratic forms*, Amer. J. Math. **60** (1938), 737–744.
64. V. G. Kac and M. Wakimoto, *Integrable highest weight modules over affine superalgebras and number theory*, Lie Theory and Geometry (J.-L. Brylinski, R. Brylinski, V. Guillemin, and V. Kac, eds.), Birkhäuser, Boston, 1994, pp.415–456.
65. R. Kanigel, *The Man Who Knew Infinity*, Scribner's, New York, 1991.
66. M. Knopp, *Modular Functions in Analytic Number Theory*, Chelsea, New York, 1993.
67. J. Kubilius, *Probabilistic Methods in the Theory of Numbers*, Translations of Mathematical Monographs, Vol. 11, American Mathematatical

Society, Providence, RI, 1964.
68. E. Landau, *Über die Einteilung der positiven ganzen Zahlen in vier Klassen nach der Mindestzahl der zu ihrer additiven Zusammensetzung erforderlichen Quadrate*, Arch. Math. Phys. **13** (1908), 305–312.
69. E. Landau, *Collected Works, Vol. 4*, Thales Verlag, Essen, 1985.
70. D. H. Lehmer, *The lattice points of an n-dimensional tetrahedron*, Duke Math. J. **7** (1940), 341–353.
71. D. H. Lehmer, *Some functions of Ramanujan*, Math. Student **27** (1959), 105–116.
72. W. J. LeVeque, *Topics in Number Theory, Vol. II*, Addison-Wesley, Reading, MA, 1956.
73. W. J. LeVeque, *Reviews in Number Theory, Vol. 2*, American Mathematical Society, Providence, RI, 1974.
74. B. V. Levin and A. S. Fainleib, *Application of some integral equations to problems of number theory*, Russian Math. Surveys **22** (1967), 119–204.
75. D. R. Masson, *Some continued fractions of Ramanujan and Meixner–Pollaczek polynomials*, Canad. Math. Bull. **32** (1989), 177–181.
76. D. R. Masson, *Wilson polynomials and some continued fractions of Ramanujan*, Rocky Mt. J. Math. **21** (1991), 489–499.
77. D. R. Masson, *A generalization of Ramanujan's best theorem on continued fractions*, C. R. Math. Rep. Acad. Sci. Canada **13** (1991), 167–172.
78. S. C. Milne, *New infinite families of exact sums of squares formulas, Jacobi elliptic functions, and Ramanujan's tau function*, Proc. Nat. Acad. Sci. USA **93** (1996), 15004–15008.
79. P. Moree and J. Cazaran, *On a claim of Ramanujan in his first letter to Hardy*, Expos. Math. (to appear).
80. M. Ram Murty, *Oscillations of Fourier coefficients of modular forms*, Math. Ann. **262** (1983), 431–446.
81. M. Ram Murty, *The Ramanujan τ-function*, Ramanujan Revisited (G. E. Andrews, R. A. Askey, B. C. Berndt, K. G. Ramanathan, and R. A. Rankin, eds.), Academic Press, Boston, 1988, pp.269–288.
82. K. Ono, *The distribution of the partition function modulo m* (to appear).
83. H. Petersson, *Theorie der automorphen Formen beliebiger reeler Dimension und ihre Darstellung durch eine neus Art Poincaréscher Reihen*, Math. Ann. **103** (1930), 369–436.
84. S. Ramanujan, *Modular equations and approximations to π*, Quart. J.

G. H. Hardy 著 *"Ramanujan"* についての注釈

Math. **45** (1914), 350–372.
85. S. Ramanujan, *Notebooks (2 volumes)*, Tata Institute of Fundamental Research, Bombay, 1957.
86. S. Ramanujan, *Collected Papers*, Cambridge University Press, Cambridge, 1927; reprinted by Chelsea, New York, 1962; reprinted with commentaries by the American Mathematical Society, Providence, RI, 1999.
87. S. Ramanujan, *The Lost Notebook and Other Unpublished Papers*, Narosa, New Delhi, 1988.
88. R. A. Rankin, *On the representation of a number as the sum of any number of squares, and in particular of twenty*, Acta Arith. **7** (1962), 399–407.
89. R. A. Rankin, *Ramanujan's unpublished work on congruences*, Modular Functions of One Variable, V, Lecture Notes in Math., No. 60, Springer-Verlag, Berlin, 1977, pp.3–15.
90. R. A. Rankin, *Ramanujan's tau-function and its generalizations*, Ramanujan Revisited (G. E. Andrews, R. A. Askey, B. C. Berndt, K. G. Ramanathan, and R. A. Rankin, eds.), Academic Press, Boston, 1988, pp.245–268.
91. R. A. Rankin, *Sums of cusp form coefficients*, Automorphic Forms and Analytic Number Theory, Univ. Montreal, Montreal, 1990, pp.115–121.
92. P. Ribenboim, *The New Book of Prime Number Records, 3rd ed.*, Springer-Verlag, New York, 1996.
93. G. J. Rieger, *Zum Satz von Landau über die Summe aus zwei Quadraten*, J. Reine Angew. Math. **244** (1970), 198–200.
94. I. J. Schur, *Zur additiven Zahlentheorie*, S.-B. Preuss. Akad. Wiss. Phys.-Math. Kl. (1926), 488–495.
95. W. Schwarz, *Einführung in Methoden und Ergebnisse der Primzahltheorie*. Bibliographisches Institut, Mannheim, 1969.
96. A. Selberg, *Collected Papers, Vol. I*, Springer-Verlag, Berlin, 1989.
97. A. Selberg, *Collected Papers, Vol. II*, Springer-Verlag, Berlin, 1991.
98. J.-P. Serre, *Une interprétation des congruences relatives à la fonction τ de Ramanujan*, Séminaire Delange–Pisot–Poitou: 1967/68, Théorie des Nombres, Fasc. 1, Exp. 14, Secrétariat Mathématique, Paris, 1969, 17 pp.
99. J.-P. Serre, *Congruences et formes modulaires [d'aprè H. P. F. Swinnerton-Dyer]*, Séminaire Bourbaki, $24^{\text{éme}}$ année (1971/72), Exp.

No. 416, Lecture Notes in Math., Vol. 371, Springer-Verlag, Berlin, 1973, pp.319–338.
100. J.-P. Serre, *Divisibilité de certaines fonctions arithmétiques*, Enseign. Math. **22** (1976), 227–260.
101. D. Shanks, *The second-order term in the asymptotic expansion of $B(x)$*, Math. Comp. **18** (1964), 75–86.
102. L. J. Slater, *Further identities of the Rogers–Ramanujan type*, Proc. London Math. Soc. (2) **54** (1952), 147–167.
103. D. C. Spencer, *The lattice points of tetrahedra*, J. Math. Phys. Mass. Inst. Tech. **21** (1942), 189–197.
104. G. K. Stanley, *Two assertions made by Ramanujan*, J. London Math. Soc. **3** (1928), 232–237; Corrigenda **4** (1929), 32.
105. H. P. F. Swinnerton-Dyer, *On ℓ-adic representations and congruences for coefficients of modular forms*, Modular Functions of One Variable III, Lecture Notes in Math., No. 350, Springer-Verlag, Berlin, 1973, pp.1–55.
106. H. P. F. Swinnerton-Dyer, *On ℓ-adic representations and congruences for coefficients of modular forms (II)*, Modular Functions of One Variable V, Lecture Notes in Math., No. 601, Springer-Verlag, Berlin, 1973, pp.64–90.
107. H. P. F. Swinnerton-Dyer, *Congruence properties of $\tau(n)$*, Ramanujan Revisited (G. E. Andrews, R. A. Askey, B. C. Berndt, K. G. Ramanathan, and R. A. Rankin, eds.), Academic Press, Boston, 1988, pp.289–311.
108. G. Tenenbaum, *Introduction to Analytic and Probabilistic Number Theory*, Cambridge University Press, Cambridge, 1995.
109. R. C. Vaughan, *The Hardy–Littlewood Circle Method, 2nd ed.*, Cambridge University Press, Cambridge, 1997.
110. G. N. Watson, *Ramanujans Vermutung über Zerfällungsanzahlen*, J. Reine. Angew. Math. **179** (1938), 97–128.
111. K. S. Williams, *Note on integers representable by binary quadratic forms*, Canad. Math. Bull. **18** (1975), 123–125.
112. L. Winquist, *An elementary proof of $p(11m+6) \equiv 0 \pmod{11}$*, J. Comb. Thy. **6** (1969), 56–59.
113. L.-C. Zhang, *Ramanujan's continued fractions for products of gamma functions*, J. Math. Anal. Appl. **174** (1993), 22–52.

DEPARTMENT OF MATHEMATICS, UNIVERSITY OF ILLINOIS, 1409 WEST

Green St., Urbana, IL 61801, USA
 E-mail address: `berndt@math.uiuc.edu`

訳者後書

 本書は "*Ramanujan, Twelve Lectures on Subjects Suggested by His Life and Work*"（G. H. Hardy 著，アメリカ数学会，2002 年）の全訳である．誤植と思われる個所も原文のままにして，訳注でそれと指摘するにとどめてある．人名，地名は同じ綴りでも各国語によって発音が異なるから，アルファベット表記にした[1]．引用文献の表題，雑誌名等も同様にアルファベット表記にした．

 一般的にいって，通常の数学書は要するに何がしかの理論を説明するだけの論理的な文章，いうなれば乾いた文章に終始するであろう．しかし本書においては Ramanujan に対する Hardy の思い入れがこもった，いうなれば湿り気のある文章が随所に現れる．数学書としての部分は正確さを第一に訳出する一方で，湿り気のある文章はその含意を訳出するために時制，あるいは語順において原文と異なるところがある．いずれの場合も訳文がいささか回りくどい日本語である部分があるが，それは原文がいささか回りくどい英語であるがためである．そのような英語が 1940 年頃の Cambridge で通常のことであったのか，あるいは Hardy に特有の文体であるのかは定かでないが，Hardy のいわんとするところを可能な限り忠実に訳出するためにあえてそのような訳としたのである．読者の寛容なるご理解をお願いしたい．

 講義 I はその性格からして訳出にあたって格段の注意を払った．宮城教育大学英語科の根本アリソン特任准教授には英語を母国語とする立場から意見

---

[1] 因みにヒンディー語あるいはタミル語では Ramanujan の発音は Rāmānujan（ā は長母音）が原音に近いようである．

をいただき，訳出の参考にした．また英国統治下のインドの学制についての情報が，インド大使館・インド文化センターの奥田由香氏（東京外国語大学講師）と澤田彰宏氏（拓殖大学講師）よりもたらされた．以上，お名前を挙げて御礼申し上げます．

　丸善出版企画編集部の立澤正博氏には，出版に至る諸事万端のお世話をいただいた．急な問い合わせにも迅速に対応してくださり，これはぐずぐずしていられないぞ，という気持ちにして下さった．心より御礼申し上げます．

　にもかかわらず生じた翻訳の誤りは，その責任がすべて訳者に帰することはいうまでもないことであるが，念のために記しておく．

　訳者の日本語能力（英語能力はいうに及ばず）からして，このような翻訳は無謀の企てと呼ばれるべきものであろうが，そもそもこのような企てを行うに至ったのは，先輩である K 教授と W 教授の誘いがあったがためである．2002 年頃ではなかったかと思う．最終的にはお二人は企てに参画することはなかったのだが，第一の謝辞はお二人に贈られるべきであろう．この翻訳の存在はこれを彼らの誘いに負うているのだから．

2014 年 8 月　訳者記す

索引

●英数字
Abel 29
Bailey 12
Bauer の公式 12
Bromwich 3, 61
Carr 3
Cauchy の定理 14
Cayley 28, 61
Chrystal 18
de la Vallée-Poussin 22, 40
Descart の卵型曲線 322
Dickson 16
Dirichlet 26
Dirichlet の級数 44
Dougall–Ramanujan の恒等式 17
Eddington 21
Euler–Maclaurin 和公式 296
Euler の恒等式 24
Farey 数列 181
Farey 点 181
Farey 分割 181
Foruier 変換 301
Fourier 核 20, 307
Francis Spring 卿 8
Gauss 23

Gauss の公式 151
Gauss の複素整数 199
Gauss 和 216
Gelfand と Schneider の定理 109
Gilbert Walker 卿 8
Goldbach の定理 27
Gram 34
Greenhill 28, 61
Hadamard 22, 40
Hankel 変換 316
Hecke 理論 368
Ingham 21
Jacobi 12
Klein の「絶対不変量」 222
ℓ-進表現論 368
Lambert 型の級数 334
Landau 13
Laplace の公式 12
Legendre 級数 12
Liouville の定理 117
Loney 3
Mathew 61
Mellin 20
Möbius 関数 205
Möbius の反転公式 63, 206

Mordell　14
Newtonの補間公式　290
Planaの公式　297
Poissonの公式　297
Poissonの和公式　19
Preece　28
Ramachaundra Rao　2
Ramanujan仮説　256
Ramanujanの和　205
Ramaswami Aiyar　8
Reimannのゼータ関数　19
Riemann仮説　42
Riemannの等式　41
Rogers　9, 12
Rogers–Ramanujanの公式　133
Rogers–Ramanujanの恒等式　17
Seshu Aiyar　2
Siegelの定理　117
Stanley　28
Stirlingの定理　26
Tauber型の定理　48, 173
Tchebychef　26
Thomaeの公式　156
Thueの定理　116, 117
Tichmarsh　20
Watson　9
Whipple　28
Whittaker　3, 61
Wiener–Ikehara　67

●あ行
一般の変換　308
円周法　367

●か行
加法的解析数論　367

基本領域　221
虚数乗法　340
「虚数乗法」の理論　12
高次の超幾何級数　151

●さ行
自己双対的関数　307
乗法的　207
正規の大きさ　74
双対関数　20
素数定理　22, 38

●た行
楕円テータ関数　198
超幾何級数　151
特異級数　218
特異不変量　343
特異母数　339, 343

●な行
滑らかな数　69

●は行
平均の大きさ　73
冪級数の連続性に関するAbelの定理　67
補間公式　20

●ま行
モジュラー不変量　222
モジュラー方程式　325

●ら行
リー代数　368
連分数展開の近似分数　111
連分数表示　108

著作者
G.H. ハーディ（Godfrey H. Hardy）

訳者
髙瀨 幸一（たかせ こういち）
宮城教育大学教授.

数学クラシックス 第30巻
ラマヌジャン
その生涯と業績に想起された主題による十二の講義

平成28年9月10日　発　　　行
令和7年5月30日　第2刷発行

著作者　G. H. ハ ー デ ィ

訳 者　髙　瀨　幸　一

発 行 者　池　田　和　博

発 行 所　丸善出版株式会社
〒101-0051 東京都千代田区神田神保町二丁目17番
編集：電話(03)3512-3266／FAX(03)3512-3272
営業：電話(03)3512-3256／FAX(03)3512-3270
https://www.maruzen-publishing.co.jp

ⓒ Koichi Takase, 2016

組版印刷・製本／大日本法令印刷株式会社

ISBN 978-4-621-06584-6　C 3341　　Printed in Japan

本書の無断複写は著作権法上での例外を除き禁じられています.